Y DDRAIG GOCH

EMLYN ROBERTS

Argraffiad Cyntaf – Gorffennaf 2006

ISBN 0 86074 228 8

Cyhoeddwyd ac argraffwyd
gan Wasg Gwynedd, Caernarfon

I Beth

am fod yna

SUL

Er bod yr ystafell yn aneglur roedd y lliwiau i gyd yn y llefydd iawn. Dim angen poeni gormod felly – o leia o'n i adref. Faint o'r gloch oedd hi? A wel, digon buan i boeni am hynny . . . Gorweddais yn ôl, cau fy llygaid a thrio rhoi'r noson cynt yn ei chyd-destun. Na – methu cofio dim. Na phoener – roedd y patrwm mor gyfarwydd nes ei fod yn eithaf cartrefol bellach.

Diwrnod newydd amdani felly – Sadwrn? Naci – Sadwrn ddoe. Sul felly. Grêt. Edrych ymlaen yn barod. Yr unig ddiwrnod oedd yn waeth na dydd Sadwrn. Gormod o amser i segura a hel meddyliau am ddyddiau gwell a aethant ar chwâl. Diod fasa'n dda . . .

Ceisiais godi ar f'eistedd mor araf a gofalus ag y medrwn, ond llamodd y cwd efo'r ordd i gefn fy mhen ar fy ngwaethaf. Eisteddais am rai munudau a'm hymennydd yn cael cweir fewnol cyn i'r cwd ddechrau blino a gwanhau ei ergydion. Yn araf, daeth yr ystafell i ffocws . . . Na – doedd hi ddim tamaid taclusach na glanach. Angan diod. Dim ond poteli gwag ar hyd lawr. Codi fyddai raid.

Codais o'r gwely dwbl ac ymbalfalu yn hanner dall am y dillad wrth ei droed – dillad yn drewi o oglau mwg y noson cynt. Nid bod fy ffroenau i yn abal i adnabod hynny ar yr awr yma o'r bore. Llusgais fy nhraed ar hyd y landin i'r ystafell molchi a mynd drwy'r drefn ddifeddwl o wagio, eillio a holi'r dieithryn yn y drych i ble'r aeth y blynyddoedd. Ac yntau'n syllu'n ddi-ddallt arnaf drwy lygaid gwaedlyd, yn methu â chynnig ateb na chysur o unrhyw fath. Bellach roedd y myfyrdod ofer yma'n ddefod feunyddiol, a gallai barhau hyd at chwarter awr ar fore mwy diystyr na'i gilydd. Mae'n bosib y byddai'r Sul hwn yn ymgeisydd am record newydd pe na bai cnoc uchel wedi dod ar y drws lawr grisia.

Ar ddydd Sul? Anarferol. Cymerais gip drwy ffenest y llofft cyn gwisgo fy nhrowsus a gweld mai'r glas oedd yno. Dim hast felly. Cynyddodd y cnocio. Arafais innau.

Gwgodd y cyw plismon pan agorais y drws.

'Dowch yn ych blaen, Lewis – sginnon ni'm drwy dydd!'

Anwybyddais ef a chyfarch ei bartner.

''Mai, Tom – dod i'n hebrwng i i'r capal?'

Ni wenodd Tom. Gwell bod yn wyliadwrus felly.

'Gawn ni ddod i mewn?'

Y pry eto.

Ochneidiais.

''Di'm yn amsar da iawn . . . '

'Pryd sy, 'de?'

Clefyr dic. Cwbwl o'n i angen.

'Falla bydda well ginnoch chi ddod lawr i'r stesion.'

Roedd hwn yn dechra troedio'n beryglus rŵan.

'Falla bydda well i ti ddysgu mwy am drin pobol yn lle rhedag ar ôl streips.'

Torrodd Tom ar draws ein dawns.

'Jaci, plis . . . '

Edrychais i'w lygaid ymbilgar. Roedd 'na rywbeth o'i le'n ddifrifol fan hyn. Er gwaetha'r cur pen a'r poen tin gadwai gwmni i Tom, fe'u gwahoddais i mewn. Sylwais ar yr olwg drahaus ar wyneb y pry fel yr edrychai o gwmpas yr ystafell flêr – bron y medrwn weld ei ymennydd prin yn adeiladu proffeil o'r cliwiau oedd o'i gwmpas. Rhy ifanc, rhy eiddgar – roedd pawb yn ddrwgweithredwr yn llyfr hwn. Golwg o siom oedd ar wyneb Tom – o weld dirywiad y stafell o'r hyn a fu mae'n siŵr. Mae'n rhaid felly nad oedd wedi ymweld â'r tŷ ers dyddiau Lili – amser go faith yn ôl bellach. Sori, Tom, fel'na ma'i . . . Fawr o ddyn efo hwfyr. Faint o waith llnau oedd o wedi'i neud erioed, tybad?

'Panad, Tom?'

'Dim diolch, Jaci.'

'Te. Llefrith. Un siwgwr,' meddai'r pry.

'Gest ti gynnig?'

'Naddo, ond —'

'Na – do'n inna'm yn meddwl chwaith. Be alla i neud i chi, Tom?'

'Lle oeddach chi neithiwr rhwng deg a dau y bora?'

'Dyna gyd-ddigwyddiad!'

'Be?'

'Tom ydi dy enw ditha hefyd?'

Edrychodd yn hurt arnaf.

'Naci, Dennis . . . '

'Atab 'i gwestiwn o, Jaci.'

Cerddais drwodd i'r gegin gan roi cic i'r botel a gysgai'n y drws. Codais hi'n dyner a'i dangos i'm cyfaill newydd, Dennis.

'Ti'n gweld hon?'

'*Isle of Jura*'?

'Fanna o'n i.'

'Ond ma'n cymryd tua deg awr i yrru —'

'Yn y botal mae o'n feddwl, DS.'

'Yma'n y tŷ?'

Nodiais a mynd i roi dŵr yn y tecell. Dilynodd Dennis.

'Rhywun efo chi?'

Ysgydwais fy mhen.

'Dim alibi felly?'

'Dim alibi i be, Dennis?'

Rhoddais y tecell i ferwi a chan anwybyddu'r plismon ifanc oedd yn sganio'r gegin, croesais yn ôl i'r stafell fyw at Tom.

'Unrhyw beryg o gael gwbod pam dach chi yma, Tom? Neu ydw i'n mynd i dorri trwyn y pry 'ma am ddim rheswm yn y byd?'

'Mae hynna yn bygwth aelod o'r heddlu!'

'Taw â deud.'

'Mi allwn i'ch bwcio chi am hynna!'

'A tasat ti heb rywun go gall i gydio'n dy law di mi fasat yn gneud 'fyd, ma siŵr.'

'Gwrandwch yma, Mr Lewis —'

'Na – gwranda di, Pero. Os ti'n martsio drwy 'nrws ffrynt i ar fora dydd Sul yn goc i gyd ma'n well bod gen ti reswm reit ryw dda dros neud, washi —'

'Dyna ddigon – dorwch gorau iddi – y ddau onoch chi!'

Tom yn gallu bod reit awdurdodol pan oedd o isio.

'Stedda, Jaci.'

'Well gin i sefyll rhag ofn i'r iyng ledi ista ar 'y nglin i —'

'Dwi'm yn deud wrthoch chi eto!'

'DS! Plîs!' cyfarthodd Tom. Sadiodd y pry. 'Mae hyn yn ddigon anodd fel mae hi. Ti'n siŵr nad wyt ti am ista, Jaci?'

Ro'n i'n disgwyl y gwaetha bellach. Ond pan mae'r gwaetha wedi digwydd yn eich bywyd eisoes, mae'n haws ei wynebu rywsut.

'Tyd 'laen ta, Tom. Pwy?'

Oedodd Tom cyn ateb.

'Glyn.'

Haws mewn theori. Eisteddais. Wedi ennyd oesol, llwyddais i ddod o hyd i'm tafod.

'Glyn Cysgod? Be . . . rhywun 'di . . . ladd o?'

Cyffrôdd Dennis.

'Pam ydach chi'n deud hynny?'

Chwarae teg i Tom – roedd o'n gallu gweld nad oeddwn i mewn cyflwr i ateb cwestiynau gwirion.

'Am eich bod chi wedi ei holi am ei symudiadau, DS.'

'Pwy fyddai isio lladd Glyn?'

'Dyna lle oeddan ni'n gobeithio mai chi fasa'n gallu'n helpu ni, Mr Lewis.'

'O?'

'Chi ydi – sori – oedd – ei bartner o wedi'r cwbwl.'

'Glyn?'

'Mae'n ddrwg gen i, Jaci.'

'Sut? Pryd? Lle —'

'Pryd welsoch chi Mr Evans ddwytha, Mr Lewis?'

'Be . . . dydd Iau – pnawn Iau dwytha.'

'Unrhyw beth allan o'r cyffredin?'

'Fel be? Na . . . Glyn 'di Glyn 'de – dyn mawr, personoliaeth fawr.'

Ond ddim bellach. Sylweddolais yr hyn roeddwn yn ei barablu a theimlo'r golled am y tro cyntaf.

'Diod 'sa'n dda.'

'Braidd yn fuan, Jaci.'

'I chdi falla, Tom.'

Ond er chwilio, doedd yna ddim wisgi yn unman. Eisteddais i gael fy ngwynt ataf.

'Unrhyw beth ti'n meddwl alla fod o help i ni, Jaci?'

Meddyliais am sbel – rhy hir i Pero mae'n rhaid.

'Peidiwch â meddwl gwneud hwn yn gês personol, Mr Lewis – gadwch o i'r ditectifs go iawn.'

Ro'n i'n wirion i ymateb, ond ro'n i yn fy ngwendid.

'Reit. Dyna ni. Dwi 'sio hwn o'r tŷ 'ma rŵan, Tom!'

'Jaci —'

'Rŵan!'

''Nôl byddwn ni, Mr Lewis.'

"Mots gin i – o'ma! Cer â hwn yn ôl i'r ysgol nei di, Tom? Dyma ma'r academi'n gynhyrchu'r dyddia yma, ia?'

'Gweithia efo ni ar hwn, Jaci.'

'Doro le i mi anadlu a 'na i feddwl am y peth.'

'Tan toc, Mr Lewis . . . '

'Di'r Iancs ddim yn rong am bob peth chwaith, nagdyn?'

'Be dach chi'n feddwl?'

'Wel, "dicks" ma nhw'n ych galw chi 'nde? Lle ti'n cal nhw dŵad, Tom?'

'Ddoi di draw nes mlaen, Jaci? Ffonia.'

'Ia . . . 'na i siŵr. Tria gadw mêt o'r ffordd gymaint â phosib.'

'Fydd hynny'n anodd gen i ofn – ti'n gwbod fel mae'r petha ifanc 'ma.'

'Hmm.'

'Na i 'ngora i'w ffrwyno fo. Wela i di.'

Gadawodd Tom fi'n sefyll yn y drws ac ymuno efo'r gingron roedd o'n gorfod ei arddel yn bartner iddo'r dyddiau yma. Druan o Tom – roedd ei bersonoliaeth fwyn wedi ei orfodi i ddioddef amal i ffŵl dros y blynyddoedd. Ond chlywis i erioed mohono'n cwyno.

Sylweddolais fy mod yn dal yn sefyll yn y drws yn syllu ar ddim. Sioc mae'n siŵr. Be oedd yn dda i sioc hefyd? Cadw'n gynnes ac yfed wisgi.

Dim wisgi.

Rhywbeth melys, ta. Panad o de?

Dim llefrith.

Penderfynais ar dost a marmalêd fel cyfaddawd. A thair sigarét.

Glyn Cysgod.

Wedi mynd.

Amau llofruddiaeth.

Yr unig beth fedrwn i feddwl yr eiliad honno oedd iddo

faglu ar draws rhywbeth oedd yn rhy fawr iddo yn sgil ei waith. Ond yng Nghaerlloi? Yn gweithio i mi? Ran amla y gwaith mwyaf ecsotig a gâi'r cwmni oedd darganfod plentyn yn ei arddegau oedd wedi rhedeg i ffwrdd i wneud ei ffortiwn yn Lerpwl heb ddeud wrth y teulu lle'r oeddan nhw'n mynd. Job i'r heddlu'n dechnegol mi wn – ac yn foesol hefyd o ran hynny – os oeddan nhw'n ddigon dwl i gredu fod yna ffortiwn i'w gwneud yn Lerpwl roeddan nhw'n haeddu eu harestio – a gwaeth. Ond llofruddiaeth? Roedd hyn yn diriogaeth mwy anghyffredin. Roedd hyd yn oed marwolaethau amheus yn gêsys cymharol brin – a diolch am hynny.

Glyn wedi ei ladd?

Llifodd fy meddyliau yn ôl i'w ddiwrnod cyntaf – y wên honno, y llais mawr a'r winc a'r bersonoliaeth ddi-ofn a lenwai'r ystafell. Doedd ei rieni ddim yn hapus fod eu mab ieuengaf yn taflu ei addysg i'r gwynt, ond medrai unrhyw un efo hanner llygad weld fod gan Glyn ormod o gochni yn ei waed i fod yn athro neu'n gyfreithiwr, a dim digon o uchelgais i fod yn ddyn busnes. A faint o jobsys lleol eraill oedd yna i rywun fel fo i'w alluogi i aros yng Nghaerlloi a chael bod yn agos i'r mynyddoedd, oedd wedi ei hudo er pan oedd yn gyw dryw? Olreit, roedd o'n gallu bod mor gynnil â tharw weithiau ar gês oedd yn ddelicet, neu'n ddiamynedd os oedd yna gês yn cymryd yn hwy na'r disgwyl i'w ddatrys, ond roedd yn gwmni rhagorol, ac er gwaetha'i sŵn a'i faint, doedd yna ddim asgwrn cas yn ei gorff.

A rŵan roedd o wedi mynd.

Brwydrais yn erbyn y don o chwithdod a cheisio cadw fy meddyliau'n glir. Roedd dyn yn amau ei hun yn y cyflwr yma – mae rhywun yn meddwl hyd at sicrwydd ei fod yn gweithredu'n rhesymegol ond mi all gyfeiliorni yn y modd mwyaf ofnadwy. Doedd dim rhaid deud hynny wrtha i . . . mi o'n i wedi bod yna. Ond serch hynny, roedd yna un teimlad yn mynnu gwthio'i ffordd i'm pen, heb unrhyw gyfiawnhad amlwg. Doedd gen i ddim ffaith o fath yn y byd i'w gefnogi, na rheswm dilys dros ganiatáu iddo wthio'i ffordd i flaen fy meddyliau, ond ei fod yn ffitio'r disgrifiad o'r hyn a eilw pob ditectif yn 'sgwarnog'. Petha peryg 'di sgwarnogod. Fe allant eich arwain dros y mynydd a rownd yr arfordir ac fe allwch ddod adref ar y gorau yn waglaw, ac ar y gwaethaf mewn arch. Ond ambell waith fe allai sgwarnog hefyd fod yn achubiaeth, gan gynnig llwybr hollol afresymegol i ddianc o'r drysni a chyrraedd y greal aur. 'Dwn i ddim p'run oedd hwn – dim ond ei fod yn morthwylio mor daer â'r cwd gorddlyd arall 'na gynnau: doedd Glyn ddim yr un un ers iddo ddychwelyd o Batagonia.

Roeddwn angen wisgi, ac mi wyddwn ble i'w gael . . .

'Gyma i un efo chdi,' meddai Hanna Barbra. Mi wnaeth, ac eistedd yn llonydd heb ddeud dim am tua deng munud.

'Dwi'm yn coelio'r peth,' meddai, a thywallt ail wisgi ac eistedd yn fud am tua deng munud arall.

'A ma nhw'n dy ama di?'

'Wel – sgin i'm alibi, ma'n debyg.'

'Mwy na finna. Pam 'dyn nhw'm yn f'ama i, ta? Am ma' hogan dwi ma'n siŵr, ia? 'Dw inna'n gyd-weithiwr iddo fo hefyd!'

'Rhan-amsar.'

'O, wel – dyna ni ta! Part-teimar ydi hi, felly mae'n hollol amlwg ei bod yn ddieuog. Blydi hel . . . ! Sgen ti smôc?'

Taniais sigarét iddi hi ac i minnau.

'Licio pan ti'n gneud hynna. Fath â'r boi Paul Henry 'na yn *Voyager* 'na.'

'Am be ti'n rwdlan?'

'Ffilm. Dio'r ots.'

A bu tawelwch. Eto. Gorffennodd Hanna Barbra ei sigarét.

'Ac un arall, plîs.'

Taniais un arall iddi.

'Braf arnon ni, ia. Fi a Betty Davies.'

Roedd hi'n rwdlan eto.

'Pwy 'di Betty Davies?'

'Hi oedd yn *Voyager* efo Paul Henry.'

'O.'

Ceisiais beidio â gofyn y cwestiwn ond methiant fu fy ymgais.

'Pam 'i bod hi'n braf arnoch chi?'

'Byth gorod poeni am danio sigaréts yn hunin, ia.'

'Grêt.'

'Classy bitches, Betty a fi.'

Dechreuodd chwerthin. Roedd 'na nodyn sterics yn ei chwerthin fodd bynnag, a phrofwyd f'amheuon wrth iddo droi'n feichio crio. Fu hi ddim wrthi'n hir nes cael rheolaeth arni'i hun.

'Reit ta,' meddai.

'Be?'

'Pwy nath?'

'Sgin i'm math o syniad. Pwy fasa isio lladd Glyn?'

'Dyna 'dan ni'n mynd i ffindio.'

'Ma'r cops 'di deud 'thon ni am beidio meiddio.'

'O! Wel – 'na ni 'lly. Os 'di cops yn deud . . . '

Gwenodd.

'Jaci Nora – wrandist ti rioed ar y polîs yn dy fywyd a dwyt ti'm yn mynd i adal llofruddiaeth Glyn yn eu dwylo nhw iddyn nhw gael gneud llanast o betha, ma hynny'n saff ddigon!'

'Ti'n deud?'

Gwenodd eto.

'Felly pwy nath?'

Cymerais anadl hir.

'Wel – dan ni'n dechra o ddim achos doedd gan y crinc jyst ddim gelynion.'

'Tyd 'laen – s'na'm posib bod hynna'n wir.'

'Dim y gwn i amdanyn nhw. Dydi'r llofrudd ddim yn chdi, ddim yn fi – dwi'n cymyd bod o ddim yn chdi —'

'Dio'm yn fi.'

'Dio'n sicr ddim 'i rieni fo – oddan nhw'n 'i addoli o. Ma'n beth gwirion i ddeud ma'n siŵr, ond yr unig beth fedra i feddwl amdano fo ydi Patagonia.'

'Sori?'

'Patagonia. Newydd fod yno, doedd?'

'Be? Ti'n meddwl fod o 'di cael ffrae efo rhywun ym Mhatagonia a bo hwnnw 'di ddilyn o'r holl ffordd yma i gal 'i setlo hi? Job ddrud . . . '

'O't ti'm yn 'i weld o'n wahanol?'

'Gwahanol sut?'

'Dwn im – o'n i'm yn 'i weld o'r un un y mis dwytha 'ma rywsut.'

'Hogan yn gallu newid dyn, Jac —'

'Hogan?'

'O't ti'm yn gwbod? Titha'n dditectif i fod! Odd Glyn Cysgod Evans mewn cariad!'

'Chlywis i'm am 'run hogan genno fo.'

'Gwbod bod ti'n hen sinic diramant ma siŵr, 'de.'

'Wel, ma gennon ni breim syspect felly d'oes?'

''Na ni – oes raid 'mi ddeud mwy?'

'Hanna Barbra – taw â dy lol – ti'n gwbod fod naw deg y cant o achosion llofruddiaeth yn ddomestics. Ers pryd oeddan nhw efo'i gilydd? Sut o't ti'n gwbod, beth bynnag?'

'Dynas dwi, Jaci.'

'Saff ddigon. Ym Mhatagonia ffindiodd o hi? Be 'di hi – Sbaenas?'

'Naci, Cymraes. Hogan leol 'di gneud yn dda iddi'i hun. Oedd o wedi'i chwarfod hi cyn iddo fo fynd i ffwrdd dwi'n meddwl.'

''Di gneud yn dda iddi'i hun sut?'

Daeth yr ateb yn ddihidio.

'Cantores 'di. Soprano.'

Sylweddolodd beth roedd wedi ei ddeud, a methu ag edrych i'm llygaid.

'O – Jaci . . . ' ebychodd yn ddistaw. Anwybyddais ei chydymdeimlad.

'Hogan leol ti'n deud? Be 'di'i henw hi?'

'Lois. Lois Calon.'

'Chlywis i rioed amdani.'

'O – ma'i reit adnabyddus ar y sîn – wsti . . . '

'Eisteddfodol?'

'Ia.'

'Ia wel – 'swn i'm yn gwbod dim byd am hynny, na f'swn.'

Oedodd Hanna Barbra.

'Naf'sat debyg . . . '

'Sut naethon nhw gwarfod?'

'Sut gwn i?'

'Ti i weld yn gwbod pob peth arall.'

'Dyna ngwaith i.'

'Nagia.'

'Sori?'

'Dy waith di, Hanna Barbra, ydi gneud yn siŵr fod gennon ni drefn yn yr offis 'ma – gwaith papur, ffonio pobol a ballu – nid chwara ditectif. Gad ti hynny i fi a —'

'Glyn?'

A bu tawelwch.

Wisgi, smôc ac ychydig fanylion ymhellach ac mi oedd

hi'n bryd gwneud yn lle deud. Job fudr, ond roedd yn rhaid i mi weld y corff. Gorau oll os medrwn ei weld heb i'r glas fy ngweld i.

Y corff. Faint o weithiau oeddwn i wedi deud y geiriau yna mewn rhyw achos neu'i gilydd? Y corff – dim ond gwrthrych lle bu person. Lle bu Glyn. Am y tro cyntaf ers clywed y newyddion, teimlais yr ysfa i ddial. Ddudis i rioed wrtho, wrth gwrs, ond damia o'n i'n meddwl y byd o'r hen foi bach . . . mawr . . . Mi gâi pwy bynnag fuodd yn gyfrifol am ddiffodd ei gannwyll dalu.

Patagonia. Mi dalai i ymchwilio.

'Hanna?'

'Be?'

'Ynglŷn â be ddudis i am beidio chwara ditectif, 'de . . . '

'Ia?'

'Anghofia fo. Ti 'di cal dyrchafiad.'

'Be 'di hynny – promoshyn?'

'Ia. Ffindia be fedri di am Batagonia.'

'Ma'n Sowth America – dwi'n meddwl . . . '

'Dwi'n gweld mod i mewn dylo saff.'

'Cau hi.'

Gadewais y swyddfa heb sôn am y ferch. Medrwn gymryd yn ganiataol y byddai Hanna Barbra wedi gwneud pob ymchwiliad posib i gyfeiriad honno, waeth be ddudwn i wrthi.

Troediais mor daclus ag y medrwn i gyfeiriad canol y dref. Y Siambals elwid yr ardal lle'r oedd y strydoedd yn gul ac yn dywyll – yn fy stad bresennol tybiwn fy mod yn addas ddigon i'w rhodio. Arhosais wrth ddrws y Gwe Pry Cop. Dim arwydd o fywyd. Cnociais y bwlyn ar y pren derw dair gwaith. Ac yna dair gwaith eto.

'Bygar off, dic!' gwaeddodd llais trigain y dydd o'r ffenest uwchlaw.

'John.'

'Ti'n gwbod be dwi'n feddwl!'

'Agor y drws 'ma, Clagwydd.' Ceisiais fabwysiadu fy llais mwyaf rhesymol posib.

'Bygar off, y brych!'

'Gei di un cyfla eto. Agor y drws.'

'Neu be, washi?'

Edrychais ym myw ei lygaid.

'T'isio i mi dy gau di i lawr?'

Ymddangosodd y cysgod lleiaf o amheuaeth yn ei lygaid.

'Pam – be ti'n wbod?'

''Sa ti'n synnu . . . '

Blyff. Ac mi wyddai hynny. Ac mi wyddwn i y gwyddai o hynny. Ond doedd rhywun â chymaint i'w guddio â Clagwydd byth cweit yn ddigon siŵr i fedru cymryd siawns. Ymhen munud, agorodd y drws.

'Be t'isio?'

'O – diolch yn fawr i ti – wisgi bach plîs.'

'Ffyc off.'

'Gna fo'n un mawr.' Dilynais ef i'r dafarn a chau'r drws. Roedd hi'n flerach nag arfer yna, os oedd y fath beth yn bosib – cwrw heb ei sychu ar hyd byrddau a lloriau, dodrefn (os gellid eu galw'n hynny) strim stram ar hyd y llawr, gwydrau wedi torri. Eisteddais ar y peth tebycaf i stôl a welwn wrth y bar. Crensiodd Clagwydd ei ffordd draw gyda dau wisgi.

'Ag un i chdi dy hun tra ti wrthi.'

'Ha ha. Be t'isio?'

'Ath hi'n flêr neithiwr, ta?'

'Be os gnath hi?'

'Be oedd achos yr helynt?'

'Be haru ti? Nos Sadwrn, doedd?'

Cymerais ddracht o'r wisgi.

'Wisgi ma'n reit dda gen ti chwara t—'

'NEI DI FFYCIN DEUD BE TI FFYCIN ISIO I MI GAL FFYCIN MYND YN ÔL I'N FFYCIN GWELY, JACI FFYCIN NORA?'

Rioed yn un am fân siarad, 'rhen Glagwydd . . .

'Raymond?' galwodd llais benywaidd a blinedig o'r tywyllwch y tu hwnt i'r bar a arweiniai, ymhlith llefydd eraill, i'r llofftydd.

Anelodd Clagwydd edrychiad o gasineb pur i'm cyfeiriad.

'Olreit,' galwodd yntau'n ôl.

'Musus Clagwydd ddim adra felly, Raymond?'

Ystyriodd Clagwydd godi dadl. Penderfynodd beidio.

'Aros efo'i chwaer.'

'Paid â deud wrtha i – un o'r gweinyddesa ifanc newydd 'na sgen ti.'

'Sut gwst ti?'

Ni atebais. Gorffennais y wisgi. Roedd Clagwydd yn gleniach mwya sydyn.

'Un arall?'

'Well mi beidio dy gadw di, dydi? Wil Gaucho.'

'Be amdano fo?'

'Pryd welist ti o ddwytha?'

'Dwi'm yn cofio.'

'Sigarét?'

'Diolch . . . Tua wsnos yn ôl.'

'Ma'n y wlad felly?'

'Mi oedd o tua wsnos yn ôl.'

'Lle 'na i ffindio fo?'

'Sgen i'm syniad.'

'Da mi weld – di'm yn Sharon – ti 'di bod fan'ny o'r blaen . . . un ai Tesni neu Roxanne felly, ia?'

'Tria Proff Moth.'

'Pam?'

'Ella bod o'n gwbod rwbath.'

'Proff Moth? Wil Gaucho'n gallu darllan, yndi?'

''Na'r gora fedra i neud. Rwbath arall?'

Edrychais arno'n amheus.

'Reit – ffyc off ta.' Cliriodd y gwydrau a gwneud osgo i'm hebrwng at y drws.

'Os ffindia i bo chdi'n deud clwydda 'de, Clagwydd—'

'Dydw i ddim – hegla hi.'

'Diolch am y wisgi.'

'Ha ha.' Caewyd y drws yn glep. Edrychais i fyny'n sydyn a gweld cyrlen felen yn diflannu'n ôl i gysgod y llofft.

Roxanne felly. Druan ohoni. Hen dric oedd gaddo dyrchafiad o fod yn weinyddes i gael gweithio y tu ôl i'r bar – yr unig un a gâi ddyrchafiad fel arfer oedd Clagwydd ei hun.

Roedd oglau nos Sadwrn yn dal i hofran yn y strydoedd swrth. Neu efallai mai clywed yr oglau wisgi ar fy ngwynt fy hun oeddwn i – ni allwn fod yn siŵr. Waeth heb â cheisio Proff Moth ar ddydd Sul; mae'n siŵr ei fod mewn cynhadledd yn y Gelli Gandryll neu rywle. Na, ni fedrwn osgoi'r anochel ddim hwy. Y morg amdani felly.

'Stan?'

'Jaci! S'mai, mêt!'

Sobrodd.

'O, ia . . . ddrwg gen i am . . . ' Amneidiodd i gyfeiriad y sach ddu a orweddai ar droli oeraidd yr olwg.

'Dach chi 'di cynnal yr otopsi?'

'Na, ddim eto.'

'Ond ti 'di cael golwg sydyn arno fo?'

'Wrth gwrs.'

'Tyd â fo, ta.'

'Dwy fwlet. Un drwy'i galon. Un drwy'i ben. Marw'n syth.'

'Proffesiynol?'

'Bendant 'swn i'n deud.'

'Rwbath arall?'

'Na, glân. 'Sa raid ti ofyn i SOCO.'

'Ia, wel . . . dwi'm yn siŵr fedra i neud hynny.'

'A . . . '

'Ti'm 'di ngweld i, iawn? Hwda.'

Tynnais gopi cyfredol o *Pigeon Monthly* o'm côt a'i daflu ato. Yn ôl yr olwg werthfawrogol ar ei wyneb fe ddwedwn ei bod yn saff y byddai fy ymweliad yn gyfrinach.

Neu fe fyddai wedi bod, oni bai i Tom a Dennis gerdded i mewn gan hebrwng cwpl oedrannus galarus. Rhieni Glyn. Ffromodd y pry yn syth.

'Be ddudson ni wrthach chi, Mr Lewis? Cadwch ych trwyn allan o'r ymchwiliad yma!'

'Neu be?'

'Neu nawn ni'ch arestio chi am *obstruction, witholding information* a hannar dwsin o betha eraill, yn gwnawn DI?'

'Paid â'i gneud hi'n anodd arnan ni, Jaci.'

'Odd o'n bartnar i mi, Tom.'

Trois at rieni Glyn.

'Mae'n wir ddrwg gen i . . . '

Estynnais fy llaw i gyfeiriad Elwyn Evans, ond edrychodd hwnnw ar y llawr heb ei hysgwyd. Roedd Margaret Evans yn amlwg wedi ogleuo'r alcohol ar fy ngwynt ac yn edrych â chymysgedd o ddicter a thrueni arnaf. Amser da i adael. Nodiais i gyfeiriad Tom a gadael mor ddisymwth â phosib ond nid cyn sylwi fod y ceiliog bach wedi sylwi ar bob peth ddigwyddodd a mwynhau'r foment yn arw. Beryg bod Dennis a finnau'n mynd i ffraeo rywle lawr y lôn . . .

Teimlwn yr angen am awyr iach yn sgil y cyfarfyddiad annisgwyl, felly crwydrais y strydoedd i gyfeiriad Bryn Ysgallen – neu'r Domen, fel y'i hadwaenid gan bawb o drigolion y dref.

Job broffesiynol. Roedd y peth yn hollol afreal. Rhywun wedi rhoi contract ar Glyn? Be ar y ddaear oedd yr hogyn wedi bod yn ei neud? Ma rhaid fod a wnelo Patagonia rywbeth â'r peth. Oedd gen i gyswllt arall ar wahân i Wil Gaucho? Fedrwn i feddwl am ddim. Y ferch 'ma – cantores meddai Hanna. Pwy oedd hi felly? Lle medrwn i ddod o hyd iddi? O nabod Glyn fyddai o ddim wedi deud llawer wrthi beth bynnag. Oedd hi wedi canu arnaf i ddarganfod beth ddigwyddodd iddo cyn i mi hyd yn oed gychwyn? Os mai llofruddiaeth gontract oedd hi, fyddai yna ddim llawer o drywydd i'w ddilyn; roedd y bois yma'n gwybod be roeddan nhw'n ei wneud.

Sylweddolais yn sydyn fy mod wedi cyrraedd pen y Domen tra oeddwn ar goll yn fy meddyliau. Eisteddais ar fainc llawn graffiti camsillafog ac edrych ar y dref o'm cwmpas oddi tanaf.

Caerlloi. Fy nghrud a'm carchar.

Y dref a adeiladwyd, fel Rhufain, ar fryniau – ond ar bump yn lle saith. Edrychais tua'r gogledd hyd lôn Aberystum i gyfeiriad un ohonynt, Bryn Gwin, a chofio gydag euogrwydd nad oeddwn wedi twllu bwthyn Nora ers misoedd, er addunedu i wneud ar sawl achlysur.

A sôn am Rufain, roedd 'na adag pan oedd y rheiny o gwmpas hefyd. Nhw, er enghraifft, wnaeth sicrhau'r tir i adeiladu'r Siambals a'r Labrinth a'u tebyg yn yr hen ran o'r dre, drwy sianelu Nant Llygad i lifo dan ddaear ar ran olaf ei thaith i Gulfor Gwawr. Pam 'Culfor Gwawr'? Dudwch chi wrtha i, gan mai machlud, nid gwawrio, wnâi'r haul wrth edrych dros bont aber yr afon Aber. Beryg mai trigolion Ynys Dderwydd ar draws y culfor a'i bedyddiodd. Ond roedd traddodiad yn pennu nad oeddan ni'n talu digon o sylw iddyn nhw i chwilio am gadarnhad.

Ond prif nodwedd Caerlloi o ddigon oedd ei chastell hynafol. Adeiladwyd o ganrifoedd yn ôl gan frenin Lloegr yn y dyddiau pan oedd ganddo fonopoli ar adeiladu cestyll. A chan mai brenin oedd o, doedd 'na'm rhaid poeni am fanion fel caniatâd cynllunio. Mae'n wir y medrai wneud gydag ychydig o ailblastro bellach, ond roedd y sylfeini'n parhau yr un mor gadarn ag erioed. Cafodd ei godi i gadw trigolion Caerlloi a'r ardal yn eu lle, a chyflawnodd ei swyddogaeth yn rhyfeddol o ystyried mai am drigolion Caerlloi rydan ni'n sôn. Doedd gen i fawr o gariad ato, ond roedd yn rhaid derbyn ei fod yn goblyn o fashîn.

Ond draw i'r dwyrain wele fashîn arall a godwyd i greu argraff, er mai dros dro'n unig oedd hwn yn cael arddel ei hun yn rhan o Gaerlloi. Ers rhai wythnosau roedd Pafiliwn glas a melyn yr Eisteddfod Genedlaethol wedi bod yn aros am ei westeion blynyddol a ddoe roedd hi'n gic-off ar y jamborî. A braint Caerlloi oedd bod yn gartref iddi am eleni. Cwta ddeng mlynedd oedd er pan ymwelodd hi ag Aberystum, saith milltir i lawr y lôn, ond mae'n siŵr fod yna ryw resymeg gyfrin tu cefn i drefnu ei hymweliadau. Doedd gen i ddim digon o ddiddordeb i holi beth oeddan nhw. A deud y gwir doedd gen i ddim math o ddiddordeb yn y Steddfod Genedlaethol na'i chystadlaethau o gwbwl – dim ers . . . wel . . . ta waeth am hynny. Pob lwc iddyn nhw, am wn i. Cwta wythnos ac mi fyddai'r pebyll yn cael eu dymchwel a'r caeau, o fewn dim, fel pe na bai dim wedi bod yno erioed. Rhyfedd oedd meddwl mai dyna yn y pen draw fyddai hynt y castell hefyd, er ei fawredd a'i gadernid presennol.

Edrychais y tu hwnt i faes yr Eisteddfod i gyfeiriad y mynyddoedd. Cae chwarae Glyn. Bob penwythnos ac amal i fin nos yn yr haf byddai'n neidio i'r car a chyfarfod ei fêts dringo ar ryw glogwyn hurt o serth neu'i gilydd, ac yn llawn o straeon y diwrnod wedyn am ryw 'E2' hyn ac 'E3' llall. '*Extreme*' oedd 'E' mae'n debyg. Dallt dim, ond roedd ei frwdfrydedd wastad yn ddigon heintus i beri imi fwynhau ei straeon, dallt neu beidio. Daeth ton arall o'r felan i olchi drosof. Diod fasa'n dda.

Roedd y Sgallen yn dawel ar wahân i Walter Sax yn ei gornel arferol yn anwybyddu'r byd, a'r barmed ifanc oedd, chwarae teg iddi, yn rhoi cystadleuaeth go hegar i Walter am fod y person mwya *world-weary* ar y blaned. Er gwaetha'r demtasiwn i rannu prynhawn ffraeth a llawn asbri gyda'r ddau, penderfynais adael ar ôl un bach sydyn.

Teimlais ysfa am ryw reswm i ymweld â'r swyddfa. Felly gwnes, wedi prynu potel yn yr off-leisans i fynd efo mi – jyst rhag ofn.

Rhyfedd fel mae rhywle hollol gyfarwydd yn ymddangos yn ddiarth wedi marwolaeth. Roedd o yr un teimlad yn union â mynd i'r swyddfa bapur newydd wedi marwolaeth Lili. Wedi llofruddiaeth Lili. Dim ots gen i be oedd penderfyniad yr heddlu – nid hunanladdiad oedd o. Fyddai Lili Leddf byth wedi mynd mor bell. Iawn, roedd hi'n lleddf, ond roedd 'na leddf ac roedd 'na leddf lladd-dy-hun. A doedd hi'm yn un o'r rheiny. Fyddai neb yn fy argyhoeddi fi byth bythoedd ei bod hi'n un o'r rheiny . . . Ro'n i'n malu cachu. Galar ac yfad yn pnawn, ma'n siŵr. Eisteddais tu ôl i'm desg. Waeth pa mor flêr fo'r amgylchiadau, roedd y byd wastad ychydig taclusach o'r safle yma. Mi ddylwn chwilio am gliwiau yn stwff Glyn – ffeiliau, nodiadau – dyna ddylwn i neud . . . ia chwilio . . . rhag ofn . . . cliwiau . . . Glyn . . .

Deffrais i sŵn cnocio. Od. Doedd hi mo'r tro cyntaf i mi gysgu yn y swyddfa, ond cnocio ar ddydd Sul? Penderfynais nad oeddwn yn yr hwyliau iawn i ateb rhywun oedd yn methu darllen yr oriau agor ar y drws. Agorais y botel a thywallt mesur.

Ac yna clywais y drws allan yn agor yn araf.

Doeddwn i ddim wedi ei gloi y tu cefn i mi, wrth gwrs! Perygl? Go brin – dydi perygl ddim yn cnocio cyn ymweld fel arfer. Serch hynny, teimlwn yn saffach o weld un o geibiau rhew Glyn yn gorwedd wrth f'ymyl. Er, pa amddiffyniad a gynigai hwnnw wyneb yn wyneb â gwn, doeddwn i ddim yn rhy siŵr.

Nesaodd y sŵn traed, ac yna'n araf, agorodd drws y swyddfa.

Dwi'm yn sicr be'n union o'n i'n ei ddisgwyl i gerdded heb wahoddiad i'm swyddfa ar fin nos Sul, mae'n rhaid cyfaddef. Asasin? Trempyn? Tyst Jehofa? Be oeddwn i ddim yn ei ddisgwyl oedd y weledigaeth a safai yn ffrâm y drws.

'Mr Lewis?'

Roedd hi mor esmwyth ar y glust ag oedd hi ar y llygad. Symudodd gam neu ddau ansicr i mewn i'r ystafell nes bod y golau pŵl drwy'r ffenest yn taro ar ei hwyneb. Roedd hi'n hardd ac roedd ganddi hyder person sy'n llawn ymwybodol ei bod yn hardd, ond doedd y llygaid cochion chwyddedig yn cyfrannu dim tuag at ei harddwch heddiw.

Ac yna fe wyddwn pwy oedd yr ymwelydd. Eiliad cyn iddi gyhoeddi ei henw.

'Lois Calon.'

Dim ymgais i esbonio ymhellach – roedd hi'n amlwg yn disgwyl i mi wybod pwy oedd hi. Oedd hi'n disgwyl i Glyn fod wedi rhoi gwybod i mi? Os felly, doedd hi ddim wedi dod i'w nabod yn dda iawn yn y cyfnod y buont yn gweld ei gilydd.

'Eisteddwch, Miss Calon.'

'Diolch.'

Fe ddaeth, yn araf, i eistedd yn un o'r cadeiriau gyferbyn â'r ddesg, gan edrych o gwmpas yr ystafell ddieithr.

'Gymerwch chi . . . ,' amneidiais at y botel wisgi. Ystyriodd ac amneidio yn gadarnhaol. Ceisiais gymryd cymaint o amser â phosib i dywallt dau ddiod. Pan mae eich preim syspect yn cerdded i mewn drwy'r drws ffrynt yn chwilio am sgwrs, mae'n anodd gwybod be ydi'r protocol, rhywsut. Eisteddodd gan edrych ar y ddiod am ychydig, yna dod i benderfyniad a'i glecio'n sydyn. Doedd hi ddim yn yfwr wisgi, roedd hynny'n sicr. A da hynny os mai cantores oedd hi.

'Diolch.' Roedd ei llais yn gryg ond roedd wedi trechu ei hawydd i gyfogi.

'Un arall?'

Ysgydwodd ei phen.

'Sut oeddech chi'n gwybod y byddwn i yma?'

Syllai ar rywbeth anweledig wrth iddi ateb.

'Doeddwn i ddim yn gwybod ble'r oeddech chi'n byw.'

Nid yr ateb roeddwn yn ei ddisgwyl.

'A fedrwn i'm aros yn y gwesty'n mynd yn wallgo'n ara bach, felly mi fûm i'n crwydro, a gan mod i'n pasio . . . wel, o'n i'n meddwl efallai y byddech chi'n chwilio yma cyn unlle arall.'

'Gwesty?'

'Dwi'n aros yn y Brython am wythnos. Dwi'n cystadlu ar yr unawd soprano. Oedd o'n gyfle i dreulio mwy o amser efo . . . '

Doedd Hanna Barbra ddim yn mynd i fod yn hapus fod ei holl waith ditectyddol yn ceisio dod o hyd i Lois Calon yn mynd i fod yn wastraff. Ystyriais ei ffonio. Yn nes ymlaen efallai.

'Miss Calon, rydych chi'n sylweddoli eich – sefyllfa?'

'Sefyllfa?'

'Mi fydd yr heddlu eisiau siarad efo chi cyn gynted â phosib.'

'Dwi wedi siarad efo nhw'n barod. Sefyllfa? Wrth gwrs mod i'n sylweddoli fy sefyllfa – dach chi'n meddwl mod i'n poeni am hynny? Dwi 'di deud pob peth fedrwn i feddwl allai fod yn berthnasol iddyn nhw. Mi ddudwn i hanes fy mywyd petawn i'n meddwl y gallai fod o fudd i drio dod o hyd i'r gwir ond 'dio'm yn mynd i newid y ffaith bod . . . y ffaith bod . . . '

Roedd hi'n dechrau mynd yn emosiynol. Doeddwn i ddim ar fy ngorau efo merched emosiynol.

'Nid mod i isio cwyno, ond dydi bywyd cantores ddim yn fêl i gyd. Mae 'na un neu ddau, wrth gwrs, sy'n cael eu bendithio efo lleisiau o'r nefoedd a byth yn gorfod poeni am y peth. Am y gweddill ohonon ni feidrolion, mae'n rhaid ymarfer, a byw yn ofalus – colli allan ar rai pethau – straen ar fywyd personol. Pobol â rhyw ddisgwyliadau ohonoch chi yn lle eich derbyn am yr hyn ydach chi.'

Roeddwn i yn y niwl braidd.

'Ond mi 'nes i gwarfod Glyn a mi welodd o fi yn syth. O! – dwi'm yn deud am eiliad mod i'n gwbod yn y fan a'r lle y byddai yna ddiwedd hapus i'r stori byth bythoedd amen, ond am y tro cynta ers dyn a ŵyr pryd ro'n i'n cael hwyl! Ro'n i'n hapus!'

Roedd ei hwyneb yn pefrio wrth iddi deimlo'r atgof, ac am y tro cyntaf sylwais yn llawn ar ei llygaid castan dyfnion. Hyd yn oed mewn cyflwr coch a chwyddedig gan ddagrau, yr oeddynt yn dra thrawiadol. Yna, diffoddodd y gannwyll eto.

'A rŵan . . . '

'Mae'n ddrwg gen i.'

Doedd ganddi mo'r egni i ymateb, fe ymddengys. Eisteddasom yno am ennyd, y naill yn gwrando ar anadl y llall.

'Felly do, dwi wedi rhoi datganiad llawn i'r heddlu a gaddo iddyn nhw na wna i redeg i ffwrdd, a sylweddoli mod i o dan amheuaeth, ond dwi'm yn meddwl y gneith o iot o wahaniaeth.'

Edrychodd o'r gwagle i fyw fy llygaid.

'Dydyn nhw ddim yn mynd i'w ddal o, nacdyn?'

'Fo?'

'Fo . . . hi . . . nhw – pwy bynnag nath. Dach chi'n gwbod be dwi'n feddwl.'

Roedd hi yn ei byd bach ei hun. Estynnodd yn sydyn am y botel a thywallt ychydig o'i gynnwys i'w gwydr, gan ei lygadu fel petai'n llygadu sarff yn barod i ymosod.

''Di'r heddlu ddim yn mynd i ddod o hyd iddyn nhw, nacdyn?'

'Pam dach chi'n deud hynna?'

'Pam? Dwi'm yn gwbod pam. Dydyn nhw'm wedi arfer efo llofruddiaethau ffor'ma, nacdyn? Does gen i ddim ffydd ynddyn nhw – hyd yn oed os ydi'r dystiolaeth maen nhw 'i angen yna, dwi ddim yn eu trystio nhw i'w ddefnyddio fo'n iawn!'

Ymosododd ar y wisgi, a difaru'n syth.

'Mae'n rhy fuan i fedru deud hynny, Miss Calon.

Dwi'n siŵr y gwnân nhw bob peth o fewn eu gallu i ddod o hyd i'r llofrudd.'

'A fydd o ddim yn ddigon da!'

Sobrodd.

'Mae'n ddrwg gen i . . . '

Amneidiais â'm llaw nad oedd angen iddi ymddiheuro. Roedd gen i achos gwell na'r cyfryw i gytuno â'i damcaniaeth, wrth gwrs, ond doedd yna fawr o elw i'w gael o esbonio hynny wrthi hi. Edrychai fel pe bai'n dod i benderfyniad.

'Mr Lewis, yn yr amser prin y ces i nabod Glyn, ychydig ar y naw wnaeth o sôn am ei waith, ond o'r ychydig y gwnaeth o sôn, roedd hi'n amlwg iawn fod ganddo feddwl y byd ohonoch chi. Ac mae gair Glyn yn ddigon da gen i. Felly . . . '

Oedodd.

'Mi hoffwn i chi ddarganfod pwy wnaeth ei ladd o.'

Syllodd arnaf gan ddisgwyl ymateb. Llwyddais i fygu fy syndod.

'Miss Calon – mae'r heddlu eisoes ar y cês.'

'A dw inna eisoes wedi deud wrthach chi faint o ffydd sydd gen i yn yr heddlu.'

'Ond ar ba sail?'

'Galwch o'n reddf merch. Yn ogystal – ac efallai nad oes gen i hawl i ddeud hyn ar ôl ei nabod am gyn lleied, ond mi dduda i o beth bynnag – dwi'n meddwl mai dyna fyddai Glyn wedi bod isio.'

'Fel oeddach chi'n deud, Miss Calon, does 'na ddim llawer o lofruddiaethau'n digwydd yn yr ardal yma.'

'Ond rydach chi wedi delio ag ambell un yn eich tro. Mi awgrymodd Glyn gymaint â hynny wrtha i.'

Ia – er ei gynildeb mi fedrwn i weld Glyn Cysgod yn rhyddhau'r wybodaeth yna i greu argraff ar ferch ddeniadol.

'Ac er na ddudodd o faint wnaethoch chi eu datrys, dwi'n amau a fyddech chi'n gymaint o arwr i Glyn pe na baech chi'n llwyddiannus y rhan fwyaf o'r amser.'

'Wel, oeddwn, fel mae'n digwydd.'

Pob tro heblaw un. Cês roeddwn i'n rhy agos ato i weld yn glir. Oedd hynny'n rhybudd y dylwn i dalu sylw iddo?

'Ac mae gennoch chi gysylltiadau sy'n barotach i'ch helpu chi nag ydyn nhw i helpu'r heddlu.'

'Miss Calon, a chymryd fod gen i gysylltiadau, a chymryd mod i wedi datrys llofruddiaeth neu ddwy, a chymryd mai dyma yn wir y byddai Glyn wedi bod isio, pam ddylwn i dderbyn cês gan y preim syspect mewn achos llofruddiaeth i wneud y gwaith mae'r heddlu eisoes wrthi'n ei wneud yn barod?'

'Am y gwna i'ch talu'n hael, Mr Lewis.'

'Gofalus, Miss Calon. Dwi'n gwerthfawrogi eich bod chi o dan deimlad ond mi rydan ni'n siarad am fy mhartner i fan hyn.'

Edrychodd ar y llawr.

'Mae'n ddrwg gen i – doeddwn i ddim yn bwriadu bod yn amharchus.'

Oedodd.

'Ond dwi yn meddwl y dylech gymryd y cês. A bod yn gwbwl onest mi fyddai'n syndod gen i, o'r darlun ohonoch chi ges i gan Glyn, na fyddech chi eisoes ar y cês beth bynnag, ond petai'r trywydd yn oeri . . . wel, efallai y byddech yn gweld eich ffordd yn glir i dderbyn fy arian bryd hynny i barhau â'r chwilio. Dwi'n mynd i ddod o hyd i bwy bynnag wnaeth hyn, Mr Lewis. Mae Glyn yn mynd i gael cyfiawnder.'

O edrych i'w llygaid yr eiliad yna, doeddwn i ddim yn ei hamau. Penderfynais fy mod yn mynd y tu hwnt i ffiniau tegwch drwy chwarae efo hi yn ei stad fregus bresennol.

'A dychmygu am eiliad fy mod yn derbyn y cês, rydach chi'n sylweddoli y byddwch chi'n dal dan amheuaeth yn fwy na neb nes y daw 'na dystiolaeth wahanol i'r golwg?'

'Fel rydwi wedi esbonio eisoes, Mr Lewis, dydi hynny'n poeni fawr arna i, a bod yn gwbwl onest. Ond mae o fantais i mi y byddwch chi, pan fyddwch chi'n darganfod y llofrudd, yn adfer fy enw da i yn ogystal – nid fod hynny'n flaenoriaeth gen i ar hyn o bryd . . . '

Roedd hi wedi sionci yn y sicrwydd mod i'n mynd i dderbyn.

'O'r gorau, Miss Calon. Dwi ddim yn hapus efo'r syniad o dderbyn arian i gael cyfiawnder i Glyn, ond dan yr amgylchiadau fe fydd yn rhaid i arian wneud fel ffurf ar gytundeb, os nad dim arall. Fe drafodwn delerau yfory pan fyddwch wedi cael noson o gwsg ac amser i glirio'ch pen.'

'Diolch, Mr Lewis.'

'Peidiwch â diolch. Er mwyn Glyn mae hyn, a neb arall. Coffi?'

'Mae'n ddrwg gen i?'

'Mi ydw i angen gwbod pob peth sydd yna i'w wbod amdanoch, Miss Calon. Dwi'n siŵr y medrech wneud efo panad.'

'Pob peth?'

'Pob peth. Eich cefndir, eich gyrfa, sut y dechreuodd eich perthynas efo Glyn – unrhyw beth fedrai fod yn berthnasol i'w lofruddiaeth. Siwgwr?'

Ac felly, fel y pylai'r golau yn y ffenest, adroddodd Lois Calon sut y bu iddi gael ei geni ym mhentref Capernaum ar gyrion y dref, ac fel yr aeth i goleg cerdd yn Llundain i gael gwireddu ei breuddwyd i fod yn gantores. Ac fel y byddai ei bywyd yn braf petai ond wedi medru cymryd y cam o fynd yn broffesiynol, ond yn anffodus milwriodd salwch a ffactorau eraill yn ei herbyn a methodd â gwneud bywoliaeth ohono. Ond er bod cyfleon gwaith yn dod yn gymharol hawdd iddi yn Llundain – rheolwraig galeri gelf oedd hi ar hyn o bryd – y canu oedd ei *raison d'être* angerddol hi o hyd. Roedd hi'n dal i goleddu'r gobaith am yrfa yn y maes – roedd hi eto'n ifanc wedi'r cwbwl – a chan fod yr Eisteddfod wedi bod yn garedig yn y gorffennol i eraill o'r un anian a sefyllfa, a'r ffaith ei bod yn ymweld â'i hardal enedigol . . .

Ond roedd hi wedi cyfarfod Glyn ers mis neu ddau ar ei hymweliad diwethaf i gartref ei rhieni. Doedd o prin yn ei chofio hi, gan ei bod flwyddyn neu ddwy'n iau na fo yn yr ysgol, ond roedd hi'n ei gofio fo. Ac roedd hi'n amlwg wedi creu mwy o argraff arno yn saith ar hugain nag yn bedair ar ddeg. Roedd hi'n gorfod dychwelyd i Lundain y diwrnod wedi iddynt gyfarfod ond fe gadwodd y ddau mewn cysylltiad ac yn fuan daeth hi i aros i'r ardal a datblygodd y garwriaeth yn sydyn iawn wedyn. Yn anffodus, roedd Glyn wedi trefnu erstalwm ei fod yn teithio i Batagonia i geisio dringo Cerro Torre, ond roeddynt yn gwybod pan ddychwelai y byddai hi'n wythnos yr Eisteddfod bron yn syth, a chan y byddai hi'n cystadlu, byddai ganddynt ddigon o amser i'w dreulio gyda'i gilydd. Hyd nes i'r cynllun fynd yn rhacs . . .

'Miss Calon—'

'Lois.'

'Lois . . . Pryd welsoch chi Glyn ddwytha?'

Edrychodd arnaf â chymysgedd o benbleth ac arswyd.

'Fi ddoth o hyd i'w gorff o.'

Tynnodd anadl ddofn a pharhau.

'Roedd o wedi cynnig i mi aros am yr wythnos ond roeddwn i eisiau rhywle niwtral, heb ormod o ymyrraeth. Roeddwn i eisoes wedi gwneud trefniadau gyda'r Brython felly welwn i ddim pam fod angen newid hynny. Wedi gyrru draw o Lundain ddydd Sadwrn y syniad oedd mynd allan am swper, ond roedd Glyn yn meddwl y byddai'n fwy rhamantus petai o'n coginio i mi. Felly mi ges gawod a gyrru draw i'w fwthyn tua hanner awr wedi wyth. Pan gyrhaeddais roedd y drws ar agor, ond feddyliais i ddim byd – roedd hi'n noson braf. Mi es i mewn, galw'i enw . . . a gweld . . . Glyn . . . yn gorwedd â'i wyneb i lawr – a'r gwaed – dim marc arno fo bron – ond pwll mawr tywyll o waed dros y carped.

'O'n i wedi delwi mae'n rhaid – doeddwn i ddim hyd yn oed yn medru sgrechian. Dwi'm yn gwybod am faint fues i yno ond yn sydyn roeddwn i'n darganfod fy hun yn symud yn nes ato. Do'n i jyst ddim yn medru credu bod dau anaf bach yn medru bod yn gyfrifol am gymaint o waed. Dwi'n gwybod nad ydach chi i fod i symud corff ag ati ond – Glyn oedd o. Mi afaelais yn ei ysgwyddau a chodi ychydig ar ei ben a dyna pryd gwelis i fod – hanner ei wyneb ar goll.'

Roedd hi'n crio'n ddiymgeledd rŵan.

'Jyst yn ddarnau ar hyd lle . . . '

Fe wyddwn ddigon am y difrod y gall bwled ei wneud wrth adael corff. Unwaith mae'r fwled yn taro rhwystrau megis esgyrn, gewynnau ac organau, mae'n eu gwthio i bob cyfeiriad o'i blaen a dydi'r canlyniadau ddim fel arfer gyda'r delaf. Dwi'm yn siŵr pa un oedd fwyaf trawmatig, dychmygu disgrifiad Lois o gorff Glyn druan neu'r dystiolaeth ei fod wedi cael ei saethu o'r cefn – ddwywaith. Job broffesiynol yn ôl Stan. Fyddai Glyn ddim hyd yn oed wedi gwybod ei fod o yna. Roedd hynny'n rhyw fath o gysur, mae'n debyg.

'A wedyn wnes i ffonio'r heddlu a'r munud nesa mi oedden nhw yna. Doedd hi ddim fel petai 'na amser wedi pasio o gwbwl. Mi aethon nhw â fi i'r stesion a'm holi a chynnig mynd â fi adref ond roedd hi'n hwyr a doeddwn i'm isio styrbio Dad a Mam a – wel, mi wnes i aros yno a chysgu awr neu ddwy – doedden nhw ddim i'w weld yn hidio . . . '

Roedd hi'n anodd i'w holi a hithau mor fregus.

'Oes 'na rwbath ydach chi'n ei gofio – rwbath allan o'r cyffredin?'

'Ar wahân i'r ffaith fod y dyn oeddwn i'n ei garu yn gorff ar lawr?'

'Rwbath. Teimlad hyd yn oed. Mae'n syndod pa bethau sy'n gallu bod yn bwysig weithiau.'

Ymwrolodd.

'Mae yna un peth dwi heb sôn amdano fo wrth yr heddlu.'

'O? Be?'

'Hwn.' Estynnodd ddarn o bapur o boced ei siaced.

'Pam na sonioch chi amdano fo?'

'Am mai'ch enw chi sydd arno fo. Dydi hi ond yn deg i chi gael ei weld o gynta.'

Agorais y papur. Llawysgrifen Glyn.

Jaci
Conundrum:
–N3R7–3
Heddwch

'Dio'n golygu rwbath i chi, Lois?'

'O'n i'n gobeithio bydda fo'n golygu rhywbeth i chi . . . '

'Lle ffindioch chi o?'

'Ar lawr ddim yn bell o'r corff. Dwi'm yn gwybod be wnaeth i mi ei godi a'i roi yn fy mhoced. Oedd o jyst yn teimlo'r peth iawn i'w wneud.'

'Dach chi'n dallt fod celu gwybodaeth yn drosedd ddifrifol?'

'Wel . . . does 'na'm rhaid celu rŵan. Rydach chi wedi cal ei weld o.'

Roedd hi wedi tywyllu'n o arw bellach. Fedrwn i'm gweld wyneb y cloc.

'Miss Calon – Lois – mae hi wedi bod yn ddiwrnod hir a blinedig i'r ddau ohonon ni. Y peth gorau y medrwn ni wneud ar hyn o bryd ydi trio cael noson o gwsg.'

Cododd yn flinedig ar ei thraed.

'Diolch.'

'Hwdwch.'

'Be 'dio?'

'Rhif y swyddfa yma – unrhyw beth arall dach chi'n meddwl fasa'n gallu bod o help . . . '

Nodiodd, a gadael. Yn gymeradwy o osgeiddig o ystyried ei blinder.

Tywalltais un bach am y lôn ac eistedd yno yn y gwyll am ychydig yn anadlu gweddillion ei phersawr ac yn ystyried datblygiadau'r prynhawn a meddwl be oedd amdani oedd yn f'atgoffa am Lili. Oeddwn i'n wirion i feddwl am drio darganfod llofrudd Glyn? Ai methu fyddai fy hanes i eto? Doedd 'na'm pwrpas meddwl am y peth; addewid oedd addewid. P'un bynnag, roedd gan Lois Calon ffydd ynof fi – ar ba sail dwi'm yn siŵr chwaith. Roedd gen i flynyddoedd o brofiad yn y gêm fudur yma bellach – tipyn gwahanol i'r cyw-newyddiadurwr oedd yn ceisio chwara snŵp yn ei amser sbâr, er nad oedd o'n teimlo'n ddim byd tebyg i chwara ar y pryd.

Roedd yr alcohol a'r tywyllwch yn tywys fy meddwl ar hyd lôn rhy gyfarwydd. Ymddangosai fod gen i ddau ddewis – i barhau i yfed a chwarae'r hanner can senario yn fy mhen o'r gwahanol ffyrdd y medrwn fod wedi achub bywyd Lili, neu i'w hel hi am adra i geisio cael noson o gwsg. Er gwaethaf atyniad chwerw-felys y cyntaf, yr ail oedd y cwrs call. Roedd fory'n mynd i fod yn ddiwrnod prysur.

LLUN

Noson o droi a throsi fu hi; canlyniad cysgu cyhyd yn y swyddfa mae'n siŵr. A'r gymysgedd ryfeddaf o freuddwydion am gestyll a rhubanau glas a dringwyr a *gauchos*; mi awn mor bell â deud imi weld Walter Sax yn un ohonynt. A Lois Calon.

Deffrais yn hwyrach na'r disgwyl ond o leiaf mi fedrwn weld fy ystafell wely heddiw. Tybiais fod hynny'n gam i'r cyfeiriad cywir – pwy a ŵyr, efallai y gwelwn yn dda i geisio clirio ychydig ar y twlc mochyn yma pan fyddai amser yn caniatáu. Nid heddiw. Roedd yna ormod i'w wneud.

Doedd gen i mo'r amser ond roedd yn rhaid i mi gael brecwast. Sylweddolais yn sydyn nad oeddwn wedi bwyta nemor ddim ddoe. Y sioc mae'n siŵr. Neu hunanddisgyblaeth gachu. Neu'r ddau. Caffi Ciaman felly.

'A sut wyt ti, Jaci bach?'

Dwi'n siŵr petawn i'n hen ŵr naw deg oed y byddai Doris Wyn yn dal yn gallu gwneud i mi deimlo fel plentyn ysgol mewn un frawddeg. Rhywbeth i neud efo'r ffaith ei bod hi a Nora'n gyfoedion yn 'rysgol erstalwm, ma'n siŵr, er nad oeddan nhw'n llawia, hyd y gwyddwn i.

'Gweithio'n hwyr neithiwr?'

'Pam?' Roedd fy ymateb, fel arfer, yn rhy amddiffynnol.

'Rhywun welodd ola' yn 'roffis.'

'Pwy?'

'Chofia i ddim pwy 'reiliad yma . . . '

Paid â deud clwydda, chwaer – ti'n cofio'n iawn.

'Golwg 'di blino arnat ti, Jaci, paid ti â'i gor-neud hi rŵan.'

Oedd hon yn trio bod yn gomîdian? Oedd rhywun wedi gweld Lois Calon yn ymweld â'r swyddfa? Yna sylweddolais.

'Dach chi'm 'di clwad, naddo?'

'Clwad be?'

Roedd Doris Wyn wedi bod ar ei gwyliau ers wsnos; y trip blynyddol efo Leinal i'r West End i weld rhyw fiwsical neu'i gilydd. Ddoe oeddan nhw'n cyrradd adra.

'Ffindion nhw gorff Glyn ddoe.'

'O – ngwas i – naci! Disgyn nath o, ia? Dwi 'di deud digon – ma isio rhoi stop ar y busnas dringo creigia 'ma – dydi hi'n amlwg i unrhyw un ei fod o'n beryg bywyd siŵr?'

'Dim disgyn nath o.'

'O? Dim drygs? Paid â deud – dim Glyn rioed – s'na'm posib deud chwaith, nagoes?'

'Naci, Doris. Ma nhw'n ama mai cal ei ladd nath o.'

'Dos o'ma!'

'Dyna ma nhw'n ddeud.'

'Pwy 'sa'n lladd Glyn?'

'Yn union, 'de.'

'Wel, Jaci bach – be nei di?'

'Be 'na i?'

'Sgen ti'm partnar rŵan . . . '

Ro'n i'n dechra teimlo fel plentyn ysgol eto. Teimlais ysfa gref i ddirwyn y sgwrs yma i ben.

'Ia, wel, ma'r petha ma'n digwydd, dydyn.'

'Dim yng Nghaerlloi. Be sy'n digwydd i'r dre 'ma dŵad? 'Sa dy fam yn troi yn 'i bedd, wir . . . '

'Crematio gath hi.'

'Ia, ti'n gwbod be dwi'n feddwl. Paid ti â bod yn goeglyd efo dy Anti Doris – ti'n dal ddim yn rhy hen i gal chwip din, cofia.'

'Wel yndw, mi ydw i a deud gwir, Doris. Gwrandwch, ga i ordro gennoch chi?'

'O duwcs, pam 'sa ti 'di deud? Ffeiar awê . . . '

'Sgraman Giaman.'

'Llwglyd? Te ta coffi efo fo?'

'Coffi. Du.'

'Bara menyn ta tost?'

'Bara menyn.'

Edrychodd yn gyfrinachol arnaf.

'T'isio wy bach ecstra efo fo?'

'Na, fel mae o, diolch.'

'O, 'na chdi ta.' Sut mae rhywun yn llwyddo i bechu wrth wrthod wy? Roedd Nora 'run fath yn union.

'Fydd o'm chwinciad.' A ffwrdd â hi yn ddigon sionc, wedi cael ei sgŵp am yr wythnos.

Mi brysurodd y caffi ddigon i mi beidio â gorfod ehangu gormod ar y stori, diolch i'r drefn. Do'n i'm yn teimlo'n euog am amddifadu Doris o'r manylion; fe'u câi nhw o ffynonellau gwahanol yn hen ddigon buan. A siawns nad ydi hi'n gyfreithlon i wneud safiad bach dros ddefnyddio tact rŵan ac yn y man.

Un sgraman giaman yn ddiweddarach, rhowliais i mewn drwy ddrws y swyddfa.

'Doro'r caead 'nôl ar y botal tro nesa.'

'Bora da, Hanna Barbra.'

'Pwy oedd hi, ta?'

'Hi?'

'Dau wydr. Un 'fo lipstic. Os nad dy un di oedd hwnnw.'

'Ha ha.'

'Gest ti rwbath am Batagonia?'

'Naddo.'

Oedodd Hanna.

'Dwi 'di wastio'n amsar yn gneud yn hômwyrc ar yr hogan 'ma, do?'

'Do.'

'Hi odd yma, 'de?'

'Ia.'

'Ma'i'n ddel, dydi?'

'Ma hynny'n amherthnasol.'

'Wel wel – tyd â smôc – deud yr hanas.'

Ac mi wnes. Ar wahân i'r darn am y neges. Gan mai'n enw i oedd arni. Rhag ofn . . . dwn i'm pam . . .

'Ma 'na rwbath ti'm yn ddeud wrtha i, does?'

O rywun oedd yn siarad lot, roedd Hanna Barbra yn rhyfeddol o graff.

'Oes.'

'*Need to know*?'

'Ia.'

'Ocê.'

Llygadais y botel.

'Panad?'

Chwara teg i Hanna; ceisiai swnio mor ddidaro â phosib, ond roedd y tamaid lleiaf yn ormod o gyffro yn y llais.

'Ia, pam lai?'

Neidiodd Hanna i fyny at y tecell. Rhyfedd fel ei bod hi'n cymryd digwyddiad erchyll fel hyn i wneud i rywun dalu sylw i'r pethau bychain hynny a gâi eu cymryd yn ganiataol. Doeddwn i erioed wedi sylwi ar ei chonsýrn amdanaf o'r blaen. A minnau'n dditectif i fod. Teimlais don o ewyllys da wrth ei gwylio'n hwylio panad.

'Sut noson gest ti, Hanna Barbra?'

Edrychodd arnaf.

'Od. Dim arall i'w ddisgwyl dan yr amgylchiada. Teimlo bo fi 'sio dial, fatha Humphrey Bogart yn y *Maltese Falcon* pan ma'i bartnar o'n cal ei saethu.'

''Swn i'n gallu dy weld di mewn *trenchcoat* a het.'

'O, ti 'di gweld honna, do?' meddai'n goeglyd.

'Naddo, dim dyna ma Humphrey Bogart yn ei wisgo ym mhob ffilm?'

'Dim yn *Casablanca*, naci?'

'Rhy boeth decinî?'

'O damia, oedd 'fyd – piso bwrw yn 'rairport, doedd?'

'Be wn i?'

'Ti rioed 'di gweld *Casablanca*?!'

'Naddo.'

'Dwi'n teimlo bechod drostach chdi weithia. Hwda, gwael.'

Glaniodd y banad drioglyd ar y bwrdd o'm blaen. Mor gry â phosib heb ei gwneud hi'n hollol amlwg. Yr aur.

'Ges i sgwrs efo Raquel neithiwr.'

Rhy ddidaro eto. Roedd gen i syniad be oedd ar y ffordd.

'Carl 'di gadal.'

Tywalltais joch o wisgi i lygad y banad.

'O . . . '

'Sunsur druan.'

''Di'n iawn?'

'Pwy? Sunsur?'

'Naci, Raquel. Ma Sunsur yn fwy tyff na Brei Brici.'

'Dwn i'm. Anodd deud. Finna'm – sti – ar y ngora. Ddim yn talu sylw a ballu. Ella a' i i'w gweld hi.'

''Na fo.'

'Ella dyliat ti alw 'na . . . '

'I weld Raquel?'

'Wel ia, dach chi'n dal yn ffrindia, dydach? A ma'r hogan fach yn dy addoli di. Wrth ei bodd efo'i hyncl Jaci.'

'Dwi'm yn yncl iddi.'

'Dwi'n gwbod hynny, dydw? Gna fel lici di, dyna ti'n neud rhan fwya o'r amsar, 'de.'

'Be ma hynna fod i feddwl?'

'Dim.'

Roedd Hanna Barbra yn dechra siarad fel roedd Lili'n arfer ei wneud. A Meirwen. A Raquel. Penderfynais orffen y baned yn reit sydyn.

'Reit. Proff Moth.'

'Be nei di efo hwnnw?'

'Wil Gaucho.'

'O ia . . . '

'Gneud ryw job i wraig Moth.'

'Gneud mwy na hynny 'nôl fel clwis i.'

Hanna Barbra. Mi ddylai pob swyddfa gael un.

' Bobol?'

'A! Deuwch, deuwch!'

'Dan ni'm yn ddarllenwrs mawr yng Nghaerlloi. Roedd pob ymwelydd â siop Moth yn siŵr o gael croeso tywysogaidd.

'Mr Nora – dim yn gyffredin i'ch croesawu!'

Doedd 'na'm dwy waith nad oedd Moth yn beniog. Wel, roedd o'n Broff. Rhaid bod hynny'n cyfri rwbath. Ond rywsut roedd ei eiriau mawr o wastad yn y drefn rong.

'Wel, nacdi, deud gwir, yma ar ryw siort o fusnas ydw i, Mr – y Proffesor —'

'Oh – Stirling, *please* – busnes, ie? Sut cynhorthwy alla i ei ymestyn?'

'Chwilio am rywun dwi.'

'Dim yn annisgwyl. Dyna eich galwedigaeth, onid?'

'Y – ia . . . Wil Gaucho.'

'*Sorry?*'

'Wil Gaucho.'

'Na, ymddiheuriad. Dydw i heb adnabyddiaeth o'r enw.'

Damia. Go brin y gwnâi blyff weithio efo Clagwydd am yr eildro.

'O – hongiwch! William Jeffries sydd yn eich dychymyg?'

'Ia. Dwi'n meddwl.' Dodd gen i'm syniad be oedd ei snâm o.

'Ydy ydy, mae William Jeffries yn gweithredu i Rita – fy ngwraig.'

'O – tewch.'

'Ydy, gyda'r march ysgol . . . '

'Ysgol farchogaeth?'

'Hwnnw – perffaith. Mae o'n – *oh dear* – dim malu y ceffylau – beth yw'r term?'

'Torri nhw mewn?'

'Hwnnw! Torri nhw i mewn – ie. Rita'n adrodd bod o'n dalentog iawn.'

'Felly o'n i'n dallt. Fydd o fyny 'na heddiw?'

'Dim heddiw. Mae o a Rita wedi mynd i llygadu ceffylau newydd i Lincolnshire. 'Nôl fory.'

'O, 'na fo. Wel, diolch i chi, Stirling.'

'Popeth yn gywir. Dim am eich arwain i gyfeiliorn felly?'

'Be dach chi'n feddwl?'

'Llyfr?'

'O! Amsar yn brin braidd ar hyn o bryd ma arna i ofn.'

'Mae amser i ddarllen yn gwastard.'

'Ia, wel – talu i godi eich llygid o'r llyfr weithia hefyd, Stirling . . . '

'Sorry?'

'Dim. Hwyl 'ŵan.'
'Ffarwél!'

Roeddwn yn mynd i unlle'n gyflym gyda'r cyswllt Patagonia – os oedd 'na un, wrth gwrs. Efallai, fel y dudodd Hanna Barbra, mai Lois oedd wedi peri'r newid yn Glyn a hynny cyn iddo fynd i Dde America, dim ond mod i heb sylwi. Na, roedd y newid yn bendant ar ôl iddo ddychwelyd. Cyffro, ond rhyw gyffro nerfus, pigau'r drain braidd. Roedd yn rhaid dilyn y trywydd. Pan fyddai Wil wedi cael ei wala o Rita Moth.

Fe ddylwn geisio ymweld â'r heddlu mewn ysbryd o gydweithrediad ond penderfynais dalu ymweliad â Beudy Llwyd, gan ei fod fwy neu lai ar y ffordd yno. Rhif dau ddeg chwech os oedd fy ngho i'n gywir.

'Ia?' Fyddai'r gair 'sarrug' ddim yn gwneud teilyngdod â'r flagard a safai yn y drws.
'Adrian adra?'
'Pwy?'
'Adrian.'
'Drws nesa . . . ffyc's sêcs.' A chaeodd y drws yn glep.
Fasai'n braf tasa hi 'di deud pa ddrws nesa. Mi gymris siawns ar ddau ddeg wyth. Atebwyd y drws gan hanner hipi, hanner athletwraig mewn jympar amryliw a sgert hir ddu. Roedd hi'n un o'r bobol 'ma sy'n mynd drwy fywyd yn *stoned* heb gymorth unrhyw gyffur.
'Oh yeah, hi. You're Glyn's boss – we met once. I'm Sue – Adrian is it? Ade! Come in – can I get you a tea, coffee, barleycup – anything – Ade! Someone to see you – go through – he'll be down now . . .
'Thank you.'
'Yeah . . . '

Dilynodd fi drwodd i'r stafall fyw.

'Heavy shit . . . '

'Padyn?'

'Glyn. Ade's taken it bad . . . Ade baby! You coming?'

Clywais sŵn traed yn trampio'n anfoddog i lawr y grisiau.

'Here he comes. What would you prefer – I'm sorry I don't remember your name.'

'Jaci. I'm fine, thanks Sue.'

'Oh, ok – cool . . . '

Ymddangosodd Adrian yng ngwaelod y grisiau. Doedd Sue ddim yn deud celwydd. O ddringwr ffit roedd golwg y diawl arno.

'Well, I'll leave you both to it then. Give us a shout if you need anything.'

Nodiodd Adrian.

'Right.'

A llithrodd Sue i'r stafell drws nesa o'r lle roedd synau esoteric yn tarddu.

Bu tawelwch hir, yn gymaint i'w wneud â'r ffaith nad oeddem yn nabod ein gilydd yn dda iawn ag a oedd â'r ffaith na wyddem be i'w ddeud dan amgylchiadau o'r fath.

'Claddu dydd Merchar, ia?'

Doedd gen i ddim syniad. Y ditectif ar ben ei gêm eto.

'Pryd oedd y tro ola i ti'i weld o?'

'Penwsnos cyn dwytha. Clogwyn Gwyn Claerwyn. *Gwallgoch* yn bora ac *ab* o ben top i neud *Pendromwnwgl* er mwyn yr hen ddyddia.' Gwelodd yr olwg ddi-ddallt ar fy wyneb a phenderfynu bod angen esboniad pellach.

'E2 ac E1,' meddai, fel petai hynny'n gwneud popeth yn gwbwl eglur.

'Sut o't ti'n 'i weld o?'

''Di hyn yn swyddogol?'

'Dim yn union. Ond dwi'n mynd i ffindio allan pwy nath, Adrian. Ac os wst ti am rwbath 'sa'n gallu helpu 'swn i'n licio gwbod.'

'Odd o'n frwd nelo'r ddynas newydd.'

'Ti 'di chwarfod hi?'

'Naddo. Glyn reit swil o ddangos ei gariadon ar ddechra perthynas.'

'Glyn yn swil? Argol!'

''Sach chi'n synnu.'

'Dim 'blaw hynny?'

'Na. Wel, oedd . . . oedd 'na un peth. Ma'n anodd disgrifio . . . odd o'n wyliadwrus iawn.'

'Dyna pam gnes i o'n bartnar.'

'Naci, fatha'i fod o'n sbio dros ei ysgwydd byth a beunydd.'

'Oedd hyn yn rwbath diweddar?'

'Ers iddo fo ddŵad 'nôl o Sowth America.'

Bingo.

'Unrhyw syniad pam?'

'Na. Ella mod i'n hollol rong cofiwch – jyst, er enghraifft – y diwrnod ola 'na fuon ni'n dringo. Odd raid mi weiddi arno fo i gymryd y slac i mewn fwy nag unwaith am bod ei feddwl o'n bell. Hynny'm fel Glyn.'

'Unrhyw un ddylwn i fod yn siarad efo nhw ti'n meddwl?'

'Debyg i pwy?'

'Deud ti wrtha i.'

'Wel, s'na'm llawar o bwrpas i chi siarad efo Jock a Sbeidar – rheiny 'di'r regiwlars dringo erill – chos ma nhw 'di bod yn Chamonix ers dechra Gorffennaf; 'mond ddoe oeddan nhw'n cyrradd 'nôl. Dach chi 'di siarad efo'r Lois 'ma dwi'n cymryd . . . '

'Wrth gwrs.'

'Ma'i fyny am y Steddfod neu rwbath, dydi? Graduras.

Sôn am Steddfod, yr unig berson arall fedra i feddwl amdano fo ydi'r boi cleddyf 'na.'

'Pa foi cleddyf?'

'Hwnna efo'r orsedd.'

'Ceidwad y Cledd?'

'Ia – hwnnw.'

'Sut gythral odd Glyn yn nabod Ceidwad y Cledd?'

'Wel mi oedd o. Dwi'n cofio cal peint efo'r ddau ryw dro – sbelan go lew ers hynny 'fyd.'

'Diddorol. Diolch ti, Adrian. Os cofi di am rywun arall, doro ganiad nei di?'

'Gnaf siŵr. Rhyfadd 'de . . . '

'Be?'

'O'n i wastad yn ama bydda un onon ni'n chicio hi mewn ffordd go hegar, ond o'n i 'di cymyd ma drwy ddisgyn basa hynny, dim . . . hyn . . . '

Roedd yn ganol pnawn erbyn i mi gyrraedd swyddfa'r heddlu. Y newyddion da oedd fod Tom yno. Y newyddion gwell oedd fod Dennis allan efo rhyw PC druan yn dilyn un o'i drywyddau poeth.

'Gwranda, Jaci, mi wyt ti'n gwbod a mi dwi'n gwbod dy fod ti'n mynd i drio darganfod pwy sy'n gyfrifol am hyn – jyst – gweithia efo ni, ia?'

'Be ti'n feddwl?'

'Wel, paid â chadw dim oddi wrthan ni . . . '

'Be sy'n gneud ti feddwl baswn i'n gneud, Tom?'

'Hanas?'

Roedd ganddo bwynt.

'Tria di argyhoeddi Pero'n bod ni ar yr un ochor a mi feddylia i am y peth.'

Caledodd y llais mwyn.

'Waeth i ti heb â thrio bod yn giwt – ma celu

gwybodaeth yn dorcyfraith. Gwranda, mi wn i ein bod ni'n dau'n mynd yn ôl reit bell ond os ydi hi'n rhaid i mi neud 'y nyletswydd, Jaci . . . '

'Ia, dwi'n dallt.'

Roedd Tom yn gallu chwarae rôl y cop cas pan oedd angen, ond doedd o ddim yn cael unrhyw foddhad o'r peth. Biti na fyddai rhai o'i gyd-weithwyr â'r un gydwybod.

'Gwranda Jaci, dwi'n poeni amdanat ti sti . . . '

'Fi?'

'Ma hyn yn mynd i fod yn dipyn o glec i ti – paid â gneud dim byd gwirion.'

'Do'n i'm yn bwriadu gneud dim byd gwirion, be s'a'n ti?'

'Ti'n gwbod be dwi'n feddwl.'

'Sgin i'm syniad.'

'Ti dan straen fel ma hi.'

'Dwi'n iawn.'

'Ti'n yfad gormod . . . '

Blydi cops. Meddwl bod gennon nhw'r hawl i ddeud rwbath lician nhw.

'Gwranda, Tom. 'Y musnas i 'di faint dwi'n yfad. A beth bynnag, dwi'n torri lawr. 'Di rhywun yn cal smocio 'ma dyddia yma?'

Nodiodd Tom ac agor ffenast.

'Dwi'm yn mynd i harpio, Jaci. Ti'n ddigon call. Ond dwi'n deud hyn fel ffrind: jyst bydda'n ofalus. Cofia be ddigwyddodd tro dwytha . . . '

'O, plîs Tom, paid â deud wrtha i dy fod ti o bawb yn dy oed a dy amsar wedi llyncu'r miri lol yna hefyd! Nyrfys brêcdown, ia? Dw-lal dros dro, gadal job dda i fynd yn ddic preifat? Yng Nghaerlloi o bob man! Druan o Jaci bach, ddaliodd y gannwyll i'r hen Lili tan y diwadd . . . '

Ddudodd Tom ddim. Sadiais innau.

'Gwranda, Tom, wn i be ma'r rhelyw o bobol dre 'ma'n ddeud yn 'y nghefn i a 'di uffar o ots gen i – mi feddylith pobol be ma nhw isio'i feddwl. Ond o'n i'n disgwyl gwell gen ti, ma raid mi ddeud; o'n i'n meddwl bod ti'n graffach na hynna.'

'Jyst – cym bwyll, 'na i gyd.'

''Na chdi 'to! Arclwy, 'swn i'n gwbod ma sgwrs fel hyn oddan ni'n mynd i gal 'swn i 'di cymyd yn chansys efo Dennis myn uffar i!'

A'r eiliad y daeth y frawddeg o 'ngheg mi ddifarais, achos pwy oedd yn sefyll yn y drws i'w chlywed hi ond y cotsyn bach smyg ei hun.

Oedodd ennyd i fwynhau fy nghaff gwag.

'Prynhawn da, Mr Nora.'

'Prynhawn da, Mr Menace.'

'DS Thompson i chi.'

'A Mr Lewis i titha.'

'Ydach chi wedi holi'r syspect, DI?'

'Naddo, dim yn ffurfiol.'

'Dach chi newydd lonni 'niwrnod i . . . '

Ac felly bu raid dioddef sesiwn o gwestiynau hurt a dibwrpas er mwyn profi i Sherlock nad fi lofruddiodd fy mhartner. Roedd pob ystum o eiddo DS Thompson, fel roeddwn i i fod i'w alw o, yn creu'r ysfa gryfaf posib i beidio â chydymffurfio, ond haws fyddai gwneud am yr un waith a chael 'madael â'r brych unwaith ac am byth. Serch hynny, mi gymrodd dragwyddoldeb bychan cyn iddo gael ei fodloni. Roedd fy meddwl yn dechrau crwydro ers meitin – yn ôl at y sgwrs gyda Lois neithiwr – yn ôl at y sgwrs gydag Adrian yn gynharach heddiw – 'heddwch' – 'Ceidwad y Cledd' . . .

'Faint o'r gloch 'di?' meddwn yn sydyn â brwdfrydedd nad oedd wedi bod yn amlwg ers oriau.

'Chwartar i bump. Pam?'

'Sginnoch chi deledu'n y twll lle 'ma?'

'Ym, oes – lawr coridor . . . '

''Dan ni'm cweit 'di gorffan ych holi chi eto.'

'Gewch chi neud yn fanno. Dowch.'

Roedd yr ymarfar yn werth chweil petai ond i weld wynebau'r ddau.

'Rioed wedi meddwl amdanat ti fel dyn y petha, Jaci.'

'O'n i'n ŵr i Lili Leddf ar un adag, d'on?'

Dechreuodd mêt agor ei geg ond ro'n i'n barod amdano.

'Os oes gennoch chi gwestiwn arall am Lili dach chi heb ofyn yn barod, dwi'n awgrymu i chi nad ydio'n werth ei ofyn.'

Rhyfeddod y rhyfeddodau. Caeodd ei geg. Rhoddodd hynny eiliad neu ddwy i mi ganolbwyntio ar ffindio'r hyn o'n i'n chwilio amdano.

Ynghanol y môr o liw ar lwyfan y Genedlaethol roedd yna wyneb yr oeddwn yn awyddus i'w roi ar gof a chadw. Mr Ceidwad Cledd.

'DS Thompson?'

'Be?'

Gwenais yn ddel arno.

'Dwi 'di bod yma dros dair awr rŵan. 'Sa jans am banad?'

Gwgodd ditectif gorau'r byd, yn enwedig pan roddodd Tom nòd dawel iddo. Cododd a mynd i chwilio am ryw ddogsbodi bach druan i wneud yr anfadwaith.

'Be 'di'r gêm, Jaci?' medda Tom.

'Gêm?'

'Ti'm yn ddyn Steddfod mwy na finna. Pam t'isio gweld hwn?'

'Wastad wedi cadw cow ar y prif seremonïa 'sti. Bron yn ofergoelus am y peth. Pwy ti'n feddwl eith â hi, ta?'

'Dwn i'm. Be ma nhw'n gynnig?'

'Y gadar, 'de?'

'O'n i'n meddwl ma'r goron oedd ar ddechra'r wythnos.'

'Y goron o'n i'n feddwl siŵr.'

'Tybad?'

'O Tom, paid â bod mor ddrwgdybus! Ma pob ffŵl yn gwbod ers pan ma nhw 'di newid y dyddia bod y goron ar ddechra'r wsnos, y gadar ar ddiwadd yr wsnos a'r – llall – ganol 'rwsnos.'

'Y fedal?'

'Y fedal ddrama, ia . . . '

'Y fedal ryddiaith!'

'Ti'n fwy o 'Steddfodwr na fi, 'chan!'

'Dyna 'dw inna'n ama . . . '

Ond faint bynnag ei amheuon, fe ddioddefodd yn ddistaw tra oedd Dennis yn dod â'r coffi, a thra safai Melangell Fazackerly (*nee* Gwynedd) ar ei thraed i gael ei hebrwng mewn coban biws i'r llwyfan.

'Duw, pethma 'di honna!'

'Dach chi'n nabod hi, Mr Nora?'

'Yndw tad, be uffar 'di'i henw hi 'fyd? Ma'i ar *Talwrn y Beirdd* weithia.'

O'n i'n weddol saff fanna, d'os bosib. A phan ddudodd yr Archdderwydd ei henw . . .

'Melangell siŵr dduw; o'n i'n gwbod fod o'n dechra 'fo "m". . . '

Ac o'r diwedd fe gawn weld wyneb Ceidwad y Cledd. Safodd a throi'r wain enfawr ar ei hochr uwchlaw'r bardd.

Tynnodd yr Archdderwydd yntau'r cledd allan droedfedd neu ddwy.

'Y gwir yn erbyn y byd, a oes heddwch?'

'Heddwch!'

'Calon wrth galon, a oes heddwch?'

'Heddwch!'

Roedd yr Archdderwydd yn mynd i hwyl. Mi faswn yn taeru'i fod o am ddechra dawnsio.

'Gwaedd uwch adwaedd, a oes heddwch?'

Clec.

Ac ar ôl eiliad o sioc, roedd y pafiliwn yn fedlam gwyllt, y gweiddi a'r sgrechfeydd yn diasbedain, y dorf yn ceisio dianc bendramwnwgl ar draws ei gilydd, pobol yn llewygu, aelodau'r Orsedd yn rhedeg ar draws y llwyfan i gyfeiriadau gwahanol, rhai ohonynt yn staeniau gwaed dros eu gynau gwynion, ac yn eu canol Melangell Fazackerly yn magu corff yr Archdderwydd, oedd wedi derbyn bwled drwy ei ben.

'Blydi hel,' meddai Dennis, 'dwi'n dallt rŵan pam dach chi mor *keen* i watchad y busnas Steddfod 'ma!'

Edrychodd Tom yn amheus arnaf.

'Sut o'ch chdi'n gwbod bod hynna'n mynd i ddigwydd?'

'Do'n i ddim, Tom.'

Doedd o ddim yn fy nghredu.

'Wir yr 'ŵan!'

'Dwi'n deud 'that ti Jaci – os ti'n cuddio rwbath . . . '

'Syr?'

'Be, DS?'

'Well ni fynd, dydi?'

'O ia . . . '

A chychwynnodd Twidl-dym a Twidl-dî ar ffrwst.

''Sa jans am lifft?'

Edrychodd Tom yn fwy amheus fyth arnaf, ond mae'n

amlwg iddo ddod i'r penderfyniad ei bod hi'n well bod yn glên am rŵan.

'Ia, iawn.'

'Syr?'

'Iawn ddudis i, DS.'

'Ond—'

'Ond be?'

'Ond . . . ma'n syspect!'

'Ddim i'r cês yma nacdi'r —'

Llwyddodd i beidio â gorffen y frawddeg.

Mae'n bosib fy mod yn mynd yn anghofus yn fy henaint, ond fedra i ddim cofio siwrnai mor arswydus o beryglus â honno o'r siop gop i faes yr Eisteddfod gyda Dennis y tu ôl i'r llyw, gyda cheir i'n cwfr yn ceisio pasio'i gilydd yn eu hast i ddianc mor bell â phosib o'r pafiliwn, a Dennis yr un mor benderfynol i gyrraedd yno, fel petai'n ofni colli'r ddawns flodau. Ac wedi'r rhyfeddod o lwyddo i gyrraedd y fynedfa i'r maes yn fyw, roedd yn rhaid mynd heibio i'r KGB ar y giât.

'Dim point 'chi mynd mewn 'ŵan ia, pawb yn gadal 'ŵan ia —'

''Dan ni'n gwbod.'

'Rwbath 'di digwydd yn pafiliwn ia, rhywun 'di ca'l i saethu ne' 'wbath.'

'Ia, 'dan ni'n gwbod. Ar y ffordd yna 'dan ni . . . '

'O, chowch chi ddim, 'chi. Dim ond polîs sy'n cal mynd, ia.'

'Ia, polîs ydan ni – ditectifs!'

'Pam sginnoch chi'm car polîs, ta?'

'AM MA FFYCIN DITECTIFS 'DAN NI'R OIC! AGOR Y FFYCIN GIÂT!'

Boi da mewn creisus, Dennis . . .

'Eeeei . . . sa'm isio bod fel'na, pal.'

'Wyt ti'n mynd i agor y ffycin giât 'ma ta dwi'n mynd i dy ffycin restio di yn y fan a'r lle?'

'Y, dwi'n mynd i agor y ffycin giât.'

'O'r diwadd . . . '

'Dan brotest, dallt – os dwi'n colli job fi am hyn dwisio compo, ia?'

A dyma fi'n ôl ar faes y Steddfod. Faint oedd hi? Deng mlynedd? Mwy? Do'n i'm yn cofio'n union. Roedd hynny'n beth da ynddo'i hun, ma'n siŵr. Doedd 'na'm byd i'w weld wedi newid llawar. Roedd y rhesi o bebyll gwynion yn dal yr un fath, palasau'r cwmnïau teledu'n ei lordio hi'r ochor draw i'r maes ac, yn y canol, yr hen Big Top glas a melyn. Oedd hi 'di newid lliw? 'Swn i'n taeru mai gwyrdd a melyn oedd hi'n arfar bod. Nid bod ots am hynny. *Crime scene* oedd hi dros dro rŵan beth bynnag.

Ella nad oeddwn i'n cofio'n union faint o flynyddoedd aeth heibio ers i mi dywyllu'i seddi ond mi oeddwn i'n cofio'r union achlysur. Fel petai awr yn ôl. Y pafiliwn dan ei sang ar y nos Sadwrn olaf, nodau'r piano yn chwyrlïo i bob cornel o'r babell ac, ar ganol y llwyfan, Lili Leddf, yn anterth ei hawr fawr yn ein dal ni i gyd oll ac un yn ei llaw. Chanodd hi erioed yn well na'r noson honno. Ni fu erioed enillydd teilyngach o'r rhuban glas – yn fy marn i beth bynnag. Rhain oedd y dyddia da. Mor fuan y basa nhw'n diflannu . . . Ymhen ychydig fisoedd byddai'r surni'n dechrau a phethau'n dirywio i'r fath raddau fel y byddai'n chwilio am gysur ym mreichiau rhywun arall. Roedd 'na fai arna i, roedd 'na fai arni hi, doedd 'na'm bai ar neb – yr un hen stori – be oedd pwrpas mynd dros y peth dro ar ôl tro, ddydd ar ôl dydd, nos ar ôl nos. Ddôi o byth â hi'n ôl.

Ychydig iawn o bobol oedd ar y maes bellach. Heddlu,

ambell ambiwlans, un neu ddau o bobol mewn siwtiau. Gyrrodd Dennis y car reit at y pafiliwn, er mwyn cael dangos pa mor bwysig oedd o yn gymaint ag at bwrpas cyfleustra.

Fflachiwyd dau gerdyn at y ddau heddwas wrth y drws ac ar ôl i Tom roi gair tawel i un ohonynt a nòd i'm cyfeiriad i, i mewn â ni.

Nid ein bod wedi cael mynd yn bell iawn cyn i SOCO ei gwneud yn glir mai cyfyng fyddai'n tiriogaeth. Roedd angen mynd drwy'r rhan fwyaf o'r lle efo crib mân. Doedd gan neb y syniad lleiaf o ble roedd y fwled wedi dod, ond oddi wrth y difrod wnaed i ben yr Archdderwydd: un – roedd yn debygol o fod yn ergyd o reiffl pwerus; a dau – roedd yn goblyn o siot. Ond os felly, sut goblyn nad oedd neb wedi gweld y llofrudd? A sut llwyddodd o i ddianc gyda honglad o reiffl yn ei hafflau? A lle'r oedd y fwled?

'Syr?'

Ymatebodd pennaeth SOCO a Tom ar unwaith.

'Ia?'

''Dan ni 'di'i ffindio hi. Debyg i *three three eight.*'

Sut goblyn oedd y fwled wedi llwyddo i fethu'r sawl oedd yn eistedd y tu ôl i'r Archdderwydd, dyn a ŵyr. Ond dyna wnaeth, a chladdu ei hun ym mherfeddion un o'r rostra y tu cefn i'r ardal lle safai. Mae'n rhaid fod ganddo ben go galed i newid llwybr y fwled i'r fath raddau.

Neu oedd ganddo? Roeddan ni i gyd yn cymryd yn ganiataol mai ar i fyny roedd y fwled yn trafaelio, gan ei bod wedi ei thanio o'r gynulleidfa. Be os oedd hi'n trafaelio ar i lawr?

'Tom,' meddwn.

'Dim rŵan, Jaci.'

''Swn i'n deud 'thyn nhw am chwilio'r gantris.'

Edrychodd arna i'n hurt, yna ar y man lle darganfuwyd y fwled, a dallt.

Fe gymerai sbel iddyn nhw ddringo i archwilio'r holl beilonau, felly penderfynais wneud ychydig o waith cartref am y diweddar Archdderwydd. Mr Ceidwad y Cledd fyddai'n ddelfrydol, wrth gwrs, ond ymddangosai ei fod o, fel y rhan fwyaf o aelodau'r Orsedd, wedi ei heglu am adref ar ôl newid o'i goban. A barnu oddi wrth y staeniau gwaed ymysg y pentwr cobanau yng nghefn y llwyfan, mi oedd Meistres y Gwisgoedd angen dod o hyd i uffar o bowdwr golchi cyn dydd Mercher.

Heb anghofio eu bod Archdderwydd yn brin hefyd, wrth gwrs.

Roedd ôl ysbyty frys ar gefn y llwyfan. I'r fan hon y daethant â'r Archdderwydd wedi'r saethu, mae'n amlwg. Creadur. Fedrai unrhyw un weld ei fod y tu hwnt i gymorth cyntaf, siawns. Mi gafodd fwy o heddwch nag y bargeiniodd amdano fo. A be oedd draw fama? Y cleddyf mawr. Wedi cael ei daflu'n ddiseremoni i gornel er mwyn i'w geidwad gael dengid am ei fywyd – fawr o urddas yn perthyn i hynny, Mr Cledd. Mi ges fy nhemtio i'w dynnu o'i wain ond do'n i'm isio cael fy siomi. Efallai mai dim ond yr ychydig lafn a welwyd yn seremoni'r coroni oedd yna a bod y blaen wedi hen dorri i ffwrdd erstalwm. Ma siŵr nad oedd neb wedi sbio ers y Rhyfal Byd Cynta. A beth bynnag, ella basa SOCO isio prints. 'Sa'i'm yn talu iddyn nhw ffindio'n rhai i . . .

Torrwyd ar fy myfyrdodau gan lais eiddil.

'Chi gyda'r heddlu, ych chi?'

Melangell Fazackerly.

'Ydw.'

Wel mi o'n i tan rhyw bum munud yn ôl. Ond 'di rhywun ddim yn gwrthod cyfle euraid pan ma reit dan 'i drwyn o . . .

'Ydach chi mewn cyflwr digon da i atab un neu ddau o gwestiynau, Mrs Fazackerly?'

'Shwt chi'n gwbod 'yn enw i?'

Ti newydd ennill y goron yr hulpan. Ti'n eiddo cenedlaethol rŵan. A'r eiliad yma ti, mwy na thebyg, ydi'r ail berson enwoca yng Nghymru. A'r enwoca sy'n dal yn fyw.

'Nabis i chi oddi ar *Talwrn y Beirdd*.'

'O . . . '

'Be dach chi'n neud yn fama ar ych pen ych hun? Ddylia bod rhywun yn edrach ar ych ôl chi. Dach chi'n siŵr o fod mewn sioc.'

'Wedon nhw bydde'r heddlu moyn siarad 'da fi. 'Sai'n gwbod shwt alla i'ch helpu chi whaith.'

Ciw.

'Wel, steddwch yn fanna a gnewch ych hun yn gyfforddus.'

Roedd y gryduras yn dal i wisgo'r goban biws. Da o beth hefyd os oedd hi mewn sioc. Teimlwn yn euog am ei holi dan y fath amgylchiadau ond os na wnawn i, mi wnâi rhywun arall. Roedd peidio ildio i sentiment yn gallu achub bywyd weithiau.

'Rŵan ta, be fedrwch chi ddeud wrtha i am yr Archdderwydd?'

'Y cyn-archdderwydd chi'n feddwl?'

Sticlars 'di'r beirdd 'ma. Popeth yn ei le.

'Hwnnw, ia . . . '

'Wel . . . '

A ffwrdd â hi ar siwrnai ramantus ymhell o'r byd go iawn i ddisgrifio (yn dra blodeuog os ga i fod yn feirniadol) pwy oedd y pegor yn y siwt aur. Elwyn o'r Gyfylchi Gyfylchi. Mi fasa deud 'i fod o o Ddwygyfylchi 'di gwneud am enw byrrach ond roedd traddodiad yn pennu fod yn rhaid ar y ffurf wreiddiol. Ac roedd Elwyn GG yn sicr yn un am draddodiad.

Deud gwir, mwya oedd Melangell yn sbowtio, mwya diddorol oedd y busnas politics gorseddol 'ma. Y beirdd yn erbyn y llenorion. Yr hen yn erbyn yr ifanc. Y traddodiadol yn erbyn yr arbrofol. Y cynganeddwyr yn erbyn pawb. Ac o ddysgu am y wleidyddiaeth oedd yn treiddio'i ffordd i bob cilfach orseddol, mwyaf oedd rhywun yn sylweddoli fod gan Mr Elwyn Davies, cyfrifydd banc cymharol ddi-nod, yn wreiddiol o Ddwygyfylchi, beth cythral o elynion.

Wele restr (*hawlfraint Melangell Fazackerly) o bobol nad oeddent yn aelodau o glwb edmygwyr Elwyn o'r Gyfylchi Gyfylchi:

1. Y Llenorion (yr oedd yn fardd).
2. Y Beirdd Rhydd (yr oedd yn fardd caeth).
3. Y Beirdd Ifainc (yr oedd yn fardd caeth hen ffasiwn).
4. Y Cwmnïau Teledu (yr oedd am iddynt wasanaethu'r Eisteddfod ac nid y ffordd arall rownd).
5. Y Modernwyr (yr oedd yn mynnu'r rheol Gymraeg, a phob gair ohoni'n safonol).
6. Yr Hysbysebwyr (yr oedd eisiau eu gwared).
7. Y Cyfalafwyr (yr oedd yn daer na ddylai'r Eisteddfod weithredu fel cwmni busnes).
8. Yr Ieuenctid (yr oedd eisiau gwneud i ffwrdd â'r maes ieuenctid er mwyn iddynt werthfawrogi diwylliant go iawn).
9. Y *'Bleeding Hearts'* (yr oedd eisiau diddymu'r ddawns flodau pan nad oedd teilyngdod).

A'r rhestr fer ydi honna. P'un ai oedd unrhyw un o'r uchod yn ddigon o ysgogiad i'w ladd sy'n gwestiwn arall.

'Felly yn ôl pwynt dau, dach chi'n syspect 'fyd, Melangell?'

Ystyriodd.

'Wel, odw, mae'n debyg.'

Aeth ei llygaid yn freuddwydiol unwaith eto.

'O, ond odd e'n fachan mor ffein. Chi'n gwbod be wedodd e wrtho i ar y llwyfan 'na?'

'Nacdw, be?'

Ceisiodd Melangell ei dynwarediad gorau – roedd ei eiriau olaf yn amlwg yn rhai i'w trysori.

'Da iawn, 'y mach i . . . '

Ffycin beirdd – ddallta i byth monyn nhw.

'Mae'n ymddangos i mi, yn ôl yr hyn dach chi newydd ddeud, fod pwy bynnag gaiff ei ethol yn Archdderwydd newydd yn camu i job beryg bywyd, Mrs Fazackerly.'

'Allech chi weud 'ny. Oni bai bod 'na gynllwyn ishws i roi Archdderwydd newydd yn ei le.'

'Argol, be dach chi'n feddwl?'

'Wel, 'sai'n siŵr faint o sail sydd i hyn ond 'yn ni'r beirdd – caeth a rhydd – wedi clywed ers tro nawr fod y llenorion yn cynllwynio rwbeth.'

'I be?'

'Cenfigen. So nhw'n credu bod nhw'n cal yr un statws â'r beirdd.'

'Ydi hynny'n wir, ta?'

Fflachiodd ei hamrannau'n ddiniwed.

''Sa i 'di sylwi a gweud y gwir.'

Clywais sŵn lleisiau'n dynesu o bell.

'Wel, diolch am eich help, Mrs Fazackerly.'

'O, dim problem. Alla i fynd nawr te?'

'Well i chi aros yma ddau funud.'

'O, 'na fe.'

Roedd y gryduras yn edrych mor golledig fel y teimlwn yr angen i godi ei chalon rywsut.

'Gyda llaw, llongyfarchiadau,' galwais wrth lithro drwy'r drws. 'Edrych 'mlaen i ddarllen eich gwaith . . . '

Y tu allan roedd gweddillion y gynulleidfa gafodd eu gwasgu yn y rhuthr i adael y pafiliwn yn cael eu trin. Llwyddais i holi un neu ddau oedd mewn gwell cyflwr na'i gilydd, er mwyn gweld a oedd fy theori ynglŷn â safle'r reiffl yn dal dŵr, ond allai neb fy helpu. Mewn gwagle o'r fath, roedd sŵn yr ergyd fel pe bai'n dod o bob cyfeiriad ar unwaith. Ac roedd meddyliau'r rhelyw ohonynt wedi troi tuag at hawlio iawndal beth bynnag. Beth bynnag am y diwylliant Cymraeg, roedd hi'n ymddangos fod y diwylliant hwnnw yma i aros.

Ta waeth, ni fasa raid i mi fod wedi poeni, oherwydd pan rois i nòd a winc i'r ddau heddwas wrth y drws am yr ail waith a mynd i mewn i'r pafiliwn, roedden nhw wedi dod o hyd i'r arf. Roedd yn reiffl mwy ffiwtiyristig na'r un welais i erioed o'r blaen; yn sicr doeddwn i ddim yn adnabod ei wneuthuriad, a doeddwn i fawr callach wedi'm hysbysu mai model wedi'i ddatblygu o'r *Mini-Hecate* Ffrengig ydoedd. Amneidiodd un o'r heddweision at dop un o'r peilonau lle'r oedd y llofrudd wedi mynd i gryn drafferth i osod y reiffl yn sownd fel cloch.

'Be? Odd o'm yma pan daniwyd yr ergyd?'

'Nagodd, tanio'r gwn efo *remote control* nath o.'

'Pa mor agos 'sa fo 'di gorfod bod?'

'O fewn tua milltir. Mi fasa'n gorfod bod ar y maes i fod yn hollol saff faswn i'n deud. Wrth gwrs, mae'n bosib ei fod yn y pafiliwn beth bynnag . . . '

Pobol glyfar 'di'r cynllunwyr gynna 'ma. Pa obaith sy 'na i ddatrys trosedda pan ma'r bygars un cam ar y blaen o hyd?

'Ond sut oedd o'n gwbod lle i anelu'r gwn?'

'Ma DI Parry o'r farn mai oddi wrth safle'r gadair; mae yna farc ar y llwyfan i honno fod yn yr union un lle bob seremoni. Mae o wrthi'n holi pobol a ydyn nhw'n cofio gweld unrhyw un amheus o gwmpas y lle, yn enwedig o gwmpas y peilon yma.'

Yn cario reiffl dan eu braich mae'n debyg? Ambell waith mi fydda i'n ama a oes gan yr heddlu 'ma glem. Roedd 'na ogla proffesiynnol yma eto – y peth ola mae meistr wrth ei grefft yn mynd i'w wneud ydi edrych yn amheus, ynde Einstein.

Proffesiynol – fel llofruddiaeth Glyn. Heddwch. Ceidwad y Cledd. Oedd y ddwy'n gysylltiedig? Oedd hi'n bosib i'r ddwy beidio â bod yn gysylltiedig? Ergyd ar y gair 'heddwch'. Ond be oedd a wnelo Ceidwad y Cledd â'r peth? A be oedd a wnelo fo â Glyn? Oedd Glyn yn fardd ar y slei? Neu'n llenor? Oedd theori Melangell Fazackerly'n wir? Allai fod yna lenor cenfigennus yn cyflogi *hit-man* er mwyn hyrwyddo'i amcanion?

Torrwyd ar fy myfyrdodau gan lais soniarus rhy gyfarwydd o'r hanner.

'Dwi'n gweld fod y gynnau mawr allan ganddyn nhw ar gyfer y cês yma!'

Y fo.

'Pnawn da, Huw,' meddwn, mor gwrtais â phosib.

Roedd y gair 'swagro' wedi cael ei ddyfeisio ar ei gyfer. Wrth gwrs! Roedd Huw ap Elian yn olwyn fawr ym myd y Steddfod – yn llenor mawr – 'sgwennwr go iawn' fel yr oedd o mor hoff o'm hatgoffa yn y dyddiau pan oeddwn yn gweithio ar y papur. Sut oedd y gân 'na'n deud? 'Pob ystum o'i eiddo yn deud, ylwch fi'. Roedd Huw wastad wedi bod yn un am ddod yn ei flaen yn y byd.

Ac mi wnaeth, o do! Yndo'r hen Huw? Mi ddalltodd sut ma chwara'r gêm yn ifanc, llyfu'r tina iawn, ffrindia mewn llefydd uchel, mêsyns – tybad? A bellach mi fasa rhywun yn tybio mai fo oedd yn rhedag y dre 'ma; cyfreithiwr parchus, piler y gymdeithas, ac ar ben hynny, llenor o fri! Mi dyfodd yn dew ar yr holl barch a chanmoliaeth, a bellach credai na fedrai roi troed o'i le pa beth bynnag wnâi.

Ond mi wyddwn i am stori neu ddwy – neu hannar storïau. Doedd o'm wedi cuddio'i lwybrau mor llwyr ag oedd o'n feddwl. Mi fedrwn fadda iddo fo – bron – am ddwyn Lili odd' arna i. Odd y drwg wedi'i neud cyn iddo fo erioed ddod ar y sîn. Ond peidied neb â thrio deud wrtha i nad oedd a wnelo fo ddim â'i marwolaeth hi.

'Busnes erchyll,' meddai Huw.

'Yndê.'

'Yma i helpu?'

'Digwydd pasio 'chan.'

Fflachiodd llygaid Huw am eiliad, ond rheolodd ei dymer.

'Fydd raid chi gal ringmaster newydd rŵan.'

'Fory.' Trodd i fynd.

'Awydd trio am y job?' galwais ar ei ôl.

Arafodd ei gam, a throdd yn ei ôl.

'Fi 'di'r ffefryn 'chan,' meddai, a gwên slei ar ei wep flonegog.

Gorhyder fu cwymp sawl ymerawdwr. Rhyw ddydd, Pharo . . .

Safais yno am ychydig a'm pen yn chwyrlïo gan holl ddatblygiadau'r diwrnod a hanner dwytha. Efallai y dylwn fod wedi defnyddio'r amser i ddianc, oherwydd gwelwn Dennis yn brasgamu ei ffordd tuag ata i.

'Holi witnesys?'

'Sori?'

'Smalio bod yn aelod o'r heddlu? Ti'n ffycin *nicked*, pal!'

''Sa rywun 'di deud 'that ti bod ti'n rhegi gormod, Dennis?'

'Cau hi! Os wyt ti'n mynd i fod yn blydi poen tin rownd y ril mi roi di'n y *cells* jyst i gael chdi allan o'r ffordd, dallt. Dallt?'

'Yndw, dwi'n meddwl. Felly ti ddim yn fy restio fi, ti jyst yn 'y mygwth i eto . . . '

'Gwranda, *smartass*, 'yn cês ni 'di hwn.'

'Y, naci, DS. Dim bellach.'

'Syr?'

Amneidiodd Tom â'i ben at y llwyfan. Yno safai dau neu dri o big wigs Bae Trehwch, gan gynnwys yr archsochiwr ei hun, yn cael sgwrs ddiddan a chyfeillgar iawn yr olwg gyda – Huw ap Elian. Pwy arall?

Felly mi oedd Tom a Dennis yn sownd efo darganfod llofrudd Glyn. Wyddwn i ddim am Tom, ond yn sgil y datblygiad diweddara 'ma a'r cyhoeddusrwydd a ddôi yn ei sgil, mi wyddwn fod gan Dennis bellach gymaint o ddiddordeb mewn dod o hyd i lofrudd Glyn ag oedd genna i mewn darllan llythyra caru Huw at Lili Leddf. Ac, wrth gwrs, petai'n cael wythnos i gysidro fyddai hi ddim yn gwawrio arno fo fod yna efallai gyswllt rhwng y ddwy lofruddiaeth.

Ta waeth am Dennis, os mai ciwad Bae Trehwch oedd yn rhedag y sioe yn fama byddai'n gwneud fy mywyd yn haws petawn yn cadw o'r golwg am y tro. Penderfynais nad oedd yna chwaneg o wybodaeth i mi yma rŵan a sleifiais ymaith mor dawel ag y medrwn.

Cerddais drwy'r cysgodion rhwng y pebyll. Yn y gwyll roedd maes y Steddfod yn anifail hollol wahanol i'r un lliwgar, cyfeillgar a gaed liw dydd. Mwy sinistr. Ta fy meddyliau oedd yn chwarae triciau arnaf? Taniais sigarét. Yn sydyn sylweddolais nad oeddwn wedi cael un ers oriau. Ac yna sylweddolais nad oeddwn wedi cael diod ers oriau cyn hynny. Mi fasa diod yn dda rŵan. Mi ddylwn geisio darganfod Ceidwad y Cledd mor fuan â phosib hefyd, mae'n siŵr.

Diod gynta.

Drwy lwc, wrth i mi gerdded allan roedd un o aelodau'r gynulleidfa oedd wedi bod yn derbyn triniaeth, nid yn unig mewn cyflwr digon da i yrru, ond â digon o grebwyll i ofyn a oeddwn i isio lifft. Digon tawedog oedd y siwrnai fer i'r dre, ond wedi digwyddiadau'r dydd roedd y tawelwch i'w groesawu.

Gollyngodd fi wrth y rowndabowt yn dop dre a olygai mai'r bar agosa oedd yr un yng ngwesty'r Brython. Bach yn posh ond fydda raid iddo fo neud – do'n i'm yn mynd i gerdded fodfadd ymhellach.

Dyblar neu ddau ac roedd f'anesmwythyd wedi'i leddfu. Roeddwn wrthi'n penderfynu p'un ai i fynd am yr hat-tric pan ddaeth ail lais soniarus y diwrnod o'r tu ôl i mi.

'Mr Lewis?'

'Miss Calon – be gymwch chi?'

Roedd Lois wedi ffonio'r swyddfa ar ôl gweld beth ddigwyddodd, ond roedd Hanna Barbra wedi mynd.

'Ydach chi'n meddwl fod yna gysylltiad rhwng y ddau?'

'Dwn i'm. Ma'r peth mor annhebygol.'

'Roedd i Glyn gael ei saethu yn annhebygol hefyd.'

Fedrwn i'm dadla efo hynny. Doedd 'na'm gwadu nad oedd o'n goblyn o gyd-ddigwyddiad.

'Fuoch chi ar y maes heddiw, Lois?'

Jyst rhag ofn.

'Fues i prin o'r gwesty 'ma. O'n i wedi blino cymaint nes i mi aros yn fy ngwely tan tua hanner dydd. Cinio yn y gwesty, am dro o gwmpas y dref ac i ben Bryn Ysgallen.'

Dynas efo chwaeth.

'A 'nôl i'm stafell i wylio'r seremoni.'

'Be sy'n gneud i chi feddwl fod yna gysylltiad?' gofynnais.

'Wel y neges 'na, yndê.'

Yfasom weddill ein diodydd.

'Be ydi'r cam nesaf?' gofynnodd Lois.

'Gadwch hynny i mi,' meddwn inna gan godi.

'O, gyda llaw, dydd Mercher mae'r angladd meddai rhieni Glyn.'

'Wela i chi yno. Triwch beidio poeni.'

Edrychodd i fyw fy llygaid, a rhoi nòd flinedig.

Mi fedrwn gymryd siawns fod Wil Gaucho yn y Gwe Pry Cop ond doedd unrhyw wybodaeth oedd ganddo ddim yn mynd i fy helpu heno. Ceidwad y Cledd fasa'r boi – oedd ganddo fo enw? A be ar y ddaear fasa ei gysylltiad â Glyn? Job i Hanna Barbra fory beryg.

Roedd fy ngherddediad yn f'arwain i gyfeiriad y swyddfa. Waeth i mi alw heibio ddim, rhag ofn fod Hanna wedi gwneud darganfyddiad y ganrif. Cael a chael i gyrraedd mewn un darn wnes i wrth daflu'n hun i gysgod wal i osgoi dau lefnyn ar sglefrfyrddau oedd â dim diddordeb mewn osgoi cerddwyr wrth chwyrnellu i lawr y stryd.

'Calliwch, y ffernols!' gwaeddais yn fy nghyffro.

'Isio cweir, cwd?' gwaeddodd un o'r corachod hyll yn ôl.

Blydi plant.

Am wn i mai dyna pryd y darfu y mêl efo Lili. Roedd hi ar dân isio dechra teulu – nid mod i yn erbyn ond do'n i'm yn gweld pam oedd isio bod ar cweit gymaint o frys – oddan ni'n dau'n ifanc, yn llawn cynlluniau . . .

Chafodd hi'm plant efo ap Elian chwaith. Am wn i ei

bod hi'n rhy isel ei hysbryd i feddwl am y peth ar ôl sbel. Ond fasa 'na'm rhaid i'r hen Huw fod wedi poeni. Mi gafodd fflyd gen Meira a mi oedd 'na hanesion fod ganddo un neu ddau mewn llefydd erill o gwmpas y lle 'ma. Neb yn gallu profi hynny chwaith, wrth gwrs.

Steddfod. Huw ap Elian. Pa syrpréis arall o'r gorffennol oedd y cês yma'n mynd i'w daflu tuag ata i? Oedd Lili'n mynd i hedfan i lawr o rywle efo rhuban glas yn dynn am ei gwddw i ddadlennu'r atebion i gyd?

Roedd y swyddfa'n dywyll a digroeso, a doedd 'na'm arwyddion fod Hanna Barbra wedi darganfod gwybodaeth a fyddai o unrhyw gymorth mawr. Doedd 'na'm negeseuon ar y peiriant ar wahân i un Lois. Gwrthodais y demtasiwn i'w chwarae ddwywaith. Roeddwn wrthi'n penderfynu oedd 'na rywbeth fedrwn i neud pan ganodd y ffôn.

'Lewis ac Evans?'

'Jaci?'

Raquel.

'Sut o't ti'n gwbod mod i'n fama?'

'Do'n i ddim.'

Fel'ma oedd hi efo Raquel. Dim goresbonio. 'Marfar da i dditectif. Doedd 'na neb yn awyddus i fod y nesa i siarad, felly gwrandawsom ar ein gilydd yn anadlu am ychydig.

'Ddrwg gen i am Glyn,' meddai toc.

'Ia, diolch. Ddrwg gen i am Carl.'

'Duw, coc oen oedd o, falch bod o 'di mynd.'

'O . . . '

'Ar ffor' adra 'ti?'

'Am wn i. S'na'm byd llawar 'dra i neud eto heno.'

'Doro dy ben rownd drws pan ti'n pasio, os lici di.'

On i'n gwbod y basa hi isio siarad.

'Wel, gen i ddwrnod go hegar fory.'
'O, 'na fo ta . . . '
'Paid â bod fel'na.'
'Meddwl bo ni'n fêts.'
'Mi ydan ni.'
Ochneidiais.
'Fydda i draw mewn munud . . . '

Hanner potel o wisgi a phaciad ugain yn ddiweddarach o'n i 'di cal yr hanas i gyd ffasiwn goc oen oedd Carl a dynion yn gyffredinol, a mai gefail sbaddu oedd yr unig ateb i'r bygars i gyd. Yr union sgwrs o'n i 'di bod yn ddisgwyl – dwi'n meddwl ei bod hi'n cael mwy o gatharsis o'i ddeud o wrth ddyn yn hytrach na hogan. Mi fasa hogan yn cytuno efo pob dim oedd hi'n ddeud a deud petha fel 'W, ia, dwi'n gwbod', a 'Ti mor iawn'. Sut medar rhywun fod 'mor iawn' dwi rioed 'di dallt. Mor iawn â be? Mor iawn â iawn? Ti un ai'n iawn neu ti'n rong, 'does bosib? Ond roedd cael rhywun yna i neud rhyw fath o gês pathetic dros ddynion yn wyneb yr hyn oedd hi wedi gorfod ei ddioddef ganddyn nhw dros y blynyddoedd yn apelio at Raquel, dwi'n ama. A'r ffaith mai ar ôl cael ffling efo fi y chwalodd ei pherthynas hi a Pete – 'yr unig ddyn call gafodd hi rioed'. Ma'n siŵr fod 'na ryw ran ohona i'n dal i deimlo'n euog am hynny. Os basa fo 'di digwydd ar adag wahanol, dan amgylchiada gwahanol – pwy a ŵyr – ella basa ni 'di gwneud rwbath mwy ohoni. Fel oedd hi'n deud, oeddan ni'n fêts, a mi oedd y cysylltiad hwnnw'n dal yna. Ond oedd 'y mhen i'n llawn o Lili doedd, hyd yn oed os oedd honno efo Ceiliog Caerlloi erbyn hynny. Ac o'n i dan 'rargraff cry ar y pryd bod Raquel isio bod efo fi er mwyn gorffen ei pherthynas efo Pete. Merchad. Ddallta i byth monyn nhw.

''Dan ni'n dallt yn gilydd reit dda, dydan, Jaci?'

'Yndan . . . '

Roedd y noson yn mynd yn hwyrach nag y baswn i'n licio.

'Well mi chychwyn hi.'

''Na chdi . . . '

Sylweddolais mod i heb holi hynt Sunsur o gwbwl.

'Ma'i'n iawn, ar *sleepover* yn nhŷ ffrind . . . '

Roedd y gwahoddiad yn eglur ond nid yn rhy amlwg. Fel roedd hi'n deud, mi oedd 'na adega pan oeddan ni'n dallt yn gilydd yn dda iawn. Mi safon ni'n edrych ar 'yn gilydd am ychydig.

'Cofia fi ati.'

'Ia, 'na i siŵr,' meddai mor ddi-hid ag oedd hi'n bosib. 'Diolch ti am y sgwrs.'

'Iawn siŵr.' Ceisiais fod yn glên. 'Duw, fydd 'na rywun arall gen ti cyn ti droi rownd sti . . . '

Sylweddolais sut oedd hynna'n gwneud iddi swnio.

'Hynny 'di, be dwi'n feddwl 'di —'

'Nos da, Jaci,' meddai Raquel, nid yn angharedig.

MAWRTH

Deffrais efo cur pen. Edrychais drwy lygaid llaith ar f'oriawr. Deg o'r gloch? Mi fyddai Raquel wedi mynd i llnau dillad Caerlloi ers meityn. Arteithiais fy hun am eiliad â'r syniad o ba mor effeithiol y medrwn i fod mewn bywyd arall efo gronyn o hunanddisgyblaeth. A phe na bai wisgi wedi ei ddyfeisio. Ro'n i'n falch nad arhosais i roi'r cyfle i Sunsur fy ngweld yn y cyflwr yma. Doedd Raquel yn disgwyl dim gwell. Beth bynnag – hi wnaeth fy hudo fi draw. Be oedd hi'n ddisgwyl – jymp gysur ar y rîbownd? Eto? Teimlais ychydig yn sanctaidd mwya sydyn – rhag cwilydd iddi am feddwl fy nefnyddio i'w phwrpasau cnawdol. Ond ella mod i'n gwneud cam â hi; os mai dyna oedd ei bwriad, doedd hi ddim fel nad oedd ganddi ddewis o lafna 'tebol – roedd hi'n dal yn hogan ddeniadol. Dim mor ddeniadol â Lois Calon efallai, ond byddai hynny'n cyfyngu maes merched deniadol i raddau helaeth iawn. Ella'i bod hi'n deud y gwir ac mai isio siarad efo mêt oedd hi. Mi oeddan ni'n fêts. Hynny oeddan ni'n weld ar 'yn gilydd. Fuon ni erioed yn bartneriaid fel y cyfryw, felly wnaethon ni rioed ffraeo. Ond os mai isio mêt oedd hi, pam dyn? A pham gwneud yn siŵr fod Sunsur ddim adra? Ag oedd ei chwaer yn mynd i gael gwybod hanas f'ymweliad cyn i un o'm traed gyrraedd 'roffis?

'Haia Jac. Noson ddifyr?'

Oedd.

'Bora da, Hanna Barbra. Ti'm i fod i mewn heddiw.'

'Gwbod. Meddwl 'sa chdi'n gallu gneud efo'r help, a theimlo bod arna i un i chdi ar ôl ddoe.'

'Be ddigwyddodd ddoe?'

'Dim byd, 'na'r pwynt.'

'Be am Raquel?'

'Duw, ma'i'n ddigon tawal lawr 'na, sti. 'Di'r Steddfod 'ma'n ffeithio dim ar y busnas – pawb yn aros mewn hotels sy'n golchi'r dillad eu hunin, dydyn? Eniwê, fedrith Sunsur roi help llaw iddi os oes raid.'

Edrychodd arna i'n slei.

'Oedd 'na olwg ddigon joli arni pan 'dawis i hi bora 'ma . . . '

'Oedd 'na . . . '

'Oedd. Fatha Natalie Wood yn *West Side Story* ar ôl iddi – sti . . . '

Waeth heb â thrio blyffio Hanna Barbra. Mi fedrai gadw hyn i fynd yn llawer hwy nag y medrwn i ei hanwybyddu.

'Hanna, bob tro mae dy chwaer yn ddynes sengl unwaith eto – sydd ddim, os ga i ychwanegu, yn ddigwyddiad mor anarferol â hynny – mi wyt ti wrth dy waith yn trio'n hwrjio ni at 'yn gilydd.'

'Nacdw i.'

'Wyt.'

'Nacdw.'

'Wyt. Fasa ti'n licio esbonio i mi pam? Oes ganddon ni rwbath yn gyffredin, er enghraifft?'

'Na, mae hi â'i thraed ar y ddaear . . . Ma Sunsur yn meddwl y byd o'r ddau ohonach chi.'

'Felly ti'n deud. Mae Sunsur yn 'yn licio i am un rheswm yn unig; ma hi isio bod yn dditectif.'

'Be sy mor ofnadwy am hynny?'

'Deg oed ydi hi!'

'S'na'm byd o'i le ar fod isio rôl model, nagoes? Er, pam dy ddewis di, dyn a ŵyr.'

Ceisiais fod yn rhesymol.

'Gwranda, Hanna, dwi'n gwbod ei bod hi'n chwaer i ti, a ma'i'n hogan neis iawn a 'dan ni'n ffrindia – o ryw siort – a dwi'n gwbod bod ginnon ni hanas, ond tasa 'na rwbath yn mynd i ddigwydd – go iawn 'lly – 'sa 'di digwydd bellach, yn basa?'

'Spôs . . . '

'A beth bynnag, 'di bywyd ddim mor syml â hynna.'

'Mae o, os t'isio fo fod.'

'Wel ella mod i ddim isio fo fod, ta! A be am Raquel? Sut elli di fod yn siŵr be ma hi isio?'

'Nath hi ffonio chdi neithiwr, do?'

Pam brathodd hi'i thafod?

'Chdi ddudodd wrthi am neud, 'de?'

'Naci tad.'

'Hanna Barbra, ma 'na ddigon o betha'n mynd ymlaen 'ma fel mae hi. Rŵan ma gin i bob cydymdeimlad efo Raquel ond 'di'r ffaith bod ei thŷ hi un idiot yn llai ddim cweit fyny 'na ar y rhestr flaenoriaetha, nacdi? Oni bai dy fod ti'n anghytuno?'

'Olreit, s'na'm isio siarad 'fo fi fel taswn i'n blydi plentyn chwaith, nagoes? 'Sa Humphrey Bogart ddim yn gadal i rywun siarad efo fo fel'na —'

'Dio'm ots am Humphrey ffycin Bogart —'

'Callia, Jaci! Olreit, nes i neud mistêc.'

Hwrê.

'Nes i feddwl dy fod ti'n malio, ond dwyt ti ddim. Reit, be 'di'r drefn heddiw, ta?'

Merched. Mi faswn i'n taeru fod y tir moesol uchel gen i'n fanna am eiliad. Ochneidiais a chofio am fy nghur pen. Croesais at y gêr panad.

'Gymi di banad?'
Cilwgodd Hanna Barbra.
'Be 'di hyn – ymddiheuriad?'
'Naci, cynnig o un banad. Cym neu ddim.'
'Dim.'
'Iawn.'
Tra'n hwylio'r baned estynnais nodyn Glyn yn ddifeddwl o'm poced.
'Be 'di hwnna?'
'Nodyn gan Glyn.'
'Be?'
'Sadia, ma mewn cod; fedra i'm gneud na phen na chynffon o'no fo.'
'O . . . '
'Reit, y drefn heddiw ydi mod i'n mynd i fyny i fwthyn anghysbell Proff a Rita Moth, gyda'i olygfa odidog o Ynys Dderwydd, os mai dyna'r math o beth sydd yn tanio'ch cannwyll, i chwilio am gi drain o'r enw Wil Gaucho Jeffries, os fedar o 'i thynnu hi allan yn ddigon hir i mi gal gair efo fo. Nid ei bod hi ots gin i deud gwir – geith gario 'mlaen cyn bellad â mod i'n cael y wybodaeth 'dwi isio.'
'A be 'di'r wybodaeth t'isio?'
'Wel, dwi'm yn gwbod tan fydda i wedi'i gael o nacdw?'
'Re-eit. A be t'isio fi neud?'
'Dwi isio i ti stopio chwara Ciwpid.'
'Olreit! 'M'isio rhoi haearn smwddio ar y peth!'
'Fel arall, dwi isio i ti ffindio gymaint â phosib ynglŷn â Cheidwad y Cledd i mi.'
'Y?'
'Ceidwad y Cledd.'
'Y boi efo'r cleddyf?'
'Ceidwad y Cledd, ia.'
'Yn Steddfod?'
'Yn Steddfod, ia . . . '

'Pam?'

''Mots am hynny.'

'Dim fo laddodd yr Archdderwydd!'

'Naci siŵr dduw. Wel . . . ' Pam nad oeddwn i wedi meddwl am y posibiliad hwnnw?

'Pam t'isio gwbod amdano fo, ta?'

'Dwi isio siarad efo fo heddiw.'

'Pam heddiw?'

'Wel, mor fuan ag sy'n bosib – heddiw 'di hynny 'nde? A sgin i'm syniad lle ma'n aros, sut i gal gafal arno fo, pwy ydi o hyd yn oed.'

'Pam na ei di ar y maes pnawn 'ma?'

'Does 'na'm seremoni pnawn 'ma, nagoes?'

'Nagoes, ond ma nhw'n dewis Archdderwydd newydd, dydyn? Dio'm yn cal fôt, ta?'

Jîniys, Hanna Barbra. Edrychais arni'n werthfawrogol.

'Hanna Barbra?'

'Ia?'

'Sgin ti feic ga 'i fenthyg?'

Ac felly, ar fore braf o haf, gyda gweddillion hanner potel o scotch, duw a ŵyr faint o fwg sigarét ac un mwgiad o goffi du yn fy nghylla, deuthum i'r penderfyniad ar Allt Bryn Crwn, a'r byd yn troi'n ddu o'm cwmpas, mai dyma'r gwirionaf o bosib mewn bywyd o benderfyniadau gwirion. Dyn a ŵyr faint gymrodd hi i mi wneud y siwrnai. Roeddwn wedi hen golli fy nghynneddf i ddarllen oriawr erbyn hynny, ond nelo hynny o amser a dreuliais ar y beic fasa waeth i mi fod wedi cerdded yr un dim.

Ar wahân i ryw dwrch daear o gi yn cadw sŵn doedd 'na'm golwg o neb yn Nhyddyn Ucha. Gwreiddiol oedd y tyddynwyr 'ma efo'u henwa 'de – chwarae teg i Moth a Rita am beidio newid yr enw'n *Druid View*, neu rwbath tebyg. Er, nabod Moth, mi fasa'n debycach o'i alw fo'n 'Annedd y Goriwaered'. Moth druan. 'Doedd y ddau yma rioed wrthi peth cynta'n bora? Wrth gwrs, er nad oeddwn yn browd iawn o'r peth, mi wyddwn o'r gorau yn yr achosion yma fod yn rhaid cymryd y cyfle fel yr oedd yn codi – mewn ffordd o siarad.

Ond fel o'n i'n ama'r gwaetha, dyma sŵn gweryru o un o'r caeau cyfagos, a merlen wen hardd yn cario Rita Moth fel tywysoges tuag ataf. Wel, fel y dywysoges Anne, efallai; welingtons a dillad bob dydd oedd ganddi amdani. Ond serch hynny edrychai beth wmbreth yn well na'r hen dywysoges druan. Doeddwn i rioed wedi sylweddoli ei bod hi gymaint yn iau na Moth o'r blaen. Ella bod Wil yn gi drain ond doedd 'na ddim o'i le ar ei chwaeth o.

'Can I help you?' meddai'n ddigon swta wrth fy nghyrraedd. Ces fy nhemtio i'w hysbysu fy mod yn dditectif preifat a gweld sut ymateb fyddai hynny'n ei ennyn. Penderfynais beidio.

'Rita Moth?'

'That's right. Who's asking? Steady, Snowflake . . . '

'My name's Jac Lewis. I'm looking for Wil Gauch-Jeffries. I believe he's doing some work for you.'

'That's right. You a friend?'

'We know each other. Would it be possible to have a word with him?'

Edrychodd yn boenus.

'Well, it's not very convenient at the mo-ment . . . '

'A. Right-o. Well in that case, would you do me a favour? Ask him if he would meet me in the Derwydd *round about eight tonight.'*

'The what?'

'Derwydd. *Druid – it's a pub.'*

'Oh.'

Fedrwn i'm peidio.

'See that big thing in the sea down there. That's Ynys Dderwydd, *where the Druids used to make the magic potions that we Welsh used to drink before going into battle with the Romans. They used to row barrels of it over to just by Aber Aber, near to where the castle is, and feed the troops there. It was a famous feeding station – now it's a pub.'*

'That's very interesting.'

'It's an interesting country once you acknowledge its existence.'

'Yes, well, I'll pass the message on to William. Eight o'clock, the Druid.'

'The Derwydd.*'*

'You said it means Druid.'

'It does mean Druid, but it's called Derwydd.' Arglwydd ma isio gras.

'So it's eight o'clock in the pub that means Druid.'

Y peth gwaetha oedd nad oedd hi'n gwneud ati. Ac mi oedd 'na lot o Rita Moths o gwmpas y dyddia yma.

Wrth gychwyn o'na, a gweld brys Rita i 'fadael â'i cheffyl, fe'm tarodd mwya sydyn pam nad oedd hi'n gyfleus i mi weld Wil Gaucho rŵan. Ma raid bod y cwdyn diegwyddor yn aros amdani yn y tŷ tra oeddan ni'n sgwrsio, a lyfli Rita â'i bryd am fynd i reidio am yr ail waith y diwrnod hwnnw. Blaenoriaetha.

Mi fedrai Hanna Barbra fod wedi fy hysbysu nad oedd brêcs y beic yn rhy sbesial. Byddai'n rhaid i mi gymryd pwyll i lawr yr allt nes i mi gyrraedd y lôn bost. Doedd petha'm cweit mor serth wedyn. Roedd y lladdfa ar i fyny wedi clirio fy mhen yn rhyfeddol a llwyddais i gael mwynhad o hwylio i lawr y lôn gul a'r awel yn fy ngwallt, yn cael persbectif gwahanol ar Gaerlloi a'r Maes Eisteddfod lliwgar oddi tanaf yn y pellter. A'r tawelwch gwledig heddychlon; dim ond sŵn amball dderyn – peidiwch â gofyn i mi pa fêc chwaith; hogyn dre fuis i erioed – a dim ond amball injian car yn y pellter islaw. O, ac un yn dŵad i lawr y tu ôl i mi; od na fyddwn i 'di sylwi ynghynt. *Saloon* du. Sylweddolais ei fod yn trafaelio ar dipyn o herc; dyna pam o'n i'm 'di sylwi arno fo cynt – doedd o'm yna. Mi slofai pan ddeuai o'n nes; doedd hi ddim fel mod i'n anodd i ngweld. Ond roedd sŵn yr injan 'na'n mynd yn uwch ac yn uwch, a bellach roedd o'n bur agos. Penderfynais chwifio fy llaw, rhag ofn. Ac yna sylweddolais. Mae'r diawl yn codi sbîd! Ac yn anelu'n syth amdana i! Roedd o bron ar 'y mhen i cyn i mi gael cyfle i daflu'r beic i'r chwith mor hegar ag y medrwn, a llamu oddi arno i gysgod clawdd. Twlciodd y car olwyn ôl y beic wrth basio nes ei bod yn troelli'n ei hunfan, a chwyrnellodd yn ei flaen heb frecio dim. Ro'n i wedi rhoi clec i 'mhen wrth lanio'n flêr a chefais i'm amser i weld y rhif, ond dwi'n ama mai Volkswagen Golf oedd y car. Oedd o'n trio'n lladd i? Neu jyst bod ei rif loteri o wedi methu? Doedd 'na'm posib deud. Ond doedd rhywun yn sicr ddim yn cymryd bywyd mor ganiataol y dyddiau dwytha 'ma.

A be oedd ystyr hynna, medda chi? Ai fy nychryn i oedd y bwriad? Ai fy lladd? O'n i'n gwybod gormod? Yn bersonol o'n i'm yn teimlo mod i'n gwybod hannar digon. O'n i wedi cael fy nilyn i Dyddyn Ucha a'r gyrrwr wedi aros i mi gychwyn ar y siwrnai 'nôl? Ta Wil Gaucho oedd wedi cael car newydd ac yn benderfynol nad oeddwn i'n mynd i gael y cyfle i sbragio arno wrth Moth? Neu ella, fel beic Hanna Barbra, fod jyst ganddo frêcs gwael.

Yn sgil y glec roedd fy nghur pen wedi dychwelyd ac mi oedd ffrâm y beic wedi sigo yn sgil y gwymp. Edrychai'n debyg ei bod hi'n mynd i fod yn siwrnai go ara deg i gyrraedd y maes fel oedd petha. Ac mi oedd yr haul 'ma'n poethi.

Diod fasa'n dda.

O'n i'n rhyw benysgafn braidd ac yn tindroi uwchben y beic pan ddaeth sŵn injan o bell. Dim y car du gobeithio. Naci – roedd hwn yn fwy. Yn dipyn mwy. Ag o'n i'n ei nabod o. Les Downs, y garddwr, yn ei bicyp glas. A Noggin efo fo, siŵr o fod. Les Downs: un o'r pêl-droedwyr gora welodd y dre 'ma rioed a chapten y tîm am flynyddoedd 'radag o'n i'n riportio arnyn nhw i'r *Clarion*. Roedd ganddo fo hyd yn oed ei gân ei hun, unwaith i ryw wag yn y tîm sylweddoli fod ei enw rwbath yn debyg i *'Let's Dance'* gan David Bowie. *'Put on your red shoes and dance the blues.'* Tasa nhw 'di dechra gneud sgidia coch 'radag oedd Les yn chwara mi fasa'n ffitio'n berffaith, gan eu bod nhw'n chwara mewn glas. Ond rhwystredigaeth gwylio'r bŷch yn trio'n aflwyddiannus i efelychu'i dad oedd tynged Les yn y clwb pêl-droed bellach. Ac yfed yno oedd tynged Noggin, tynged yr ymddangosai'n fwy na bodlon efo hi. Nid pêl-droediwr mo Eric, ar waetha'i enw, ond cyfaill pêl-droedwyr, ac un a fwynhâi y statws a dderbyniai oherwydd ei wybodaeth ystadegol am bêl-droed. Mewn unrhyw faes arall, mi fyddai'n debygol o gael ei labelu'n anorac, ond am ryw reswm, fel y darganfu John Motson, nid yw hyn fyth yn digwydd ym myd bywyd-a-marwolaeth pêl-droed, lle mae llwyddiant neu fethiant noson yn gallu dibynnu ar ddatrys y dirgelwch o bwy oedd cefnwr de Ipswich Town pan enillon nhw'r FA Cup yn 1978. Dwi'm yn siŵr pam gafodd o 'i fedyddio'n Noggin – un ai ar ôl y mesur neu am ei fod o'n fach ac yn grwn fel yr arwr Sgandinafaidd am wn i. Dio'm ots, y peth pwysig oedd bod y ddau'n pasio rŵan. Camais i'r ffordd o'u blaen a chwifio fy mreichiau.

'Aright, Jacky? Ti'n bit far allan o town, ay?'
'Ti'n dallt beics, Les?'
'Dallt bod nhw'n too much like hard work like. Isio lifft?'
'Diaw, 'na i'm deud na os ti'n cynnig.'
'Dwi'n cynnig. Ya deaf neu what. Stick the siandri yn y cefn. Noggin – give 'im a hand.'
''Ma'i Nog . . . '
'Iown?'
'Iawn – chditha?'
'Iown 'de . . . '
Ella bod o'n gwneud y stats, ond doedd o'm yn gwneud y smôl-tôlc. Roedd cefn y picyp yn llawn o gerrig; prin le i feic oedd 'na.
''Di bod yn chwaral ti, Les?'
'Ay, lanscapio gardd rhyw geezer yn Kappa. Paid â poeni, alla i dropio ti off yn dre gynta.'
'Wel gwranda, i gyfeiriad Capernaum dwi isio mynd, deud gwir. Maes y Steddfod.'
'Ideal, dim problem, Jacky. Get in the back, Nog.'
'Naci, chwara teg, a' i i'r cefn.'
Ac mi es, a difaru. Picyps 'ma'n ratlo esgyrn fwy na ma rhywun yn feddwl. 'Na fo – nath yr awyr iach les, ma'n siŵr.

Wedi chwartar awr o fownsio i fyny ac i lawr a cheisio osgoi'r cerrig oedd yn ceisio glanio ar fy nhraed, cyrhaeddodd Les gyrion y maes.
'Neith fama i ti, Jacky?'
'Neith, champion. Diolch ti, Les.'
'No problem mate. Iawn efo'r beic 'na?'
'Yndi – gen i – diolch ti.'
'Nice one. Ta-ra now.'
'Hwyl, Les. Hwyl, Nog.'
'Iown . . . '

Un peth o'n i ddim wedi'i ddisgwyl oedd y dyrfa. Cannoedd ohonyn nhw. Iawn – roedd hi'n braf ond roedd hi'n amlwg mai un rheswm ac un rheswm yn unig oedd yn gyfrifol am y fath dyrnowt. Hanes yn cael ei greu, a'r angen i fod yn rhan ohono fo mewn unrhyw fodd. Yr Archdderwydd druan; yn llai stiff na phan oedd o'n fyw, ac eisoes roeddynt yn penodi ei olynydd. Roedd y brys yn ymylu ar yr amharchus, ond wedi'r sgwrs efo Melangell ddoe yr oedd hefyd yn ddealladwy. O ddyn â chyn lleied o elynion, yr oedd yna nifer arswydus o bobol â chymhelliad i'w ladd. Penderfynais yn y fan a'r lle y byddwn yn ymwrthod â'r swydd pe byth y cynigid hi i mi.

Roedd hi'n anobeithiol i feddwl am fedru mynd i mewn heb giwio am tua awr. Roedd y môr dynol chwilfrydig yn dal i ddod o bob cyfeiriad. Tybed beth oedd teimladau trefnydd yr Eisteddfod o weld pob record yn cael ei thorri a'r arian yn llifo i mewn? Tybed . . . gwnes nodyn ymenyddol i'w ychwanegu at restr y bobol oedd â chymhelliad i ladd yr Archdderwydd. Cerddais gydag ymyl y maes yn chwilio am le i guddio'r beic – nid y byddai neb yn orawyddus i'w ddwyn yn ei gyflwr presennol. Ar ôl ei barcio y tu cefn i lwyn, taniais sigarét a pharatoi fy hun yn feddyliol am yr awr a mwy fyddai'n rhaid i mi dreulio yn ciwio am fynediad i'r maes. O wel, mi fedrwn wastad adrodd y *Rhodd Mam* ar yn ôl er mwyn cadw fy meddwl yn effro.

Torrwyd ar fy myfyrdodau gan lais o'r tu cefn i mi.

''M yn disgwyl gweld *ti* fama, con'!'

Roeddwn yn adnabod y llais yn syth. Glen Co. Manna o'r nefoedd.

'Yr union ddyn . . . '

Glen Co – yn ei lifrai. Ar ddyletswydd felly. Perffaith.

'Angan ffafr fach, Glen.'

'Eto?'

Ni fyddai'n gwrthod. Roedd y wybodaeth yr oeddwn yn ei gadw oddi wrth Mrs Co yn rhy werthfawr.

'Lle ma'r injan gen ti?'

Edrychodd Glen dros ei ysgwydd yn flinedig.

'Rownd fan'cw. 'Dan ni i gyd ar diwti, rhag ofn ia.'

'Rhag ofn be?'

'Wel, ti'n 'bod – terorists.'

'Ti'n meddwl mai Al-Qaeeda oedd yn gyfrifol am ladd yr Archdderwydd?'

Wel, ia – pam lai? Oedd o i weld wedi pechu pawb arall.

'Wel, ti byth yn gwbod nagwyt, con'?'

'Reit, Glen.'

'Be?'

'Ffwr' â ni ta.'

Ceisiodd Glen adfer rhyw fymryn ar y sefyllfa.

'Ar un amod, ia.'

'Sef?'

'Diffodd y sigarét 'na . . . '

Pris bach, ond i ddyn tân yn fuddugoliaeth fawr – tan y ffafr nesa.

Roedd sŵn y dorf yn furmur yn y cefndir erbyn i ni gyrraedd yr injan dân goch gyda phlac gloyw â'r enw 'Brenda' arni.

'Diolch, Glen,' meddwn, gan sefyll yn y bocs. 'Arna i chdi . . . '

'Pharo' oedd yr unig air a gefais yn ateb. Pwysodd fotwm, tynnodd lifar a chododd y fraich – a minnau – nes yr oeddem uwchlaw'r ochr arall i'r ffens uchel. Dringais ychydig i lawr y fraich a gollwng fy hun i'r llawr nes bod fy mhengliniau'n clecian.

'Nath o frifo?' gwaeddodd Glen.

Taniais sigarét.

Gwyddwn fy mod yn cerdded i'r cyfeiriad cywir gan ymchwydd y sŵn. Tu hwnt i batrwm pyjamas glas a melyn y pafiliwn, gwelwn y babell newydd a godwyd ar frys yn unswydd ar gyfer seremoni'r pnawn. Claerwyn gyda chorn simdda. Nid hanesydd mohonof ond roedd y derwyddon a'r Catholigion yn amlwg wedi cael llwybrau croes rhywle ar hyd y daith drwy'r canrifoedd. O gwmpas y babell eisteddai cannoedd, os nad miloedd, o Eisteddfodwyr, gyda'u pecynnau bwyd wrth eu traed a'u setiau radio wrth eu clustiau yn disgwyl yn eiddgar am y dyfarniad, yn ddedwydd o wybod eu bod yn bresennol pan gafodd hanes ei greu. Roedd 'na bresenoldeb diogelwch uwch nag arfer hefyd – mwy o stiwardiaid, mwy o iwnifforms a mwy o heddlu cudd, er pam oeddan nhw'n cael eu galw'n hynny dyn yn unig a ŵyr – welis i'm unigolion mwy amlwg yn fy mywyd. Efallai mai teitl eironig oedd o.

Dechreuais gamu drwy'r dorf. Roedd digon o rai lleol yn f'adnabod i mi fedru rhoi'r argraff fy mod yma ar fusnes, ond gwgodd sawl un o weld rhywun yn neidio'r ciw.

Ymhen hir a hwyr ac un bygythiad corfforol, cyrhaeddais y babell. Clustfeiniais, ond roedd yn amhosib clywed gan sŵn y dorf y tu allan.

'Psst!' meddai llais ddwy droedfedd oddi tanaf. 'Yncl Jaci – fforma!'

'Helô, Sunsur,' meddwn.

Er gwaetha'i harddeliad o'r teitl, nid oeddwn yn ewyrth iddi, ond petawn wedi bod ni fyddai'n achos cywilydd. Roedd Sunsur yn ddeg oed ac eisoes yn dangos cyneddfau ditectif da. Ac yn awyddus i blesio, wrth gwrs.

'Dowch, Yncl Jaci!'

Dilynais hi o amgylch y babell i'r cefn. Doedd dim

cymaint o drwch o Eisteddfodwyr yma – doedd o ddim yn llecyn â chymaint o sicrwydd i rywun gael ei weld efallai, pwy a ŵyr. Yr oedd un bachgen yn amlwg iawn fodd bynnag, yn bennaf oherwydd y ffaith ei fod ar ei hyd ar lawr ac yn sbecian drwy dwll yn ochr y babell. Ffromodd Sunsur ac anelu cic galed i goes y bachgen.

'Larwm! Migla 'i!'

Cododd y bachgen ar ei draed ac ymsythu i'w lawn dwf, gryn droedfedd yn dalach na hi. Yna gwelodd yr olwg yn ei llygaid, trodd ar ei sawdl a cherddodd oddi yno fel oen.

''Na chi, Yncl Jaci. Dyna pam dach chi yma 'nde?'

Y cyneddfau 'na eto. Teimlad anghyffyrddus ydi'r sylweddoliad fod merch ddeg oed un cam o'ch blaen chi.

Gorweddais ar fy hyd ac edrych drwy'r twll. Wn i ddim be o'n i'n ddisgwyl ei weld ond roedd yr olygfa o'm blaen yn un wnaiff aros yn hir yn y cof, hynny ydi, pan arferodd fy llygaid gyda'r stêm oedd yn codi o'r crochan anferth ddigon i mi fedru ei gweld.

Yn ôl yr arogl, mi ddudwn mai cawl cennin oedd offrwm y diwrnod. Roedd hyn yn f'atgoffa nad oeddwn wedi byta o gwbwl heddiw.

'Sunsur?'

'Be?'

'Nei di ffafr i dy Yncl Jaci?'

Ro'n i'n ewyrth iddi pan o'n i angan rwbath.

Tynnodd Sunsur bâr o finociwlars bychan o'i phoced.

'Wel – ia, tyd â nhw . . . ond be o'n i'n mynd i ofyn oedd – nei di nôl bechdan a llymad o rwbath i mi, clws? Ma chdi, pryn rwbath i chdi dy hun 'fyd, ia?'

'Efo hwn? Ia – go dda. Dach chi *yn* dallt faint ma'r llefydd bwyd 'ma'n godi ar y maes 'ma, yndach?'

''Mond bechdan dwi isio.'

''Mond bechdan gewch chi am hyn. Dduda i 'tha chi be, llwgwch am ddwyawr a cerwch â fi am slap-yp i'r Brython nes 'mlaen – gostith 'run faint yn union.'

Edrychais arni'n amyneddgar.

'O wel. Ych pres chi ydi o.'

Gyda chymorth sbenglas Sunsur roedd yn bosib adnabod rhai o'r wynebau oddi tan y gwisgoedd gwyn, glas a gwyrdd. Dacw Feistres y Gwisgoedd, a haeddai gael ei hethol yn Archdderwydd petai ond am y wyrth a gyflawnodd hi dros nos o lanhau pob staen gwaedlyd oddi ar yr holl wisgoedd gorseddol. Dacw Melangell Fazackerly yn osgoi llygaid pobol ac yn wyliadwrus yr un pryd. Dacw Huw ap Elian yn ceisio ymddangos yn wylaidd ac yn methu'n rhacs. A dacw Geidwad y Cledd yn chwysu. Wel, mi oedd hi fel *sauna* yna, chwarae teg, rhwng yr haul ar y babell a'r stêm o'r cawl.

Doedd gen i'm syniad beth oedd y drefn ar achlysur fel hyn. Oedd y fath beth wedi digwydd o'r blaen erioed yn hanes yr Orsedd? Byddai'n rhaid cysylltu â thad y boi niws 'na ma Hanna Barbra'n ffansïo; ma hwnnw'n dipyn o Noggin ym myd yr Eisteddfod, mae'n debyg, ond yn dipyn mwy difyr meddan nhw.

O'r hyn fedrwn i weld, roedd y cyn-Archdderwydd Taliesin (mae'n siŵr y basa'n rhaid i rywun gysidro mynd yn fardd efo enw fel'na) yn actio fel rhyw fath o *chef* gan godi'r cawl i gwpanau bach plastig. Lwcus nad yr Archdderwydd o'i flaen o gafodd y job neu mi fasa'r cawl ym mhob man, beryg. Wedyn roedd y Cofiadur (rhyfadd fel mae'r busnas Steddfod 'ma i gyd yn dod 'nôl – nabis i ei siwt o'n syth) yn mynd â'r cwpanau o gwmpas y babell i bob derwydd yn ei dro. Y drefn wedyn oedd bod pob derwydd yn yfed ei gawl cennin ac yn ysgrifennu enw ar waelod y gwpan. Medrwn ddychmygu'r gweddill.

Cesglid y cwpanau un yn y llall a chyfrifid y pleidleisiau. Wedi canfod enillydd, rhoddid edau drwy'r cwpanau a'u gwneud yn gadwyn, ac wedi ychwanegu llwyaid o *antifreeze* i liwio'r mwg, fe'u llosgid. Byddai'r mwg yn codi drwy'r simdde a byddai'r dorf yn gwybod fod yna Archdderwydd newydd. Gweddïais nad Huw ap Elian fyddai hwnnw.

Doedd 'na ddim rhuthro ar y derwyddon; roedd 'na lawer o falu cachu llenyddol i'w wneud cyn y byddent wedi gorffen eu sŵp. Deud gwir, roedd 'na un neu ddau'n ddigon digwilydd i ofyn am secynd helping. Ond pwy allai eu beio o ystyried prisiau brechdanau yn y lle 'ma?

Ar y gair, cyrhaeddodd Sunsur yn becyn bychan o egni. Roedd dwy gyfeilles yn cadw cwmni iddi.

'Dach chi 'di clwad fi'n sôn am Yncl Jaci, do? Ma fo 'lwch.'

Edrychodd y ddwy arna i'n gegrwth.

'Dach chi'n dditectif – go iawn?' meddai un ar ôl iddi ffindio'i thafod.

'Ym . . . '

'Yndi. Reit, dach chi 'di'i weld o rŵan. 'Na i gwarfod chi wrth babell yr Eglwys Gathlic mewn awr.'

'Ocê, Sunsur.'

A ffwrdd â nhw fel ŵyn.

'Yr Eglwys Gathlic?'

'Ma 'na foi doji'n mynd mewn ac allan o'r dent 'na. 'Dan ni'n cadw llygad arno fo.'

''Da i'm i holi.'

''Sa waeth chi heb. 'Swn i'm yn deud 'thach chi beth bynnag. Hwdwch.'

Estynnodd frechdan gaws elfennol yr olwg a photel fach o ddŵr i mi.

'Diolch ti, nghariad i.'

'Peidiwch â bod yn patroneising.'
'Sori. Gest ti rwbath i dy hun?'
'Naddo. Arnoch chi bres i fi.'
'Be – oedd o'n ddrutach na – HWN?'
Nodiodd Sunsur.
''Na i ofyn iddyn nhw gadw tamad o gawl i ti. Hwda.'
Estynnais gwpwl o bunnoedd iddi.
'Diolch, Yncl Jaci.'
Eisteddodd y ddau ohonon ni yno am ychydig, y fi'n bwyta, a hithau'n myfyrio.
'Dach chi'n gwbod bod Carl 'di mynd?'
'Ma ni eto.
'Glywis i.'
'Gan bwy?'
'Anti Hanna.'
'O . . . '
'Sut ti'n teimlo am y peth?'
'M'bo.'
'Ti'n drist?'
'Dim rîli.'
'O't ti'm yn licio fo?'
'Oedd o'n iawn. Oedd Mam ddim – dim yn diwadd, eniwê.'
'Oeddan nhw'n ffraeo?'
'Lot.'
'Oedd o'm yn frwnt efo hi?'
'Dwi'm yn meddwl.'
'Fydd petha'n iawn, sti.'
'Fydd petha'n union 'run fath. Neith hi ffindio rhywun arall, eith hi'n bôrd efo fo, 'nan nhw ffraeo, neith o adal. Dyna sy'n digwydd bob tro.'
Roedd hi mor glinigol a digyffro'n trafod y peth – digon a dychryn dyn.
'Ffindith hi rywun, ti.'

'Ffindio nhw'm yn draffarth, nadi?'

'Ti'm yn poeni am dy fam ar 'i phen 'i hun, felly.'

'Fydd hi'm ar 'i phen 'i hun tra ma gin hi fi, na fydd?'

Deg oed. Plant dyddia yma.

Yn sydyn, tynhaodd ei chorff.

'Be sy?'

'Sh . . . '

Roedd hi'n gwneud ati i beidio edrych ar rywbeth. Ceisiais innau edrych mor ddi-hid ar yr olygfa ag y medrwn.

'Lle?'

'Deg munud i – siwt dywyll.'

'Wela i o. Be amdano fo?'

'Hwnna 'di o?'

'Pwy?'

'Y Cathlic!'

'Doedd o'm yn edrych yn amheus iawn i fi.'

'Wel nagoedd siŵr! Ma'n dda dydi! Dio 'di mynd?'

'Yndi.'

Ymlaciodd.

'Reit, rhaid mi fynd ar 'i ôl o. Ta-ra, Yncl Jaci.'

'Ta-ra 'mach i, a diolch am y frechdan. Gad mi wbod be ti'n ffindio.'

'Peidiwch â chymyd y piss.'

Gwyliais hi'n gwau ei ffordd yn ysgafn droed rhwng y dorf oedd ymhobman. Gryduras – fe dyfai allan o'r lol ditectif 'ma'n ddigon buan. Sobrais ar amrantiad o ystyried fod hynny'n fwy nag oeddwn i wedi gwneud. Ond roedd hi'n deud y gwir; cyn belled ag y byddai Sunsur o gwmpas mi fyddai Raquel yn iawn.

Roedd gwylio'r dorf yn dechrau gwneud i mi deimlo'n gysglyd, ond yn sydyn, dechreuasant stwyrian a chyffroi.

Edrychais uwch fy mhen a gweld y mwg plastig gwyn yn codi o'r corn simdde. Roedd yna Archdderwydd newydd.

Doedd 'na'm llawer o bwrpas i drio cyrraedd y drws ffrynt gan faint y dorf, ond fe wnes ymdrech beth bynnag. Agorodd drws y babell a cherddodd y ffanfferwyr allan yn eu gynau cochion a dechrau chwythu rhyw diwn ddiarth i mi. Roedd sŵn y cyrn yn dipyn teneuach allan yma'n yr awyr agored, ond doedd dim affliw o ots gan y dorf. Mi fasa'r ddau 'di gallu sefyll ar eu pennau a chwythu'r kazoo o'u tina cyn belled ag oedd y rheiny'n y cwestiwn. Camodd y cyn-cyn-Archdderwydd Taliesin allan yn urddasol (sgwn i gafodd y creadur gwpanaid o gawl iddo'i hun ar ôl ei holl waith caled?) ac wedi eiliadau hir o edrych o gwmpas wynebau disgwylgar y gynulleidfa, fel petai'n ceisio dod i nabod pob un ohonynt yn bersonol, dechreuodd gyhoeddi â'i *gravitas* arferol:

'Yn wyneb haul llygaid goleuni, cyhoeddaf i chwi'r awron mai deiliad newydd aruthr swydd Archdderwydd Gorsedd Beirdd Ynys Prydain yw —'

Ac oedodd. Bron na fedrech chi weld y cegau'n agor. Roedd yr hen Daliesin wedi bod o'r goleuni ers tair blynedd, ond doedd o ddim wedi colli un tamaid o'i ddawn gyda chynulleidfa. Cymerais y cyfle i wasgu fy ffordd ychydig yn nes at y drws.

'Ap Elian!'

Coc y gath. Gweddi wastraff arall felly. Duw ar ei holides eto ma raid.

A dyma fo allan. Y dyn a anwyd i wisgo siwt aur. O Lili fach, be fyddet ti'n ei ddeud? Doedd 'na ddim math o ymdrech i edrych yn wylaidd rŵan, nag oedd Huwcyn? Safai yno'n derbyn y bonllefau o gymeradwyaeth â golwg drahaus, fuddugoliaethus ar ei wyneb. Pinacl ei yrfa, mae'n siŵr. Ac yn ôl yr olwg ar ei wep, ei lawn haeddiant. Twt, roedd 'na ormod o bobol wylaidd yng Nghymru beth bynnag. Chwara teg iddo fo. Y twatyn. Rhedodd un ferch allan o flaen y dorf a phlannu sws ar ei foch, er mwyn dyn! Beryg ei fod wedi ei chyflogi i wneud – o na, roedd *goons* personol Huw wedi camu allan o'r gynulleidfa a'i thynnu oddi yno rŵan. Hanes yn cael ei greu: yr Archdderwydd cynta â'i fownsars personol ei hun.

Mi siaradodd am ychydig. Sgin i'm diddordab cofio be oedd ganddo fo i'w ddeud – dim byd dafla owns yn fwy o oleuni ar y cês yma beth bynnag – roedd Huw yn llawer rhy glyfar i hynna. Ysgwn i sut oedd Melangell yn teimlo'r eiliad hon? Oedd 'na le i amau? Cwestiwn diangen. Roedd 'na wastad le i amau unrhyw beth cyn belled ag oedd Huw ap Elian yn y cwestiwn. Ond llofruddiaeth? Luosog?

Ta waeth, nid yr Archdderwydd Huw oedd fy mhrif gonsýrn ar y funud. Roedd y derwyddon i gyd yn cychwyn oddi yno dan warchodaeth yr heddlu, i fynd i newid o'u dillad tra chwyslyd bellach, wedi bod yn y *sauna* ogla cennin am awr a mwy. Erstalwm, dwi'n siŵr eu bod nhw'n mynd i ryw ysgol leol neu rywbeth tebyg ond heddiw, oherwydd gofynion diogelwch, roeddent i gyd i fynd i gefn y pafiliwn. Gwelais Geidwad y Cledd ynghanol y lliaws a rodiai drwy'r môr coch ond doedd gen i'm hôps mul o fedru cyrraedd yn ddigon agos i gael gair yn ei glust. Roedd y dorf yn rhyw symud ychydig i'r un cyfeiriad â'r osgordd. Be oeddan nhw'n ddisgwyl ei weld o gyrraedd cefn y pafiliwn, wn i ddim.

Roedd hyn yn anobeithiol. O leia roedd y dorf yn teneuo po bella oeddan ni'n cilio oddi wrth y wigwam, ond roedd 'na ormod o seciwriti o amgylch y pafiliwn – unwaith y byddai Ceidwad y Cledd yn diflannu drwy'r drws, dyna hi. Ystyriais weiddi, ond pwy a ŵyr pwy oedd o gwmpas i wrando. Y peth olaf roeddwn i eisiau ei wneud oedd rhoi bywyd rhywun mewn peryg – yn cynnwys fy hun. O'r diwedd, prinhaodd y dorf ddigon i mi dorri'n rhydd o'u hualau – bron na fedrwn i roi rhuthr er mwyn ei ddal jyst mewn pryd – ond mi wyddwn i'n iawn sut y byddai'r swyddogion diogelwch yn dehongli hynny. Roedd yn rhaid i mi sefyll a gwylio cefn Ceidwad y Cledd yn diflannu i ddiogelwch cefn y pafiliwn. Yno yn y man ymgynnull byddent yn cael panad i olchi eu cawl i lawr a chymryd eu tro i fynd i newid o fod yn dderwyddon i garedigion cyffredin y gymdeithas Gymraeg. Os oedd Ceidwad y Cledd yn siaradwr, mi fedrai fod yno am gryn dipyn. Doedd fawr o bwrpas loetran yn fama, beryg.

Ar y gair, pwy welwn yn troedio'n ffwdanus â'i fagiau am ei sgwydda ond Gerwyn, ffotograffydd y *Clarion*. Roedd wedi bod yn rhan o'r papur ers cyn fy nyddiau i ac mi fyddai am flynyddoedd eto i ddod, er gwaetha'i gwynion am y ffordd y câi ei drin ganddynt.

'Ger!' gwaeddais arno.

'A! – sori, Jaci – dim amsar – dwi ar ei hôl hi'n ddiawledig – fydd hannar rhein 'di newid rŵan ma'n siŵr!'

'Sgin ti gamera sbâr?'

''Mond y bach 'ma de.'

'Ga i ddŵad mewn efo chdi?'

Edrychodd arnaf, ond doedd ganddo'm amser i holi. Taflodd y camera bach digidol ataf.

'Tyd 'ta.'

Doedd y pen-jobsworth ar y drws ddim yn hapus o gwbwl i 'ngadael i mewn heb fathodyn ond pan dynnais i ei lun o a bygwth ei gyhoeddi yn oriel gelynion y wasg mi gytunodd y dylwn gael mynd i mewn.

Gan ddiolch i Gerwyn, oedd eisoes wedi diflannu i chwilio am Huw ap Elian beth bynnag, crwydrais o gwmpas y beirdd, llenorion, cerddorion – hufen y diwylliant Cymraeg – yn chwilio am yr un nad oeddwn i'n siŵr be oedd o, 'blaw y boi oedd yn dal y cleddyf mawr.

Doedd hufen y diwylliant Cymraeg ddim yn swnio'n ddedwydd iawn ar y funud yma. Roedd 'na ryw deimlad o anniddigrwydd rhyfeddol o amgylch yr ystafell, er bod y paneidiau te hollbresennol yn awgrymu fel arall. Ysgwn i oedd hyn yn ymwneud â theori Melangell Fazackerly ynglŷn â gwahanol garfannau yr Orsedd? Efallai y dylwn ofyn iddi – dacw hi fan'cw. Ar y llaw arall, yn sgil amgylchiadau ein sgwrs ddoe, callach fyddai imi gadw o'i golwg.

A! Dacw fo! Dwi'm yn siŵr be 'di hanfodion swydd Ceidwad y Cledd ond dwi'n amheus a ydi ymarweddiad fel cwningen mewn llifolau yn un ohonynt. Eisteddai ychydig ar wahân i'r derwyddon eraill, heb unrhyw osgo newid ei ddillad arno. Ambell waith edrychai i'r naill gyfeiriad a'r llall yn wyliadwrus. Fe'm gwelodd yn dod o bell, a delwodd. Be oedd o'n ei ddisgwyl, dwi'm yn gwybod, ond mi fyddai rhywun yn taeru fod y Gŵr Drwg ei hun wedi dod i ymweld ag o.

'Mr . . . y . . . ?' Sylweddolais yn sydyn nad oeddwn yn gwybod dim am y dyn yma ar wahân i'r ffaith ei fod yn warchodwr cleddyf ac yn nabod Glyn.

'Dim man 'yn.' Nid oedd wedi edrych arnaf o'r eiliad yr euthum ato. Daliai i edrych o'i gwmpas i weld a oedd rhywun yn dangos gormod o ddiddordeb yn y cyfarfyddiad. 'Parc Lleian – tri chwarter awr.'

Doedd y terma ddim yn swnio'n agored i drafodaeth.

'Iawn,' medda fi, a throi ar fy sawdl. Astudiais wynebau rhai o'r gorseddogion wrth wau fy ffordd allan i weld a oedd rhywun â'r gair 'llofrudd' wedi'i stampio ar draws ei dalcen. Biti na fyddai bywyd mor syml. Er, roedd 'na un cynganeddwr gwridgoch yn edrych fel y fall wrth draethu'i ofidiau am y tair blynedd nesaf dan yr annwyl

Huw ap Elian. Efallai y talai i mi wneud ychydig o waith cartref ar y brawd. Ar yr amod ei fod yn well gwaith cartref nag y gwnes ar Geidwad y Cledd. Ddim hyd yn oed yn gwybod ei enw. Pathetig. Teimlais yr ysfa am ddiod mwya sydyn. Onid oedd y Steddfod yn caniatáu alcohol ar y maes y dyddia yma? Sgwn i lle oedd 'na beth? Estynnais sigarét o'm poced yn reddfol wrth ystyried y peth, a'i rhoi yn fy ngheg. Gwelais gryn hanner cant o bennau'n troi i'm cyfeiriad yr un pryd, a thynnais hi'n ôl allan. Ymddengys fod yr Orsedd yn gytûn ar rai materion, o leiaf. Roedd hwn yn fyd tra gwahanol i'r un roeddwn wedi arfer â throedio ynddo. Ni fedrwn aros i'w adael mwya sydyn – roedd y waliau'n dechrau cau.

Yn anffodus, pan gamais y tu allan i'r pafiliwn, roedd goreuon Bae Trehwch wrthi'n cymharu nodiadau efo'r bois diogelwch ar y drysau, ac er i mi sleifio heibio iddynt, doedd 'na'm digon o amser wedi pasio i jobsworth anghofio'r boi cegog efo'r camera bach. Yn fwy anffodus fyth, roedd un o'r gleision glew wedi cael hanes y cyfweliad anffurfiol gydag enillydd y goron ac yn anhapus iawn ynglŷn â'r peth. Chwarae teg i Tom am fod wedi rhoi gair da drosta i, neu mi faswn i mewn ar fy mhen am ddynwared aelod o'r heddlu, ond fe'm ceryddwyd, er mawr adloniant i geidwad y porth, a'm rhybuddio i gadw fy nhrwyn allan o'r ymholiadau ac i beidio ag amharu ar waith yr heddlu. Diolchais iddo am y sgwrs a gofyn i jobsworth ddychwelyd camera Gerwyn iddo pan basiai yn ôl allan.

Roedd y bar bellach yn fwy angenrheidiol. Yna ystyriais. Parc Lleian mewn tri chwarter awr? Ar gefn beic nad oedd yn gwbwl iach? Prin y medrwn gyrraedd yno mewn pryd fel roedd hi. Tân arni, Jaci.

Siwrnai boeth, anghyffyrddus a sychedig arall a gafwyd o'r maes i'r dref ond o leiaf wnaeth neb drio gyrru drostof y tro yma. Wedi cael caniatâd Trefor Teiars i adael y beic yng Ngarej Paradwys, tarais heibio i Gastell Newydd i brynu potel o ddŵr, neu mi fyddwn wedi crino.

'Sgin ti niws, Jaci?'

'Chdi sy'n gwerthu papura . . . '

'Clefyr Dic.'

Lawr drwy ganol y twrists dros bont Aber Aber ac i dawelwch cymharol 'yr ochor draw', fel y'i gelwid yn lleol. Fan hyn oeddan ni'n meddwl oeddan ni'n mynd ar ôl marw, pan oedden ni'n blant.

Roedd Parc Lleian yn un o'r llefydd od 'na sy reit ar garrag y drws ond does neb byth yn mynd yna – amball i dad penwthnos yn mynd â'i fab a phêl, amball i jogar bora Sul, amball i foi dal cleddyf – fe'i gwelwn yng nghysgod dwy goeden ddu yn ceisio edrych yn ddisylw, ac yn methu. Gwyddwn nad oedd neb yno i'n gwylio ond ceisiais leddfu ychydig ar ei ofnau drwy gerdded heibio iddo am tua canllath i gael golwg iawn o gwmpas y lle, cyn dychwelyd ato i eistedd.

'Dŵr?'

'Na.'

'Sigarét?'

'Na. Wisgi?'

Sant. Estynnodd fflasg fechan, a'i phasio i mi. Cymerais ddracht tra diolchgar, ac yna eildro.

'Arthur Hopkins.'

'Be amdano fo?'

'Dyna yw'n enw i.'

'O'n i'n gwbod hynny.'

O'i weld yn agos am y tro cyntaf, fedrwn i'n fy myw â pheidio teimlo mod i wedi gweld Arthur Hopkins rwla o'r blaen. Ond lle?

Ro'n i'n rhythu gormod ma'n rhaid. Edrychodd yn amheus arnaf.

'Oen i'n nabod Glyn.'
'Gwbod hynny 'fyd.'
'Ma rhywun yn ceisio'n lladd i.'
O'n i'm yn gwbod hynny . . .
'Sut dach chi'n gwbod?'
'Wy'n gwbod. Wy ddim hyd yn od yn credu taw'r Archdderwydd odd i fod i dderbyn y fwled 'na.'
'Be?'
'Wy'n credu taw camu ar draws ei llwybr hi ar y foment dyngedfennol wnath e. I fi odd y fwled i fod.'
Roedd o'n swnio'n o bendant.
'Dach chi 'di deud wrth yr heddlu?'
'Alla i ddim.'
'Pam?'
'Ma gormod o ofan 'da fi.'
'Ofn be?'
'Fyddan nhw isie gwbod pethe.'
'Dyna 'di'r eidîa, ia . . . '
'Fel be wy'n wbod. A shwt odd Glyn a fi'n nabod 'yn gilydd.'
'Sut oeddach chi'n nabod ych gilydd?'
'S'dim ots.'
'Trïwch fi.'
'Nath e achub 'y mywyd i yn Llangrannog s'lawer dydd.'
'Dramatig.'
'Oen i 'boutu boddi. Odd e'n nofiwr da.'
'Oedd . . . '
'Wy wastod 'di teimlo'n ei ddyled e ers 'ny.'
Ac aeth ymlaen i sôn am dreigl y blynyddoedd a sut i Glyn ac yntau gadw rhyw lun prin o gysylltiad rhwng ei gilydd, er mor anwadal ac anghyson y cysylltiad hwnnw. A sut y bu i Arthur gysylltu efo Glyn wsnos dwytha i ddeud y byddai yn yr Eisteddfod am yr wythnos a sut y bu

i Glyn ei berswadio i ddod i'r gogledd ychydig ddyddiau ynghynt na'r bwriad. A sut y bu iddo gyfarfod Lois a chael ei swyno ganddi a sut y bu iddo deimlo'n falch dros ei gyfaill, os nad ychydig yn eiddigeddus o weld ei hapusrwydd o'i herwydd, a'i hapusrwydd hithau.

'Ma hi'n anfon ei chofion, gyda llaw,' meddai.

'Dach chi 'di'i gweld hi?'

'Wy'n aros yn y Brython. Wy'n ei gweld hi bob dydd.'

'Sut mae hi?'

'Gwella, yn araf. Mae fory'n mynd i fod yn strân arni.'

'Sut?'

'Yr angladd, w.'

'Wrth gwrs. Dach chi'n mynd?'

Gwelwodd.

''Sai'n credu alla i ffordo mynd.'

'Achos yr hyn dach chi'n wbod?'

Nodiodd.

'Pwy sy'n trio'ch lladd chi? Yr un bobol a laddodd Glyn?'

'Siŵr o fod.'

'Sginnoch chi unrhyw syniad pwy?'

'Na, ond . . . '

'Ia – ond be?'

Oedodd yn hir.

''Ych chi wedi clywed am y Ddraig Goch?'

'Wrth gwrs.'

'Nage, nage . . . nage 'na —'

'Be ta?'

''Na'r peth – 'sai'n gwbod. Wedodd Glyn ddim yn glir. Wy'n credu bod e wedi bod yn aneglur yn fwriadol.''

'Pam?'

'Achos bod gwybodeth am y Ddraig Goch yn beryglus.'

'Be 'dio – mudiad cyfrin neu rwbath?'

''Sdim syniad 'da fi.'

'Pam soniodd o o gwbwl, 'ta?'

'Am y rheswm wy'n sôn wrthoch chi nawr – odd e'n gwbod bod e'n mynd i farw.'

'Ddudodd o hynny?'

Gollyngodd Arthur anadl ddofn.

'Naddo. Ond odd e'n amlwg ar bige'r drain. Ymddwyn yn od.'

'Be dach chi'n feddwl, od?'

'Gwyliadwrus. 'Bach fel fi nawr.' Chwarddodd yn chwerw. 'A gofyn i fi ddishgwl ar ôl Lois a phethach fel'a. A gofyn i fi fynd ag e i'r Eisteddfod.'

'Pryd?'

'Dydd Gwener dwetha.'

'Ond doedd y Steddfod ddim 'di cychwyn dydd Gwenar dwytha!'

'Odd e moyn *behind-the-scenes tour*, ys gwedws e. I ddyall shwt odd pethe'n gwitho.'

'Ond doedd gan Glyn ddim math o ddiddordab yn y Steddfod!'

''Na beth oen i'n feddwl. Ond odd e i weld yn joio. Gas e fynd i'r pafiliwn, y Babell Lên, y Theatr Fach, y Babell Gelf, y Pagoda – gas e ishte'n y gader, gwisgo'r goron, gweld pa mor drwm odd y cledd, ceisio cal sŵn mas o'r corn gwlad – odd e wrth ei fodd.'

'Oeddach chi efo'ch gilydd drwy'r amsar?'

'Odden. Ar wahân i pan odd raid fi fynd i'r tŷ bach ondefe . . . '

'Lle oedd Glyn adag hynny?'

''Sai'n cofio.'

'Trïwch.'

'Odw – fi yn cofio – edrych o gwmpas y Babell Gelf . . . '

'A faint fuoch chi ar wahân?'

''Sai'n gwbod, sha pedwar i bum munud? Yw e'n bwysig?'

'Nacdi, mwy na thebyg. Ond 'di rhywun byth yn gwbod efo Glyn. Pam dach chi mor siŵr eich bod chi'n mynd i farw?'

''Sai'n gwbod – teimlad – ac ar ôl be ddigwyddodd i Glyn. Odd Lois yn gweud yr un peth bore 'ma.'

'Ydi Lois yn gwbod am y Ddraig Goch?'

'Na, 'sai'n credu bod Glyn wedi gweud dim wrthi, rhag iddi gal ofan.'

'Edrych yn debyg ei bod hi wedi cael ofn o rywle beth bynnag.'

'Ar ôl be welodd hi? Chi'n synnu? Whare teg i'r ferch, mae'n trial acto'n ddewr – yn rhy ddewr os chi'n gofyn i fi – 'sdim sens bod hi'n dal yn bwriadu canu a hithe dan shwt strân ond ma pobol yn delio 'da'r pethe 'ma mewn ffyrdd gwahanol, on'd 'yn nhw?

'Well trio cario mlaen nag ail-fyw y peth drosodd a throsodd am wn i . . . '

'Wnewch chi addo un peth i fi, Mr Lewis? Shgwlwch ar ei hôl hi os digwyddith rhwbeth i fi. So hi mor tyff â ma hi'n gymryd arno.'

'Neith 'na'm byd ddigwydd ichi.'

Yn sydyn, edrychodd ar ei wats.

'Wy 'di bod 'ma lot rhy hir. Rhaid fi fynd.'

Neidiodd ar ei draed, ac edrych arnaf.

'Gwnaiff, fe wnaiff ddigwydd. 'Sai'n gwbod beth wy'n wbod, ond ma hynny'n ormod. Pnawn da, Mr Lewis.'

A cherddodd i gyfeiriad y culfor fel dyn wedi'i gondemnio.

Roedd hi tua pum munud wedi iddo adael y parc cyn i mi sylweddoli fy mod i bellach yn gwybod cymaint ag oedd o.

Roedd hi ychydig yn fuan i gwarfod Wil – os oedd o am ddangos ei drwyn – ond roedd y wisgi wedi codi blas mwy. Ymlwybrais yn araf o'r parc ac edrych dros yr Aber at y llond gwyneb o gastell a'r ddraig goch yn hedfan yn dalog o dŵr y gigfran. Roedd 'na olwg go beryg arni. Oedd Ceidwad y Cledd o fewn ei hawliau i fod â chymaint o ofn ag yr oedd?

Roedd hi'n noson braf a chymysgedd o drigolion y dre, y pentrefi cyfagos, yr Eisteddfodwyr a thwristiaid yn blasu haul diwedd pnawn y tu allan i'r Derwydd. Arhosais ar ganol pont Aber Aber i werthfawrogi'r olygfa. Fan hyn oedd y man pellaf y byddai'r dewraf ohonom yn mentro ers talwm – y pwynt 'rhwng byw a marw'. Meddyliais am Arthur Hopkins. A Lois. A minnau. Edrychais uwch fy mhen ar y faner goch, gwyn a gwyrdd 'na eto.

Na . . .

Roedd 'na ambell nòd o gydnabyddiaeth wrth i mi basio'r torheulwyr sychedig, ond criw go ifanc a swnllyd oedd y rhan fwyaf, wedi ei dal hi ormod i sylweddoli y byddai mwy nag un ohonynt â golwg fel cimwch arno drannoeth. A chur pen go hegar, mae'n siŵr. Eisteddais wrth y bar wedi sylwi wrth basio ar y criw o feirdd ifainc a eisteddai o amgylch y lle tân gwag. Pawb ond un yn ddynion, pawb ond un yn yfed gwin. Puryddion traddodiadol felly – petai'r dafarn yn gwerthu medd, dichon mai dyna fyddai'r feddyginiaeth. Roedd yn anodd clywed eu sgwrs ond, a barnu oddi wrth y cyflymdra roedd y gwin yn diflannu, fyddai hynny ddim yn broblem am hir. Un peth oedd yn gwbwl amlwg – nid oeddynt yn griw hapus o gwbwl. Mi fentra i fod clustiau Huw ap Elian yn llosgi'n o hegar yn rhywle.

'Nora.'

Wn i ddim faint fûm i'n hanner clustfeinio, hanner synfyfyrio ar y stôl ond ro'n i wir wedi meddwl na fyddai'n dod.

'Gaucho. Be gymi di?'

'Un o'r rheina . . . '

Gofynnais am ddau arall a symudasom at fwrdd efo llai o glustiau.

'Be t'isio?'

'Be ti'n wbod, Wil?'

Doedd o ddim yn awyddus i siarad. Doedd Wil ddim yn un â llawer o ffydd yn yr hil ddynol.

'T'isio fi ddeud 'that ti be dwi'n wbod?'

'Rita Moth? Big dîl . . . '

'Paid â throi dy drwyn. Ma dy fywyd di'n esmwyth ar hyn o bryd – pam 'sat t'isio difetha hynny?'

Ystyriodd Wil. Penderfynais gymryd gambl.

'Yn enwedig a thitha'n y wlad yn anghyfreithlon . . . '

Gwelais oddi wrth y gwylltineb yn ei lygaid fy mod wedi sgorio.

'Be t'isio wbod, Nora?'

'Welist ti Glyn pan oedd o allan ym Mhatagonia?'

'Patagonia'n lle mawr, gringo.'

'Oedd Glyn yn foi mawr hefyd. Welist ti o neu beidio?'

'Naddo.'

Damia.

'Ond glywis i fod o o gwmpas.'

'Ti'n gwbod pwy oedd ei gyswllt o ym Mhatagonia?'

'Yndw. Esteban.'

Esteban Vasquez – wrth gwrs! Un arall o ffrindia bore oes Glyn. Dwi'm yn cofio a fu ei rieni drosodd yn byw am gyfnod pan oedd yn ifanc ond mi daerwn ei fod ynta yn un o giwed Llangrannog ar un adeg. Roeddan nhw'n llawia beth bynnag; cofiwn Esteban yn dod drosodd i aros at Glyn un tro rai blynyddoedd yn ôl. Cymeriad a hanner, gwên fyddai'n goleuo ystafell, a'r merched i gyd yn syrthio wrth ei draed. A wastad rhyw sgiam. Dipyn o rôg, yr hen Esteban, ond amhosib peidio'i hoffi.

'Be 'di'i gyfeiriad o?'
'Pwy?'
'Esteban, 'de?'
'Pam?'
'Dwi isio siarad efo fo.'
'Gei di draffarth.'
'Pam?'
'Gath o 'i lofruddio wsnos dwytha yn Nhrelew.'
'Be?'
'Pro. Un shot.'
'Pwy? Pam?'
'Swyddogol? Dim syniad.'
'Answyddogol?'
'Answyddogol – rwbath i neud efo'r Ddraig Goch.'
'Y Ddraig Goch! Ti'n siŵr?'
'Mor siŵr ag y medar sibrydion fod o'r ochor draw i'r byd – t'isio cerdyn banc?'
'Be wyt ti'n wbod am y Ddraig Goch?'
'Tyd â wisgi arall a mi dduda i 'tha ti.'
Bum munud yn ddiweddarach dychwelais â'r ddau wisgi at y bwrdd.
'Reit.'
'Be?'
'Be wyt ti'n wbod am y Ddraig Goch?'
Cleciodd ei wisgi a sefyll ar ei draed.
'Dim oll, 'chan,' meddai, a gadael yn fuddugoliaethus.

Gwyddwn fod Wil yn foi calad, ond gwyddwn hefyd ei fod yn foi teg – er falla y byddai Proff Moth yn anghytuno. Nid steil Wil oedd ceisio gyrru car ar draws rhywun ar gefn beic, er enghraifft. Ac os oedd o'n deud na wyddai unrhyw beth am y Ddraig Goch – ni wyddai unrhyw beth am y Ddraig Goch. Wyddwn innau ddim gronyn mwy ond o fewn ychydig oriau roedd grym yr enw wedi cynyddu'n ddramatig, pa beth bynnag yr oedd yn ei gynrychioli. Ac ymddengys fod yr amheuon am Batagonia yn gywir. Be oedd wedi digwydd i Glyn ar ei ymweliad yno a esgorodd ar y fath ganlyniadau?

Codais at y bar a sylwi fod lleisiau'r beirdd ifainc yn reit anodd i'w hosgoi erbyn hyn. Penderfynais loetran yno am ychydig, rhag ofn.

Byrdwn y ddadl (os dadl hefyd – roeddynt i gyd i'w gweld yn eithaf unfryd) oedd fod Huw ap Elian yn arweinydd ar griw cyfrin o blith y llenorion a bod ei lwybr at yr Archdderwyddiaeth wedi ei baratoi erstalwm, ond fod ei bersonoliaeth rodresgar wedi milwriaethu yn ei erbyn pan ddaeth hi'n fater o bleidleisio, nes peri pleidlais gwrth-ap Elian mor gref nes i Elwyn o'r Gyfylchi Gyfylchi lithro i mewn drwy'r drws cefn. Roedd hyn yn dân ar groen Huw ap Elian, wrth gwrs ond, yn waeth, yn golygu nad fo fyddai'r Archdderwydd pan fyddai'r Eisteddfod yn ymweld â'i dref enedigol. Yn ôl pob tebyg tyngodd lw yn enw'r Ddraig Goch y byddai'n cywiro'r cam anferthol hwn.

Oedd 'na rywun yn cellwair â mi? Deirawr yn ôl doeddwn i erioed wedi clywed am y Ddraig Goch – rŵan roedd y blydi peth ym mhob man! Penderfynais yn sydyn nad oedd ond un peth i'w wneud. Ond wisgi bach arall gynta . . .

Deirawr yn ddiweddarach, wedi prynu potel i eistedd yn nhywyllwch y swyddfa a chael dim atebion gan y naill na'r llall, penderfynais fod yna ddigon o amser wedi pasio. Estynnais y torts, ac i ffwrdd â mi i dorri i mewn i swyddfa Huw ap Elian.

MERCHER

Y morthwylio 'na eto. A'r cur tu ôl i'r llygaid. Roedd hi'n ddiflas i orfod deffro i'r un teimlad bob bore ond os nad oedd dyn yn mynd i ddysgu, be oedd pwrpas cwyno am y peth? P'un bynnag, os o'n i'n troi ar fy ochor roedd o ychydig bach gwell – o . . . nagoedd . . .

Fel y deffrwn yn raddol a dechrau canolbwyntio ar bethau y tu hwnt i'm cyflwr corfforol, ffurfiodd digwyddiadau neithiwr yn raddol fwy eglur yn fy nghof. A ia, yr ymweliad â swyddfa'r annwyl Huw. O ystyried faint roeddwn wedi'i yfed, ychydig iawn o drafferth a gefais i dorri i mewn. Olreit, efallai nad oeddwn wedi delio efo cymaint â hynny o lofruddiaethau yn fy ngyrfa, ond mi fyddwn i'n eitha hyderus mai prin iawn oedd yr adeiladau yng Nghaerlloi a fedrai fy nghadw allan, faint bynnag o larymau a chloeon oedd iddynt.

Mae'n rhaid fy mod wedi dechrau sobri ar un adeg wrth biltran drwy'r ffeiliau – dwi'n cofio dechrau cwestiynu doethineb chwilio ei swyddfa yn hytrach na'i gartref. Ac er chwilio drwy ddogfen ar ôl dogfen, ofer fu unrhyw ymgais i ddarganfod unrhyw wybodaeth ynglŷn â'r Ddraig Goch, neu unrhyw Ddraig arall petai'n dod i hynny. Ond roedd 'na ambell nodyn ar gleients a chêsys oedd yn dra diddorol ac a allai landio sawl person mewn dŵr tra phoeth petai'r wybodaeth yn dod yn gyhoeddus. A chofnod o daliadau direswm yr olwg i Miss Gillian Rees, 14 Dalar Deg. O'n i wastad wedi ama. Y ci drain.

O'r hyn allwn i ei gofio mi fûm i'n drylwyr ac yn ofalus tu hwnt. Pam felly fod gen i hen deimlad annifyr fod 'na rwbath ro'n i wedi anghofio'i wneud – ail-gloi rhyw ddrôr neu ofalu fod pob darn papur yn yr union safle ag a oedd yn flaenorol? Fy mharanoia i mae'n siŵr – henaint ni ddaw ei hunan . . . Chwarddais yn eironig, cyn sylweddoli ei fod yn brifo gormod.

Ac yna cofiais pa ddiwrnod oedd hi. Dydd Mercher. Diwrnod rhoi Glyn yn y ddaear. A minnau nemor ddim nes at ddal ei lofrudd – os rhywbeth, yn bellach nag erioed. Yn sydyn teimlais euogrwydd am hel meddyliau yn fy ngwely yn lle defnyddio pob eiliad ymwybodol bosib i geisio dod o hyd i'w ddienyddiwr. Neidiais o'm gwely. Yna gorweddais yn ôl arno am funud, cyn codi unwaith eto, yn llawer arafach y tro yma.

Wrth alw i nôl sigaréts yn Siop Clecs, sylwais ar y copi o'r *Clarion* yn y rac a Huw ap Elian yn gwenu'n drahaus o'r dudalen flaen. Roedd Gerwyn wedi dod o hyd iddo felly.

Ar ryw eiliad fasocistaidd prynais gopi o'r papur a gresynu'r un pryd nad oeddwn yn chwaraewr dartiau. Roedd Lwlw tu ôl i'r cownter isio gwybod faint o'r gloch oedd cnebrwng Glyn. Roedd Lwlw'n gwybod yn iawn faint o'r gloch oedd cnebrwng Glyn achos roedd o'n y papur y diwrnod o'r blaen, ac am wn i mai hi ydi un o'r bobol gynta i ddarllen y golofn deths bob dydd; wedi'r cwbwl, mae ganddi hi fantais – 'sa'i'n biti i'w wastraffu. Ond mi es drwy'r ddefod o ddeud a mi wnaeth hi'r synau iawn a mi ges i'n sigaréts a 'mhapur – fel'na mae'r byd yn gweithio, am wn i.

Bobol bach, o'n i'n granclyd bora 'ma. Taniais sigarét cyn cyrraedd allan i'r stryd bron, a theimlo rhyw ronyn yn well. Os hefyd. Ceisiais gofio eto a oedd 'na rywbeth roeddwn i wedi anghofio ei wneud cyn gadael swyddfa

Huw ap Elian, ond fedrwn i yn fy myw â meddwl am ddim. Roeddwn i'n canolbwyntio mor galed fel i mi daro ysgwydd yn ysgwydd â gŵr mewn siwt go drwsiadus – dipyn mwy trwsiadus na'r un o'n i wedi'i gwisgo ar gyfer y cnebrwng beth bynnag – a mwmiais ymddiheuriad wrth basio. Ychydig gamau'n nes ymlaen, fe'm tarodd fy mod i wedi gweld y cyfaill yma yn rhywle o'r blaen, a hynny'n ddiweddar. Wrth gwrs. Y gŵr o dueddiad Pabyddol yr oedd Sunsur mor amheus ohono ddoe. Rhyfedd – roedd o'n edrych yn foi digon diniwed i mi. Ond wrth i mi droi'r gornel, pwy swatiai yno ond Miss Marplette.

'Bore da, Sunsur.'

'Shh! Dach chi isio fo 'ngweld i?'

'Sori . . . '

''Swn i'n meddwl 'fyd – dach chi'n *pro* i fod.'

Gwelodd ei chyfle ac ymlithrodd fel cysgod at y bloc nesaf. Roedd gen i bennod neu ddwy i'w dysgu ynglŷn ag ymroddiad, mae'n amlwg.

'Bora da, Hanna Barbra.'

'Ydi hi?'

Ochneidiais.

'Ia – gwbod be ti'n feddwl. Sigarét?'

'Tyd â dwy.'

Taniais un, a'i phasio iddi. A bu tawelwch.

'Pryd ti'n mynd i fyny?' meddai ar ôl sbel.

'Toc.'

''Sa well 'mi feddwl am fynd i newid, dwa'?'

'Deud 'tha fi be ti'n wbod gynta.'

Roedd ei hochenaid hi'n ddyfnach na f'un i.

'Olreit Jac. Dduda i wrthat ti be dwi'n wbod. Dim. Sod ôl. Dwn i'm be ddiawl dwi'n da 'ma – o leia 'swn i'n cyflawni rwbath yn y lôndret. Diaw, 'na ti syniad – pam nad a' i i weithio ffwl teim i fan'ny a geith 'yn chwaer ddŵad i fama i dy helpu di.'

'Dwi'm yn meddwl 'sa hynny'n syniad da, Hanna.'

'Pam? Ofni na fasa ti'n gallu cynnal perthynas broffesiynol efo *ex*? 'Sa Raquel yn gallu gneud.'

'Be wst ti?'

'Wn i. Ma'i'n chwaer i mi.'

'Ella'i bod hi'n chwaer i ti, ond ma'i beth gythral llai temprementał.'

'Dyna pam ma efo hi est ti yn lle fi?'

'Naci – achos ma hi o'n i'n ffansïo.'

'Ar y pryd.'

'Ia.'

'Be o't ti'n ffansïo amdani?'

Ro'n i'n dechra cael llond bol o'r sgwrs yma'n barod.

'Pam?'

'Achos chymist ti'm llawar o amsar i ddod i'w nabod hi naddo? O't ti o'na 'tha fferat mewn sports car.'

'Blydi hel, be ddiawl 'dio i ti? 'Dan ni'n dal yn ffrindia, dydan? Yli Hanna, ma raid ti stopio'r lol 'ma o drio gwthio Raquel a fi at 'yn gilydd rownd rîl. Dwi'n gwbod bod hi'n chwaer i ti, a dwi'n gwbod bod ni'n dau'n tynnu 'mlaen yn o lew – rhan fwya o'r amsar – ond tasa fo i fod i ddigwydd, 'sa fo wedi digwydd, a dyna fo.'

'Mi nath o ddigwydd.'

'Iesu, doedd o prin yn *Gone with the Wind*, nag oedd?'

'Ti'n gwbod be sy'n digwydd yn *Gone with the Wind*?'

'Dim syniad – rioed 'di'i gweld hi.'

'O'n i'n meddwl braidd . . . '

'Ti 'di clwad Raquel yn deud erioed y basa hi'n licio bod efo fi?'

'Rioed.'

''Na fo, ta. Hwn 'di'r tro ola dwi'n siarad am y peth, olreit?'

'Olreit. Sori, Jaci, fi sy'n rwdlan. 'Di ypsetio wrth feddwl am y cnebrwn 'ma dwi.'

'Ia wel, dwinna 'di ypsetio rŵan ar ôl dy falu cachu di.'

'Wyt, yn d'wyt?'

Edrychais arni'n rhybuddgar.

'Hanna . . . '

'Sori . . . sori sori sori – dwi jyst yn teimlo mor dda i ddim, Jaci – dwi'm yn teimlo mod i'n gneud dim byd i helpu.'

'Gwranda, os 'dio unrhyw gysur i ti, ma jyst y ffaith dy fod ti yma bob bora pan dwi'n cerddad i mewn yn helpu.'

'Ti'n 'y nhalu i am hynny?'

''Swn i'n fodlon gneud mewn byd perffaith.'

Ar hynny daeth cnoc ar y drws a brasgamodd gŵr â wyneb llofrudd ganddo yn dalog i'r ystafell. Mi fyddai'n well gen i fod wedi gweld llofrudd. Nodiodd yn fras i gyfeiriad Hanna.

'Miss Adams . . . '

Yna sianelodd ei holl sylw ata i.

'Mr Lewis.'

'O! plîs – galwch fi'n Jaci.'

'Mr Lewis, fe'ch hysbysais ddeufis yn ôl nad oedd y sefyllfa parthed y rhent yn foddhaol. Fe ddaethom i gytundeb y byddech rhag blaen yn cymryd camau i adfer y sefyllfa fel y byddem erbyn y mis hwn yn ôl ar ryw fath o wastatir, fel petai. Mr Lewis, yn ôl fy nghofnodion i rydym yn dal mewn dyfroedd dyfnion iawn.'

'Ia, traffarth croesi o'r dŵr i'r tir, fel petai, Mr Saunders.'

'Peidiwch â gwamalu â mi, Mr Lewis. Rŵan, mae'r sefyllfa yma wedi bod yn y cyflwr anfoddhaol ers misoedd lawer. Bellach y mae wedi symud i'r categori diflas. Ydych chi'n sylweddoli beth mae hynny'n ei olygu?'

'Gin i syniad, oes. Gymrwch chi banad i ni gael trafod y sefyllfa?'

'Beth sydd yna i'w drafod, Mr Lewis? Rydych chi un ai'n talu'r arian dyledus erbyn diwedd yr wythnos —'

'Diwedd yr wythnos?'

'Neu fe fydd yn rhaid i'ch cwmni dwy a dimai chi symud ei ganolfan i rywle mwy addas, megis un o hofelau'r Labyrinth.'

Brochodd Hanna.

'Hei, hold on, Defi John —'

'Iorwerth fel mae'n digwydd, Miss Adams – ond Mr Saunders i chi.'

'Wel y cwdyn!'

'Paid â gneud petha'n waeth, Hanna, wir dduw.'

'Call iawn, Mr Lewis. Gyda llaw, mae'n ddrwg gennyf glywed am farwolaeth annhymig Mr Evans.'

'Be 'di "annhymig", Jaci?'

'Rwyf wedi anfon cerdyn o gydymdeimlad i'w rieni.'

'Dach chi'n galon i gyd. Dach chi'm yn fodlon cymryd hynny i ystyriaeth, felly?'

'Rwyf eisoes wedi gwneud, Mr Lewis. Oni bai am yr amgylchiadau trist byddwn yn gofyn i chi adael heddiw. Ddywedais i "gofyn"? Gorchymyn oeddwn i'n ei feddwl. Un tamaid o newyddion da cyn i mi eich gadael . . . '

'Dach chi'n diodda o Alzheimers?'

'Mae'ch hiwmor chi'n mynd yn fwy di-chwaeth fel mae'ch sefyllfa chi'n gwaethygu. Nage, Mr Lewis, y newyddion da yw nad oes rhaid i chi dalu gydag arian parod – fe wnaiff siec y tro. Dydd da.'

Fel dudodd rhywun ers talwm – 'Y pethau wyt ti'n eu gweld pan nad oes gen ti wn.'

Syllodd y ddau ohonom yn gegrwth ar y drws am funudau, yna trodd Hanna ataf.

'Panad?'
'Y – ia . . . '
Dechreuodd hwylio'r coffi mor ddidaro ag y medrai.
'Am be oeddan ni'n siarad, dŵad?'
'Am y fi'n gorod dy sacio di dwi'n meddwl, ia?'
Edrychodd yn syn arnaf am eiliad.
'Paid â malu cachu!' ebychodd.
'Bron mi dy gal di fanna, do?'
'Sut fedri di gellwair yn y sefyllfa wt ti ynddi?'
'Be arall 'na i, 'de? 'Di'm fel taswn i'm 'di cal practis, nacdi?'
Ceisiwn gadw'r chwerwedd o'm llais ond roedd yn mynnu codi i'r wyneb rywsut.
Edrychodd Hanna'n dosturiol arnaf. Ro'n i'n casáu pan oedd hynny'n digwydd ond, fel arfer, arna i oedd y bai.
'Be ti'n mynd i neud?'
Edrychais arni'n hir.
'Dwi'n mynd i ffindio allan pwy laddodd Glyn, Hanna.'
Nodiodd.
'Rŵan ta, be ti'n wbod am y Ddraig Goch?'

Doedd Hanna Barbra, wrth gwrs, yn gwybod dim am y Ddraig Goch chwaith, ond mi fyddai'n gwneud gwaith ymchwil wedi'r cnebrwng. Teimlwn mai ofer oedd i mi godi 'ngobeithion ormod.
'Ia wel, dwi 'di deud 'that ti – Raquel gath y brêns yn teulu ni – blaw lle ma dynion yn y cwestiwn.'
'O'n i'n meddwl 'yn bod ni 'di cytuno bod ni'm yn sôn am Raquel.'
'Oeddan ni?'
Be 'di'r iws.
Doedd hyn yn da i ddim – roeddan ni'n claddu Glyn, ac roedd y byd yn sefyll yn llonydd. Roedd yn rhaid symud petha ymlaen.

'Lle mae'r nodyn 'na, Hanna?'

'Pa nodyn?'

'Nodyn Glyn – os na fedrwn ni'i ddatrys o, rhaid i ni ffindio rhywun fedar.'

'Pwy sy'n mynd i fedru sy'n dryst?'

'Neb.'

'Yn union.'

'Sginnon ni'm dewis Hanna, mae o bron yr unig gliw sy gennon ni.'

'Pwy sgin ti mewn golwg?'

Oedais cyn ateb.

'Seilej.'

'O blydi hel, Jaci!'

'Dwi'n gwbod, dwi'n gwbod, dwi'n gwbod. Pwy arall, ta?'

Meddyliodd Hanna.

'Ia – gweld be sy gin ti . . . '

Edrychais ar y nodyn eto:

'Jaci
Conundrum:
–N3R7–3
Heddwch'

'Sut fasat ti'n datrys y conundrum, Hanna?'

'Arclwy – ti'n gofyn i mi? Wel 'swn i'n mynd am y blîdin obfiys am wn i.'

'Be sy 'na sy'n blîdin obfiys?'

'Wel y gair "conundrum", 'de?'

'Dwi'm yn dallt . . . '

'"N" 'di'r trydydd llythyran ac "R" 'di'r seithfad llythyran.'

'Ynde 'fyd? O'n i'm 'di sylwi 'li.'

'Ia wel, ti rioed 'di bod yn un am bosau nagwyt – dim fel Glyn.'

'Reit – sut ma hynny'n 'yn helpu ni, ta?'
'Dwi'm yn gwbod.'
'Wel tria.'
'Sgin i'm amsar rŵan – rhaid mi fynd i baratoi.'
'Deud y peth cynta sy'n dŵad i dy ben di – fyddi di wedi gneud yn well na fi be bynnag 'dio.'
'Argol, dwn i'm . . . reit – minus N3 – tynnu'r "n" gynta o'na . . . '
'Coundrum —'
'Aros funud, R7–3 – symud yr "r" dri lle yn ôl?'
'I le oedd yr "n"?'
'Am wn i . . . '
'Corundum. Golygu rwbath?'
'Dim i mi. Ma'n rhy amlwg beth bynnag – oedd Glyn i mewn i betha lot mwy cryptic na hynna.'
'Beryg bod ti'n iawn. Bechod. Seilej amdani felly.'
'Wyt ti o ddifri isio Seilej wbod dy fusnas di?'
'Oes gen i ddewis?'
'Gad o efo fi. 'Na i gal thinc. Os fetha i ddod o hyd i opsiwn gwell erbyn diwadd pnawn, Seilej amdani, iawn?'
'Iawn.'
'Reit, dwi'n picio i tŷ. Fyddi di yma pan ddo i'n ôl?'
'Naf'dda.'
Edrychodd arnaf yn boenus.
'Jaci?'
'Ia?'
'Dim gormod cyn y gwasanath, ia?'

Er gwaetha consýrn Hanna fedrwn i'm wynebu'r gwasanaeth heb ffisig. Do'n i'm chwaith rhyw lawer o awydd parêdio o gwmpas dre mewn siwt cnebrwng, felly gan fod y Sgallen ar y llwybr i'r capel, fan'no wnâi.

Cyn i mi gael cyfle i gamu allan o'r swyddfa, fodd bynnag, canodd y ffôn. Croesais yn ôl i'w hateb.

'Helô?'

'Mr Lewis?' Llais dyn.

'Siarad.'

'Rydych yn ddyn sy'n chwilio am atebion?'

'Pwy sy 'na?'

Ni atebodd y llais am ennyd.

'Cyfaill . . . '

Oeddwn i'n nabod y llais? Doeddwn i'm yn meddwl mod i wedi'i glywed o'r blaen.

'Byddwch yn ofalus.'

'Diolch am y cyngor.'

'Rydw i o ddifri, Mr Lewis.'

Doeddwn i'm yn disgwyl yr hyn ddaeth nesaf.

'Gochelwch rhag y Dawnswyr Gwerin.'

Dwi'm yn siŵr ai Walter Sax ai fi oedd fwyaf ar goll yn ei feddyliau ym mar y Sgallen, ond byddai angen person talentog tu hwnt i fod wedi tynnu sgwrs â'r naill neu'r llall ohonom. Y Dawnswyr Gwerin? Be oedd a wnelo rheiny â dim? Yn ôl tôn y llais ar ben draw'r lein, bron na thaerai rhywun eu bod yn sect grefyddol neu rywbeth. Doedd Glyn erioed yn gysylltiedig â dawnsio gwerin, d'oes bosib? Ond po fwyaf o amser a dreuliwn ar y cês yma mwyaf o'n i'n sylweddoli cyn lleied a wyddwn am weithgareddau ecstra-gwricwlar fy mhartner gwaith. A phwy oedd y llais ar y ffôn? Bardd efallai, neu lenor, neu rywun oedd yn ceisio taflu llwch i'm llygaid. Neu efallai ei fod yn deud y gwir. Efallai, efallai – gyda'r holl gwestiynau yn cordeddu yn fy mhen, doedd ond un ateb. Diod arall.

Roedd y cnebrwng mor ddigalon ag y gellid disgwyl i gnebrwng fod heb Glyn yno i godi'r hwyliau. Doedd o ddim wedi ymweld â'r capel ers ei ddyddiau cynradd am wn i, ac o'r herwydd roedd anecdotau'r gweiniodog yn swnio'n anaddas o ffuantus. Rhoddwyd teyrnged gryno (a chlodwiw iawn o ystyried nad oedd yn unrhyw fath o siaradwr cyhoeddus) gan Adrian – fe wnaeth Elwyn a Margaret Evans yn reit siŵr nad oedd yr un o'n nhraed i'n mynd yn agos i'r sêt fawr. Efallai nad oedd hynny'n ddrwg o beth ar un ystyr. Petai Margaret yn clywed ogla diod arna i eto heddiw, a hynny o fewn muriau'r capel, dim llai – fe allai fod yn ddigon amdani. Ac felly y bu i gymeriad mawr a dreuliodd ei fywyd a gwên ar ei wyneb gael ei gladdu mewn gwasanaeth llwydaidd a di-fflach a hollol anghydnaws â'r ffordd y treuliodd ei amser ar y ddaear.

Doedd y fynwent fawr gwell. Mynnodd y gweinidog lafarganu am y wobr fawr oedd yn aros ein cyfaill ymadawedig uwchlaw'r bedd agored. Oedd 'na weinidog boring wedi cael hwth i mewn i fedd erioed, sgwn i? Roedd 'na dro cynta i bob peth . . .

Roedd Hanna Barbra wedi ypsetio'n lân erbyn hyn – cael a chael oedd hi i glywed y gweinidog gan ei nadau. Sylwais ar Lois Calon gyda'i rhieni. Anodd fyddai peidio â sylwi, a deud y gwir. Roedd hi'n hardd, doedd 'na ddim dwywaith am hynny. Roedd hi'n amlwg dan gryn deimlad ond yn brwydro'n galed i reoli'i hun er mwyn urddas yr achlysur. Fel'na ma gwneud, Hanna – sbia. Roedd y rhan fwya o'r criw dringo wedi hen ddiflasu erbyn hyn, doedd eu hanner nhw'm yn dallt Cymraeg beth bynnag, a bu cynnydd mawr yn y pesychiadau yn y fynwent tra traddodai'r gweinidog weddillion ei genadwri. Ac yna roedd o drosodd. Hwyl i ti'r hen foi. Bywyd byr gest ti, ond mi wnest ti'i fyw o, yn wahanol i rai ohonon ni.

Rhoddodd Adrian nòd arna i, a Sue wên fach wrth basio.

Ni fedrai'r llipryn gwydn blewog fod yn neb ond Sbeidar. Roedd hynny'n gadael Jock fel y pedwerydd a basiodd yn y cwmni. Roedd Elwyn a Margaret wedi cadw'u pellter, diolch byth – dyna un orchwyl yn llai. Ond roedd Lois a'i rhieni yn dynesu.

'Mr Lewis – Ms Adams – ga i gyflwyno 'nhad a mam i chi?'

'Wrth gwrs, pleser.'

'Mae Mr Lewis a Ms Adams yn gwneud popeth yn eu gallu i ddod o hyd i lofrudd Glyn.'

'Cydweithio efo'r heddlu ydych chi, Lewis?' cyfarthodd Charles Calon.

'Y, wel – rhywfaint.'

'Gweld y ddau acw – meddwl eu bod gyda chi.'

Edrychais y tu ôl i mi a gweld Tom a Dennis yn gwneud sioe wael o esgus nad oeddynt yn cofnodi gwynebau yn y fynwent.

''Dan ni'n – cyfnewid syniadau.'

'Da iawn, cydweithio'n bwysig. Mwy effeithiol. Dal y *perp* yn gynt.'

Roedd tad Lois yn amlwg yn hoff o nofelau ditectif Americanaidd.

'Os gwnewch chi f'esgusodi,' meddai Lois, 'mae'n rhaid i mi fynd.'

Deffrodd ei mam fel pe bai o drwmgwsg.

'Dwyt ti ddim o ddifri yn mynd i ganu yn y rhagbrawf yna'r prynhawn yma?'

'Ydw, Mam.'

'Yn dy gyflwr di?'

'Pa gyflwr?'

Trodd ei mam ata i.

'Dudwch wrthi wir, Mr Lewis. Dwi bron yn methu â chael brawddeg allan ohoni heb i'r dagrau ddod ers wythnos, ac ar ddiwrnod yr angladd mae'n meddwl ei bod hi'n mynd i fedru perfformio, *if you please*!'

Llamodd Charles Calon i'r adwy.

'Gadwch iddi, Eira, mae'r ferch yn gwybod ei stad yn well na chi. Rydych chi'n gwybod gymaint mae'r canu yma'n ei olygu iddi.'

'Diolch, Tada.'

'Dwn i ddim, wir . . . '

'Mam, peidiwch â phoeni cymaint. Hyd yn oed os na cha i lwyddiant, mi fydd yn gymorth i mi. Rydach chi'n gwybod fod canu'n bwysicach na dim i mi. Roedd Glyn yn deall hynny. Dyna pam dwi'n saff nad ydw i'n dangos amharch tuag ato wrth gystadlu heddiw – dyna fyddai o wedi bod eisiau.'

'Dwi'n dueddol o gytuno efo Miss Calon,' meddwn i. 'Yn amal iawn mewn sefyllfa o alar, y peth gwaetha ydi teimlo'n ddiymadferth. Dwi'n meddwl eich bod yn gwneud y peth iawn.'

'O, wel – mae'n ymddangos fod pawb yn f'erbyn i,' ebychodd Eira Calon. 'Wel – dan brotest ynteu . . . '

'Diolch, Mam,' meddai Lois. 'Mae'n golygu cymaint i mi eich bod yn cymeradwyo. Iawn, wela i chi yn nes ymlaen felly.'

A chychwynnodd oddi wrthym. Roeddwn wedi galw arni cyn bod yn ymwybodol mod i'n mynd i neud.

'Miss Calon?'

Trodd.

'Ie?'

'Pob lwc . . . '

Roedd y wên a dderbyniais yn rhagori ar unrhyw ddiolch.

Trois i weld Hanna'n edrych yn surbwch arni'n gadael drwy giât y fynwent. O'n i wedi sylwi ar ei thawelwch ers meityn. Wedi ffarwelio â rhieni Lois, gofynnais iddi'n gellweirus:

'Be ti'n feddwl o Lois ta, Hanna?

'Ma'i'n symud yn od. Wela i di'n ôl yn y swyddfa.'

'Ddrwg gen i Jaci . . . '

'Diolch, Tom.'

'Unrhyw beth ddylan ni fod yn gwbod amdano fo, Mr Nora?'

'Gobeithio bod hwn yn fwy effeithiol yn ei waith nag ydi o am gofio enwa, Tom . . . '

'Peidiwch â dechra, chi'ch dau. Dim heddiw, yn fama o bob man.'

'Ti'n iawn, Tom. Dduda i 'tha ti be, Dennis. Cydymdeimla di efo fi am golli Glyn a 'na i gydymdeimlo efo chdi am golli Gnasher – dîl?'

'Gwranda'r bastyn —'

'DS! Dyna ddigon!'

''Di hwn yn *pro* yndi, Tom?'

'A chditha, Jaci! Paid â phwshio dy lwc!'

'Dyna'r cwbwl ma'n wbod sut i neud, DI.'

'Sy'n golygu be, Dennis?' meddwn.

'Sy'n golygu tasat ti'n unrhyw fath o dditectif, a bod y cês yma'n breioriti gan bod ni'n sôn am dy bartnar – 'sa ti 'di dod o hyd i rwbath o werth ar ôl tri diwrnod.'

'Wel ella mod i.'

Edrychodd arna i gyda holl ddirmyg plismon.

'Dwi'm yn meddwl rywsut.'

'Sgin i mo'r diddordab lleia be wyt ti'n feddwl, Pero.'

'Dim ond un preioriti sgen ti 'de, Jaci. A ma Glyn a phawb arall yn gorfod dŵad yn ail i hwnnw.'

Am un o'r ychydig droeon yn fy mywyd, doedd gen i'm ateb. Gwenais yn goeglyd arno ond fe wyddai o, fel finna, ei fod o'n iawn. Teimlwn yn flinedig mwya sydyn.

'Oeddach chi isio rwbath penodol, hogia?' Roedd y diffyg brwdfrydedd yn fy llais, er gwaetha fy ymdrechion, yn arwydd arall i Dennis ei fod wedi sgorio. Ac fe fyddai, fel pob bocsar gwerth ei halen, yn dyrnu'r briw bob cyfle a gâi o hyn ymlaen.

'Oeddat ti'n gwbod fod Genghis Puw allan?' holodd Tom.

'Be? Ers pryd?'

'Wythnos.'

'*Be*? Lle mae o?'

'Ti'n meddwl 'san ni'n fama'n wastio'n amsar efo chdi tasan ni'n gwbod hynny?'

'Sgen ti gariad, Dennis?'

'Oes, actually . . . '

''Dio'n licio dy *sweet-talk* di, yndi?'

'Hwn 'di'ch rhybudd ola chi,' meddai Tom, yn llawer tawelach nag o'r blaen. Gwyddwn o brofiad mai dyma'r llinell na ddylid ei chroesi.

'Be wyt ti isio gen i, Tom?'

'Dy farn di. Unrhyw beth fydd ddim yn y ffeils.'

'Genghis Puw. 'Y ngreddf gynta fi 'di "na".'

'Pam?'

'Dim digon o *finesse*.'

'Mae genno fo gymhelliad.'

'Gan mai Glyn daliodd o ti'n feddwl? Oes. Ond 'dio rioed 'di lladd neb hyd y gwyddon ni.'

'Hyd y gwyddon ni. Cam bach ydi hi o *armed robbery*.'

'Ella wir, ond mae 'na ladd a lladd.'

'Be ti'n falu cachu?'

'O'n i'n dechra meddwl am faint o amsar oedd Dennis 'ma'n abal i wrando heb agor ei geg.'

'Lladd a lladd? Be ti'n feddwl, Jaci?'

'Wel ran amla, 'di lladd mewn gwaed oer ddim yn dŵad yn hawdd y tro cynta, felly ma'n help i gadw pellter. Os mai Genghis laddodd Glyn, mi ath yn agos drybeilig iddo fo cyn tynnu'r trigar.'

'Ma'n ddyn gwyllt.'

''Dio'm yn llofruddiaeth dyn gwyllt.'

'Ddim yn ymddangosiadol. Ond fyddet ti'n cyfadda ei fod o'n bosibilrwydd?'

'Yn bosibilrwydd? O bobol bach byddwn. Doro fo reit uchal ar dy restr.'

Oedais.

'A deud y gwir, doro fo ar dop dy restr. Os 'di Genghis Puw wedi darganfod pleserau lladd pobol, 'dan ni mewn am Steddfod waedlyd iawn.'

'Jaci, dw'isio i ti ddod o hyd iddo fo.'

'Job beryg. Ti'n talu'n dda?'

'O ddifri – does gan yr heddlu ddim gobaith mwnci o ddod o hyd iddo fo – ma'i rwydwaith o'n rhy dda. Ma gin ti – gysylltiadau.'

'A be fydd 'y ngwobr i os ffindia i o? Aros tan tro nesa ceith o 'i ryddhau i fod yn darged rhif un iddo fo?'

Nodiodd Tom i gyfeiriad y bedd.

'Os mai fo sy'n gyfrifol am hyn, fydd 'na'm rhyddhau.'

'Gin ti fwy o ffydd yn y system na fi.'

'Newn ni'n siŵr na fedar neb olrhain y wybodaeth atat ti.'

'A sut nei di hynny, Tom? Gad y lol naïf i Dennis a'i deip, wir dduw. 'Dan ni'n nabod yn gilydd yn well na hynny.'

'Mae o'n *prime suspect* Jaci, a fedrwn ni mo'i dwtsiad o. Ma raid i ti'n helpu ni.'

''S'na'm rhaid mi neud ffasiwn beth, yn enwedig os 'dio'n golygu helpu'r brych yma ennill chwanag o streips ar ei ffordd i reoli'r byd. Ond fel ti'n deud, gan bod o'n breim syspect yn achos llofruddiaeth Glyn, dwi'n mynd i fod â diddordeb yn yr hen Genghis beth bynnag, dydw?'

Fel y cerddais oddi wrthynt am giât y fynwent clywn lais Dennis yn holi ei uwch-swyddog.
'So, 'dio'n mynd i'n helpu ni, ta be?'

Fel pe na bai pethau'n ddigon cymhleth yn barod. Genghis Puw. Hwdlym o'r crud. Bwli dyfodd i fod yn thyg dyfodd i fod yn gangstar dyfodd i fod yn lleidr arfog. Gweithio ar ben ei hun yn amal, er bod ganddo rwydwaith o gysylltiadau pan oedd angen yr adnoddau arbennig yr oedd rheiny'n eu cynnig iddo. Po fwyaf oeddwn i'n meddwl am y peth, mwyaf oedd y posibilrwydd yn cynnig ei hun. Roedd yn sicr yn ddigon egotistig i fod eisiau cosbi'r sawl fu'n gyfrifol am ei roi ef, Genghis Puw, dan glo. Ond sut oedd hynny'n ei gysylltu â'r Archdderwydd? Oedd yn dod â ni'n ôl eto at y cwestiwn – oedd yna unrhyw gysylltiad o gwbwl rhwng y llofruddiaethau? Genghis Puw a'r Ddraig Goch? Genghis Puw a'r Steddfod? Ond wedyn, wyddwn i ddim fod gan Glyn unrhyw ddiddordeb yn y Steddfod tan yn ddiweddar. Efallai fod Genghis wedi colli ar gam ar yr adrodd pan oedd yn blentyn.

Wedi galw adra i newid, daliais fŷs i faes y Steddfod. Wythnos brysura'r dre ers degawd ac roedd hi'n dal yn hanner gwag – doedd rhai pethau byth yn newid.
Roedd 'na lai o giwio i fynd i mewn i'r maes heddiw ond roedd yn dal yn gofyn am hynny o amynedd oedd gen i tuag at y broses. Ar ôl gwrando ar sgyrsiau ffrindiau hir-golledig oedd yn awyddus i arddangos seis eu plant, cyrhaeddais y bwth tocynnau o'r diwedd. Yno eisteddai dynes ag ymarweddiad a weddai'n well i reolwr y maffia na gwerthwr tocynnau.
'Ia?'
'Pnawn da.' Roeddwn yn benderfynol o fod yn gwrtais.

'Be dach chi isio?' meddai'n ddiamynedd.

'Isio trefnu benthyciad o dair mil o bunnoedd gyda llog isel os gwelwch yn dda.'

'Be?'

'Be ffwc dach chi'n feddwl dwi isio, ddynas? Dach chi'n gwerthu rwbath 'blaw tocynna mynediad?'

'Ylwch chi —'

Roedd y strategaeth gwrteisi wedi methu. Ceisiwn siarad mor dawel ag y medrwn ond roedd y dosbarth canol Cymreig yn dechrau anesmwytho tu cefn i mi fod ganddyn nhw ddihiryn oedd ddim yn chwarae'r gêm. Dwi'n siŵr i mi glywed twt neu ddau.

'Ia, jyst tocyn maes,' meddwn yn flinedig.

'Dach chi yn sylweddoli fod gen i'r hawl i atal mynediad i chi, dydach?'

Anwybyddais hi.

'Sginnoch chi docyn pafiliwn?'

Llonnodd drwyddi.

'Ow, mae'n ddrwg gen i – mae rheiny wedi hen ddarfod. Rhaid chi godi'n gynt yn y bora, Mr Lewis.'

Coc y gath – oedd hi'n fy nabod i.

'A golchi'ch ceg ella, ia?'

'Dowch â'r tocyn 'na i mi, wir dduw. Dach chi'n mynd yn ôl i fod yn normal ar ôl wsnos yma ta fydd ych pen chi'n dal 'di chwyddo am fis?'

Wrth lwc, dewisodd rhywun yn y ciw weiddi 'Tyd 'laen!' yn reit flin yr eiliad honno neu dwi'n ama mai cerdyn coch fydda hi wedi bod. Slapiodd Adolf y tocyn ar y cownter ac edrych i fyw fy llygaid.

'Pymtheg punt os gwelwch chi'n dda.'

'Faint?! I sbio ar chydig o dentia?'

'Mae 'na bumpunt o ddirwy am regi yn y pris.'

'Argol, 'di'r Steddfod yn gneud rhyw gimics felly rŵan yndi? Pam na wnan nhw gynnal raffl fel pawb arall?'

'Jyst talwch a cherwch, Mr Lewis. 'Dan ni'm isio i'r hogla diod ddychryn y plant bach, nacdan?'

O ba blaned oedd hon? Ogla diod yn dychryn plant bach? Be mae o'n neud? Hofran uwch eu pennau a deud 'bw'? Ta waeth, mi dalais y ddynas. Do'n i'n dal ddim yn gwybod sut oedd hi'n fy nabod i ond o'n i 'di hen golli diddordeb mewn trio ffindio allan.

''Ma chi – prynwch gadar i'ch gwynab tin.'

Do'n i ddim fel arfar mor anghwrtais efo pobol ond damia, o'n i newydd gladdu fy mhartnar a'm ffrind ac roedd gweld rhywun yn trin manion fel achosion tyngedfennol yn codi'r felan. Beth bynnag, mi gafodd yr hen chwaer anecdot i'w rhannu gyda'i chyfeillion yn y bore coffi nesa.

Neidiodd y syniad i'm pen am eiliad mai hi a lofruddiodd Glyn, a'i bod hi'n goblyn o gamgymeriad i fod wedi siarad efo hi yn y fath fodd. Ond dwi'n meddwl mai blinder oedd yn gyfrifol am hynny.

'Hwyl 'ŵan. Wela i chi fory,' meddwn, wrth chwifio fy nhocyn maes yn fuddugoliaethus. Roedd cael gafael ar Wil Gaucho yn llai o hasl na hyn.

Wnaeth hi ddim ymateb, dim ond gwahodd y person nesaf i ymgrymu ger ei bron.

'Helô, ga i ddau docyn pafiliwn, plîs?'

Ar y llaw arall – mi fedrai rhywun ddallt sut oedd yn bosib i job o'r fath yrru rhywun yn wallgo.

Dal ddim syniad pwy oedd hi chwaith.

Cerddais ar y maes mewn hwyliau drwg ond yn ymwybodol fod yn rhaid i mi geisio cadw proffil isel, rhag denu sylw Trehwch Bay. Yn anffodus doeddwn i ddim wedi cerdded canllath pan stwffiwyd meicroffon enfawr dan fy nhrwyn gan gyflwynydd teledu ifanc gor-frwdfrydig o beth cythral.

'Helô helô! – a phwy sy gennon ni yn fan hyn?'

Edrychais arno'n fud yn y gobaith y byddai'n mynd o'na. Dim siawns.

'Be 'di'ch enw chi, syr?'

Cefais syniad.

'Genghis Puw.'

Wnaeth yr enw ddim argraff ar was y gorfforaeth, wrth gwrs.

'Weeel, Mr Puw, dach chi'n fyw ar S4K, cofiwch!'

'Grêt . . . '

'Felly peidiwch â rhegi, ha ha!'

'Ffyc off.'

Aeth llais yr holwr i fyny octef.

'Ia, wel, mae S4K yn ymddiheuro am yr iaith. Mi ydan ni'n mynd allan yn fyw drwy'r dydd bob dydd, wrth gwrs, ac mae unrhyw beth yn gallu digwydd. Mr Puw, pwy dach chi'n meddwl enillith y fedal heddiw?'

'Genghis Puw.'

'Ia, 'dan ni'n gwbod be 'di'ch enw chi —'

'Naci – dwi'n meddwl mai Genghis Puw sy'n mynd i ennill.'

'Ond o'n i'n meddwl mai chi oedd Genghis Puw?'

'Ddudis i hynny, do?'

'Wel . . . do . . . '

'Ydi hynny'n golygu mod i'n mynd i ennill, felly?'

'Beth? Dim . . . chi sy 'di —'

'Neu falla fod 'na ddau onon ni.'

Roedd y creadur yn hollol golledig rŵan.

'Felly —'

'—fydd na ddim teilyngdod? Bosib iawn.'

'Y – dwi'n meddwl falla 'sa'n well i ni fynd yn ôl at Huw i' —'

'Pwy wyt ti'n meddwl sy'n mynd i ennill?'

'Fi? Ym . . . '

'Ti dy hun, ella?'

'Fi! Na —'

'Na – ti'n iawn – go brin fod 'na lot o syniada 'blaw gwasanaethu dy feistri yn y pen 'na. Reit, sticiwn ni at Genghis Puw, ia?'

Erbyn hyn roedd y creadur bach fel cwningen o flaen car ac mi fedrwn i, heb sôn amdano fo, glywed y sgrechian yn ei glust i dorri'r cyfweliad ond roedd o, i bob golwg bellach, yn fud. Felly cydiais yn y meic a datgan,

'A rŵan yn ôl at Huw yn y stiwdio . . . '

Roedd hi'n gêm go beryg i gymryd enw Genghis yn ofer ond pwy a ŵyr, efallai y deuai rhywbeth yn ei sgil. Ta waeth am hynny rŵan. Roedd gen i apwyntiad efo Dawnsiwr Gwerin – petawn yn gallu dod o hyd i un. Does bosib y buasai hynny'n anodd. Crwydrais y maes a'm llygaid a'm clustiau ar agor i'r lliwiau a'r synau. Roedd yr awyrgylch pigau'r drain wedi mynd heddiw ac yn ei le roedd naws ddisgwylgar i bethau – yr Archdderwydd newydd yn hebrwng oes newydd oleuedig, mwn. Gwelais gip ar Sunsur o bell – doedd hi erioed yn dal ar wartha'r Pabydd druan 'na? Y creadur bach, dau ddiwrnod eisoes a fyddai ganddo mo'r syniad lleiaf ei fod yn cael ei ddilyn. Ac yna meddyliais yn sydyn; efallai mai fo oedd berchen y llais ar ben arall y ffôn neithiwr? Ro'n i'n amau pawb wedi mynd. Roedd hi'n ymddangos fod yn rhaid i mi amau pawb.

Rhoddodd fy nghalon lam – dacw fo un! Teimlais embaras am fy nghyffro ac addunedais mai hwn fyddai'r unig dro yn fy mywyd y byddwn mor frwd dros weld Dawnsiwr Gwerin. Yn anffodus dydi'r bygyrs byth yn gwneud dim yn unigol – lle gwelir un, mae 'na bump. Byddai'n rhaid i mi efelychu Sunsur a'u dilyn am sbel.

Ond na! Roedd un mwy boliog na'i gilydd wedi

penderfynu fod cystadlu ar bnawn Mercher yn weithgaredd haeddiannol o fyrgyr, ac anelodd am fan uniaith Saesneg tra symudodd y lleill i gyfeiriad arall. Arhosais iddo sbladdro hanner y botel sôs rhwng genau'r fynsan, ac yna mentrais.

''Dyn nhw'n dda?'

'Drud.'

''Nilloch chi?'

'Heb ddeud.'

Doedd 'na'm cau ceg hwn.

'Dipyn o gythral canu rhwng dawnsiwrs 'ma.'

'Na.'

'Dach chi'n deud?'

'Dawnsio. Dim canu.'

'Tynnu mlaen efo pawb felly.'

'Dim pawb.'

'O?'

'Llenorion.'

'Llenorion? Dim beirdd?'

'Beirdd yn iawn. Traddodiad. Pwysig. Llenorion – newid rheolau. Dim disgyblaeth.'

'Diddorol. Be am y beirdd rhydd?'

'Rheiny'm yn feirdd. Llenorion.'

'Dach chi'n burydd felly?'

Edrychodd arnaf yn od.

'I'r carn. Gwarchod safonau.'

'Dyna pam dach chi'm 'di aros yn y pafiliwn rŵan a chithau'n disgwyl beirniadaeth – am fod llenor yn mynd i gael ei wobrwyo mewn munud?'

'Ia.'

'Dach chi'n teimlo'n gry iawn ynglŷn â'r peth.'

Roedd ar fin cytuno pan ddaeth rhyw sylweddoliad i'w ben. Newidiodd ei dac.

'Isio bwyd.'

Gwyddwn mai ofer fyddai holi mwy a gadewais ef i drio darganfod y byrgar yn y sôs. Doedd y llais ar y ffôn ddim yn cellwair felly – mi oedd y Dawnswyr Gwerin yn griw i'w gwylio. Ac os oeddan nhw mewn undeb gyda'r beirdd, fe allai fod yn newyddion drwg iawn i'r llenorion, a hyd yn oed gatrawd Melangell Fazackerly.

P'un ai oedd yr awyrgylch heddiw yn fwy llonydd ai peidio, roedd presenoldeb heddlu amlwg iawn yn dal i fod o gwmpas y pafiliwn. Ofer fyddai i mi geisio perswadio rhywun i roi mynediad i mi ar unrhyw un o'r drysau, heb sôn am ddefnyddio tric y camera eilwaith.

'Psst!' meddai llais wrth f'ymyl.

'Psst be?' medda fi.

'Ti'n edrych fel boi sy'n chwilio am docyn pafiliwn.'

Edrychais arno. Roedd yn gwisgo cot law *Mountain Equipment*, trowsus cordyroi a phâr o welingtons gwyrdd, ambarél yn un llaw a mobeil yn y llall. Towt.

'Disgwyl glaw?' medda fi, heb fod isio'i siomi drwy dynnu sylw at y ffaith nad oedd hi wedi bwrw ers dyddiau.

'Dib dib dob,' meddai fel ateb. Un ai roedd o 'di bod yn y sgowts, neu roedd o'n siarad iaith planed arall. Roedd 'y mhres i ar yr ail.

'Reit, be wyt ti isio?' medda fo.

'Be sgennoch chi?' medda fi.

'Unrhyw le fynni di. Gen i seti *top notch* reit yn y ffrynt, seti yn y canol, seti nes 'nôl, seti yn y cefn – os ti isio dihangfa sydyn gen i rai yn yr ochra.'

'Mae 'na rywun *yn* y pafiliwn, oes?'

'Ia – da rŵan . . . '

'Sut ddiawl dach chi'n mynd i werthu'r holl docynna 'na? 'Mond deng munud sgennoch chi.'

'Aha . . . ' meddai'n enigmatig a wiglo'r mobeil o flaen fy ngwyneb fel petai hynny'n datrys pob dirgelwch.

'Felly – lle? Tyd, gen i gwsmer arall yn fan'cw.'

'Yn lle?'

''Mots – tyd.'

'Faint 'dyn nhw?'

'Rhad – tyd. Ffrynt?'

'Naci, cefn.'

'Cefn . . . '

Estynnodd docyn o'i boced a sgwennu 'CEFN' mewn beiro arno.

'Hei – *hold on* –'

'Paid â phoeni – ma'n garantîd. System gyntefig iawn system Steddfod 'ma. Trystia fi.'

'Dwn i'm. Faint?'

'Dau gant.'

'Faint?!'

'Shh. Ffiffti.'

'Ro i ddeg.'

'Digri iawn. Twenti ffeif.'

'Dach chi'n haglwr cachu.'

'Dwi ar hast. Twenti.'

'Dwi'm 'di deud dim byd eto.'

'Ti'n rhy slo. Gei di o am ddeg. Tyd.'

'Dach chi 'di gneud hyn o'r blaen, do?'

'Ddeud 'that ti be – cym o. Pryn beint i mi.'

A chan wthio'r tocyn i'm llaw llithrodd i gyfeiriad pâr ifanc llenyddol yr olwg oedd yn edrych yn ddagreuol ar y dent fawr. Edmygais ei synnwyr busnes. Roedd yn werth cael gwared ohona i er mwyn yr elw a wnâi ar y sêl yma.

Yn rhyfeddol, roedd system docynnau'r Eisteddfod mor wael ag yr oedd y towt wedi awgrymu. Cydiodd y stiward yn y tocyn, edrych arno, deud 'Cefn' a mynd ymlaen i'r person nesa.

Eisteddais mewn sedd a oedd yn fy nharo fel yr un fwyaf tebygol o gynnig llonyddwch – peidiwch â gofyn i mi ar ba sail. Ac ychydig iawn fu'n rhaid i mi aros nes i'r pafiliwn dywyllu i'r seremoni gychwyn rhagddi.

Roeddwn yn ddigon agos i'r llwybr canol i sylwi fod yna lygadu go hegar ar ei gilydd yn mynd ymlaen rhwng gwahanol aelodau o'r Orsedd. Doedd pethau ddim yn dda ym mharadwys, saff ddigon. Ond o leia roedd hi'n ymddangos fod ofnau Arthur Hopkins ynglŷn â'i ddyfodol yn rhai di-sail. Dacw fo'n dod gan gario'r cleddyf enfawr yn ei sboran bwrpasol, fel gŵr a chanddo'r codiad mwya'n y byd. Sgwn i a oedd hynny'n fwriad gan Iolo Morganwg? Synnwn i datan. Diolch i Lili, roeddwn i wedi dysgu sawl ffaith am yr Orsedd. Mi wyddwn, er enghraifft, mai 'Ymdaith y Brenin' oedd y gân a gâi ei phwnio'n ddidrugaredd i'n pennau gan yr organ tra cyrchai'r pwysigion y llwyfan – fersiwn yr Eisteddfod o 'We Will Rock You' efallai. Ac ni fu 'Ymdaith y Brenin' yn deitl mwy addas erioed nag oedd hi heddiw, canys wele'r Ap brenhinol ei hun yn ei lordio hi tua'r llwyfan, gan dderbyn gwrogaeth ei gyhoedd am yr eilddydd a thorri pob record byd am smygrwydd mewn gwisg anghyffredin. Cymaint oedd ei afael ar ei gynulleidfa fel pan oleuwyd y llwyfan wrth iddo gamu arno, gallech dyngu oddi wrth eu hymateb fod y nefoedd ei hun wedi agor a bendithio Huw ap Elian â gras yr Hollalluog. Er, petai hynny wedi digwydd, diamau y byddai Huw eisiau trafodaeth ynglŷn â pha un ohonynt oedd yr Hollalluog.

Roedd un peth yn sicr. Roedd yr Eisteddfod wedi cael clec go hegar, a than yr amgylchiadau, p'un ai oedd ôl ei law o rywle yn y miri ai peidio, doedd ond un person oedd â'r cymeriad a'r ewyllys i godi'r sioe yn ôl ar ei thraed. Y Brenin Huw oedd hwnnw.

Wedi anerchiad ynglŷn â digwyddiadau'r dyddiau blaenorol a theyrnged i'w ragflaenydd a godai wrid ar sant, aeth ap Elian ymlaen i ddatgan ei obaith am wawrio oes aur o gyd-dynnu a harmoni rhwng dyn a dyn bla bla bla. Fe wnaeth ei orau glas, chwarae teg, ond er iddo dderbyn ymateb brwd o du'r gynulleidfa, go lugoer oedd y gymeradwyaeth o'r tu cefn iddo. Yn wir, roedd ambell roch a his go negyddol yn dod o gyfeiriad ambell un (roedd beirdd Cymru'n rhy ddiwylliedig i ddeud 'bw') a synhwyrai Huw ei bod hi'n amser symud ymlaen at y ddefod. O leia, gan mai seremoni lenyddol oedd i'w thraddodi heddiw byddai ar ei diriogaeth ei hun, fel petai.

Fodd bynnag, doedd pethau ddim i'w gweld yn tawelu fel y dylent y tu cefn iddo. Gan fod rhai o'r llenorion ifainc wedi clywed y synau a wnaed gan y beirdd, penderfynasant eu herio yn drahaus a'u gwawdio ynglŷn â ble'r oedd grym yr Orsedd bellach yn gorwedd, fel petai. Gwelai Huw fod y sefyllfa'n un a allai ddianc o'i reolaeth yn sydyn iawn, felly am y tro cyntaf erioed ar lwyfan y Genedlaethol clywyd Archdderwydd yn bygwth enwi'r derwyddon oedd yn tramgwyddo a'u taflu o'r pafiliwn. Gwnaeth â'r fath awdurdod prifathrawol fel y tawelodd y cynnwrf y tu cefn i'r llwyfan bron ar ei union. Doedd y bastyn yn gallu gwneud dim byd o'i le, fel arfer.

Wedi'r adloniant yma, roedd y feirniadaeth a ffeindio pwy oedd yn fuddugol yn dipyn o anticleimacs. Rhyw foi o'r enw Jake Trotsky-Morgan oedd yr enillydd ac mae'n debyg ei fod o'n haeddu clod. Ceisiwn ddychmygu'r sefyllfa lle'r oedd rhywun yn ennill *heb* haeddu clod. Roedd 'na lawer o bethau nad oedd Lili wedi eu dysgu i mi ynglŷn â'r Eisteddfod, mae'n amlwg.

Aethpwyd ymlaen i holi a oedd heddwch. Ychydig yn rhyfygus yn fy nhyb i yn wyneb y golygfeydd blaenorol, ond doedd menyn ddim yn toddi yng ngheg ap Elian, wrth gwrs. Gwelais Arthur yn codi ar ei draed a chodi'r cledd uwch ei ben. Gwelais yr Archdderwydd yn symud tuag ato. Yna, cyn iddo gyrraedd ato, gollyngodd Arthur y cledd ar ben Jake Trotsky-Morgan, a waeddodd yn gwynfanllyd:

'Aw! Pam 'nest ti hynna?'

Roedd hi'n hollol amlwg pam wnaeth o hynna – roedd o'n methu anadlu. Prin y cafodd amser i godi'i ddwylo at ei wddw cyn syrthio'n anymwybodol i'r llawr y tu ôl i gadair y bardd.

Am yr ail waith yr wythnos honno, roedd hi'n bedlam yn y pafiliwn. Pe bai aelodau'r Orsedd wedi dilyn cyngor Huw ap Elian ynglŷn â pheidio panicio'n llwyr a chythru am yr allanfeydd agosaf, efallai y byddai'r gynulleidfa wedi bihafio'i hun ychydig gwell. Fel roedd hi, roedd gen i ôl traed ar fy nghluniau ac un ar fy ysgwydd. Dan yr amgylchiadau roedd hi'n anodd mynd yn erbyn y llif i geisio cyrraedd y llwyfan ond roeddwn yn benderfynol o geisio darganfod beth oedd wedi digwydd i wneud i broffwydoliaeth Arthur druan ddod yn wir.

Erbyn i mi lwyddo i gyrraedd y llwyfan roedd yr heddweision yno, a'r paramedics wedi symud Arthur i gefn y llwyfan i'w drin. I be oedd angen trafferthu, dwi'm yn siŵr, achos doedd 'na bron neb ar ôl yn y pafiliwn beth bynnag. Drwy lwc roeddwn yn nabod yr heddwas agosa at y drws ac wedi i mi faglu dros y cleddyf mawr a orweddai lle y cafodd ei ollwng, cefais fynd drwodd i'r cefn, jyst mewn pryd i weld y criw meddygol yn tynnu blanced wen dros wyneb Arthur. Wrth eu hymyl safai Huw ap Elian yn ysgwyd ei ben.

'Ei galon wedi atal.'

Cerddais draw at y troli y'i gosodwyd arno a phlygu fel pe bai i roi neges gyfrinachol i'r ymadawedig. Hyd yn oed drwy'r flanced fe glywn y tamaid lleiaf o arogl almond a gadarnhaodd f'amheuon fod gan *cyanide* ran flaenllaw yn ei dranc. Ond sut? Digwyddodd pob peth mor ddisymwth, gefn dydd golau, o flaen cannoedd o bobol. Pwy bynnag oedd y llofrudd 'ma, roedd o'n un da drybeilig. Oedd yr hyn ddudodd Arthur yn wir a'n bod ni i gyd mewn peryg? Ai gwaith y Ddraig Goch oedd hyn oll? Meddyliais am Lois. Yn sydyn meddiannwyd fi gan ysfa i wneud yn siŵr ei bod yn iawn.

'Oes 'na rywun yn gwbod lle mae rhagbrofion yr unawd soprano?'

Yr eiliad y daeth y cwestiwn allan sylweddolais mor anaddas y swniai o ystyried yr amgylchiadau presennol. Teimlais y rheidrwydd i ofyn cwestiwn mwy perthnasol i'r sefyllfa.

'Pwy fyddai isio lladd Ceidwad y Cledd?'

Roedd y parafeddygon yn dal i edrych braidd yn hurt arnaf ond camodd Huw ap Elian, o bawb, i'r adwy.

'Cytuno'n llwyr, Jaci bach, cytuno'n llwyr.'

'Hynny 'di, mae Ceidwad y Cledd yn job reit niwtral, dydi? 'Dio'm yn fardd, 'dio'm yn llenor —'

'Dyn heb elynion. Yn union. Gwas ffyddlon i'r Eisteddfod. Ceidwad y Cledd cydwybodol, dawnsiwr tan gamp yn ei ddydd.'

'Ma'n ddrwg gen i?'

'Dawnsiwr tan gamp . . . '

'Dawnsiwr Gwerin?'

'Ia, Dawnswyr Pant Ffagl. Wyt ti'n eu cofio nhw?'

Ac yna fe wyddwn lle o'n i wedi gweld y diweddar Arthur Hopkins o'r blaen. Sut na fyddwn i wedi cofio hynny ynghynt?

'Festri capel Canna,' meddai Huw.

'Sori?'
'Fanna mae rhagbrofion yr unawd soprano.'
Enw addas, meddyliais.
'Diolch.'
'Pam wyt ti'n gofyn?'
'Y musnas i 'di hynny.'
'Wrth gwrs. Cyn belled â bod pawb yn meindio'i fusnes ei hun ynde, Jaci?'
'A be ma hynna'n i fod i feddwl?'
'O, dim . . . dim. Digwydd pasio'r swyddfa yn hwyr neithiwr oeddet ti?'
'Pam?'
'Dim, meddwl falla byddet ti 'di gweld pwy dorrodd i mewn iddi, dyna i gyd . . . '
Damia. Mi o'n i 'di anghofio gwneud rwbath, ma'n rhaid.
''Di dwyn rwbath?'
'Naddo. Dyna sy'n od 'chan.'
Do'n i'm yn licio'r ffordd yr oedd o'n edrych arna i. Hyd yn oed mewn siwt Archdderwydd roedd o'n dal yn gallu edrych yn reit fygythiol. Edrychais ar Arthur yn cael ei gludo ymaith gan y paramedics.
'Reit, well i mi fynd.'
'Jaci – ga i roi gair o gyngor?'
'Be?'
'Dim dy fyd di ydi hwn. Mae unrhyw gysylltiad oedd gen ti efo'r ŵyl wedi darfod ers blynyddoedd. Gad betha'r Steddfod i bobol Steddfod, ia?'
Ddylwn i ddim fod wedi agor fy ngheg, ond fedrwn i'm diodda gweld ei wyneb smyg yn doethinebu'n sanctaidd o'm blaen.
'Ydi Genghis Puw yn un o bobol y Steddfod, Huw?'
Gwelais oddi wrth ei ymateb nad oedd hyd yn oed yr hollalluog Huw ap Elian yn gwybod fod Genghis Puw

wedi cael ei ryddhau. Pam y cadwyd y peth mor dawel tybed?

'Ydi Puw allan?'

'Felly ma nhw'n deud. Ella clywi di genno fo, Huw. Wedi'r cwbwl – ti'n brin o Geidwad y Cledd yn d'wyt?'

Ro'n i'n ymwybodol fy mod i'n chwarae gêm beryg, ond ro'n i'r un mor sicr fod Huw ap Elian, os nad Genghis, os nad y ddau, â'u bys yn y brywas yn rhywle. Pwy bynnag oedd y llofrudd, roedd y sefyllfa'n rhy lwyr dan ei reolaeth. Roedd yn rhaid ceisio ysgogi camgymeriad.

Roedd y rhagbrawf fwy neu lai ar ben pan gyrhaeddais. Roedd Lois eisoes wedi cael y newyddion ynglŷn ag Arthur ac mewn dipyn o sioc o'r herwydd, ond er gwaetha protestiadau ei mam roedd hi wedi llwyddo i blesio'r beirniaid ddigon i gael llwyfan. Teimlwn yn glogyrnaidd braidd yn ei llongyfarch. Dan yr amgylchiadau, roedd yn teimlo'n anaddas rhywsut. Awgrymais ein bod yn mynd am ddiod i'r Jac Tar a chytunodd yn ddiolchgar.

'Alla i ddim credu'r peth,' meddai toc. 'Pwy fyddai eisiau lladd Arthur?'

'Mi ddudson ni'r un peth am Glyn. A'r Archdderwydd, petai'n dod i hynny.'

'Ie, ond – Arthur?'

'Roedd o'n hoff iawn ohonoch chi, Lois. Deud y gwir, dwi'n meddwl ei fod o chydig bach mewn cariad efo chi.'

'Sut gwyddoch chi hynny?'

'Dach chi ferched yn meddwl mai dim ond chi sy'n sylwi ar y petha 'ma . . . '

Gwenodd yn flinedig. Yna daeth golwg bell dros ei hwyneb.

'Roedd o'n gwbod ei fod yn mynd i farw, Jaci.'

'Sut gwyddoch chi?'

'Mi ddudodd o wrtha i.'

'Mi ddudoch chitha rwbath tebyg, yn ei ôl o.'

Edrychodd arnaf gydag embaras.

'Do.'

'Pam?'

'Teimlad . . . ac wedi'r cwbwl, mae Glyn wedi marw, mae Arthur wedi marw; yn rhesymegol, pwy ydi'r nesaf yn y ciw i gael ei ladd?'

'Be am yr Archdderwydd?'

'Dwi'n cytuno gydag Arthur. Camgymeriad oedd o. Arthur oedd i fod i gael ei saethu.'

'Dach chi'm yn gwbod hynny. Efallai bod yr Archdderwydd yn allweddol i'r holl ddirgelwch.'

'Efallai . . . petai ganddon ni ryw fath o glem beth rydan ni'n ei erbyn, mi fyddai'n rhyw gysur.'

'Dach chi 'di clwad am y Ddraig Goch?'

Edrychodd yn gymysglyd arnaf.

'Baner Cymru?'

'Nagia.'

'Beth ta?'

Teimlwn ychydig yn wirion mod i wedi sôn am y peth o gwbwl.

'Dwi'm yn siŵr. Anghofiwch o.'

Edrychodd yn ddi-ddallt arnaf am eiliad. Yna ysgydwodd ei phen ac estyn ei diod. Yna ystyriodd.

'Gwenwyn,' meddai.

'Ia.'

Oedodd cyn ei chwestiwn nesaf.

'Wnaeth o ddioddef?'

Tynnais anadl ddofn.

'Dwi'm yn mynd i ddeud clwydda wrthoch chi ac awgrymu na 'nath o ddim, ond mi ath yn sydyn iawn. Ma KCN yn un o'r rhai cyflyma.'

'KCN?'

'*Potassium cyanide* – un o'r *cyanides* beth bynnag – *potassium* y peth tebyca.'

'Ac mae'n gweithio'n syth?'

'Yr eiliad mae o'n ych corff chi. Os cymwch chi ddigon, gallwch fod yn anymwybodol o fewn deg eiliad ac yn farw rwbath rhwng ugain eiliad a dwy awr – dibynnu pryd mae'ch calon yn dewis rhoi'r gora iddi.'

'Felly mae'n rhaid fod Arthur wedi cael ei wenwyno eiliadau'n unig cyn codi ar ei draed!'

'Yn union. Dyna sydd mor annealladwy. Mae'n rhaid fod yna dystiolaeth fideo o'r holl beth – dwi jyst ddim yn dallt.'

Troellais fy wisgi yn ei wydr. Ac yn sydyn fe wyddwn sut y cafodd Arthur Hopkins ei wenwyno.

'Lois,' meddwn a thinc o gyffro yn fy llais. 'Pwy oedd yn gwbod am arfar Arthur o yfad o *hip flask*?'

'Pwy oedd ddim yn gwybod,' meddai'n ddidaro, yna sylweddoli ac edrych i'm llygaid.

'Ydach chi'n meddwl —'

'Saff i chi. Mi fyddai'n hollol naturiol i Arthur gymryd llwnc bach slei y tu ôl i'r gadair cyn ei foment fawr, yn enwedig ar ôl digwyddiadau echdoe. A dracht go helaeth at hynny, sy'n esbonio pam stopiodd ei galon o mor sydyn. Jyst digon o amsar i roi'r fflasg yn ôl yn ei boced, sefyll a chodi'r cleddyf a . . . wel . . . dach chi'n gwbod y gweddill.'

'Ddylen ni ddeud wrth rywun?'

''S'na'm pwynt. Os na fyddan nhw wedi dyfalu eu hunain, mi fydd yn hollol amlwg pan edrychan nhw ar y dystiolaeth fideo o'r seremoni. A dydi'r wybodaeth ddim yn mynd i fod o lawer o help i ddal ein llofrudd.'

'Ôl bysedd efallai?'

'Dwi'm yn meddwl fod boi proffesiynol fel hwn yn mynd i neud camgymeriad elfennol o'r math yna.'

'Be dach chi'n fwriadu ei wneud?'

''Y ngwaith. Gwrandwch Lois, tra mod i ddim am eiliad yn cytuno efo'ch theori chi, dwi isio i chi addo eich bod chi'n mynd i fod ar eich gwyliadwriaeth o hyn ymlaen. Os oes yna unrhyw sefyllfa'n ymddangos yn amheus, dwi isio gwbod am y peth.'

'Mewn geiriau eraill, mi ydach chi'n cytuno efo'n theori i.'

'Nacdw – ond mae 'na lofrudd o gwmpas. Mae ganddoch chi, fel fi, gysylltiad ag un neu fwy o'r rhai a laddwyd. Synnwyr cyffredin, dyna i gyd.'

Edrychodd arnaf.

'Diolch.'

Roedd yn rhaid i mi ei gadael gan fod yna gymaint o bethau i'w gwneud. Ac roedd ganddi hithau ddiwrnod mawr drannoeth. Dychrynais am eiliad o feddwl ei bod hithau yfory yn mynd i fod yn sefyll ar lwyfan oedd yn dyst i ddwy farwolaeth eisoes. Waeth heb â meddwl fel yna. Ond mi wyddwn y byddwn yno'n gwylio fel barcud pan ddeuai'r awr.

Ond os oedd yna fygythiad posibl, efallai y byddwn wedi ei ddarganfod cyn hynny. I'r perwyl hwnnw troediais drwy'r Siambals a thrwy ddrws y Gwe Pry Cop. Mop melyn Roxanne oedd y tu ôl i'r bar. Wel, wel! Ymddengys fod Clagwydd wedi torri arferiad oes a rhoi dyrchafiad iddi. Rhaid ei bod hi'n plesio.

'Gair efo dy fòs,' meddwn.

Adnabu fi'n syth.

''Dio'm yma,' meddai.

Gostyngais fy mhen i'r ochr a rhoi gwên goeglyd iddi.

'A' i i sbio,' meddai'n dawelach.

Dan furmur rhegfeydd, daeth Clagwydd i'r golwg ymhen munud neu ddau.

'Ti'n dechra pwsho dy lwc, Nora.'

'Os ma dim ond dechra dwi, 'dan ni'n iawn dydan. Gymri di ddiod efo fi?'

'Be t'isio?'

'Wisgi mawr, diolch yn fawr i ti – 'dan ni'm 'di gneud y rwtîn 'ma o'r blaen, dwâd?' Synhwyrwn fod Raymond nid nepell o ben ei dennyn, ond doedd o ddim isio gwneud sioe o flaen cwsmeriaid y dafarn. Rhoddodd nòd i Roxanne a chroesodd hithau at yr optic. Safasom yno heb ddeud dim am sbel nes i'r benfelen symud yn ddigon pell o glyw.

'Genghis Puw,' meddwn.

'Be amdano fo?'

'Lle dwi'n dod o hyd iddo fo?'

'Ti'n gall? Dwyt ti ddim!'

Sylwais fod ei lygaid wedi neidio i gornel bella'r stafell pan ynganais yr enw. Edrychais draw at y pedwar peryglus yr olwg a eisteddai yno, gan geisio peidio â denu eu llygaid.

'Ydi nacw pwy dwi'n feddwl ydi o?' holais Clagwydd.

'Dibynnu pwy ti'n feddwl 'dio.'

Chafodd Clagwydd mo'i eni i fod yn gomîdian.

'Cochise Puw.'

'Ydi, felly.'

Brawd bach Genghis. Ychydig yn llai peryg. Ychydig. Roedd hi'n edrych fel mod i wedi cael fy nhamaid cyntaf o lwc ers tridiau. Arhosais yn amyneddgar nes i Cochise symud am y lle chwech. Dilynais ef i'r coridor tywyll.

'Cochise?'

'Be t'isio, private dick?'

'Gair. Lle ma dy frawd?'

'P'run? Genghis, Saladin ta Sun Tzu?'

Roedd Mr a Mrs Puw wedi penderfynu'n gynnar iawn mai wariars fyddai eu meibion.

'Yr hyna.'

'Genghis? Still yn clinc, yndi?' meddai'n ddiniwed.

'Elli di neud yn well na hynna,' medda fi.

'Maybe I don't feel like it. Yli dick – pam 'swn i'n deud 'that ti? Dy fêt di roth o'n clinc tro dwytha!'

'A ma 'di talu, dydi. Ti'n meddwl mod i'n mynd i neud yr un mistêc?'

Gwelais Cochise yn meddwl. Doedd hi ddim yn olygfa ddel.

'Be – Genghis nath . . . '

Sylweddolodd ei fod yn bradychu'i anwybodaeth a chaeodd ei geg. Ond roedd hi'n amlwg y basa fo'n licio gwybod mwy. Roedd hi hefyd yn amlwg nad oedd o wedi gweld ei frawd ers iddo gael ei ryddhau.

'Felly ti am ddeud 'tha i lle mae o?'

'Even if I knew, 'swn i'm yn deud 'that ti, dick.'

Neis gwybod lle oeddan ni'n sefyll.

'Pam?'

'Er dy sake dy hun. Eith 'y mrawd i byth i slamar eto.'

'Ti'n swnio'n siŵr iawn.'

'Dwi yn siŵr. Ti'n gweld, mae o'n untouchable rŵan.'

'Unspeakable ella ia.'

'Watch my lips, dick. Untouchable. U-N-T-U-H-whatever . . . '

Plygodd ei ben yn nes.

'Ti 'di clwad am Saul Ferino?'

Edrychais i'w lygaid.

'Tydi pawb?'

'Wel – get this. Ma Ferino 'di rhoi blessing fo i mrawd. So don't get out of your depth, dick. Advice friendly, fel . . . '

A chyda dwy slap fach chwareus ar fy moch, Cochise a aeth i biso.

Crwydrais yn ôl at y bar. Roedd Clagwydd wedi encilio i'r cefn rywle, a doedd gen i mo'r mynadd na'r egni i ddawnsio efo fo eto beth bynnag. A do'n i'm isio bod o gwmpas pan oedd Cochise yn dychwelyd i'r bar i'm trafod gyda'i grônis. Ond diaw, mi fasa hi wedi bod yn braf i gael rhyw fath o syniad pwy ar y ddaear oedd Saul Ferino . . .

Doedd 'na ddim gwyrthiau yn f'aros yn y swyddfa. Fel y disgwyliwn, doedd Hanna Barbra ddim wedi llwyddo i ddarganfod dim byd am y Ddraig ond mi oedd hi wedi ildio i ffawd a throsglwyddo neges gyfrin Glyn i Seilej dros y ffôn. Dyna hynna felly. Waeth heb â theimlo'n anhapus am y peth, roedd y boi yr unig ddewis oedd gennon ni. Ac ar hynny mi fyddwn wedi gadael y swyddfa oni bai i'r ffôn ganu.

'Helô?'

'Mr Lewis?'

Llais dyn, tebyg i'r un bora 'ma – o'n i'n methu bod yn siŵr ai'r un un oedd o.

'Ia, pwy sy 'na?'

'Os dach chi isio gwbod am yr Archdderwydd . . . '

Saib. Oedd o'n disgwyl i mi ddeud 'ia'?

'Ia?'

'Labrinth – chwarter awr.'

A rhoddwyd y ffôn i lawr.

Doedd hi ddim yn syniad da i fynd i'r Labrinth yr adag yma o'r nos. Doedd hi ddim yn syniad da i fynd i'r Labrinth yr adag yma o'r nos. Doedd hi ddim yn syniad da i fynd i'r Labrinth yr adag yma o'r nos. Ond faint bynnag o weithiau y dudwn y peth wrthyf fy hun, fe wyddwn fy mod yn mynd i fynd yno.

Ac, wrth gwrs, doedd hi'm yn syniad da o gwbwl. Hyd

yn oed drwy'r Siambals gallwn synhwyro fod yna rywun yn fy nilyn, ac erbyn i mi gyrraedd strydoedd tywyllach a chulach y Labrinth, roeddwn wedi fy amgylchynu. Dwi'm yn siŵr faint ohonyn nhw oedd 'na – tri neu bedwar efallai, ond tra gorweddwn ar lawr yn cael fy nghicio'n ddu-las, adnabûm leisiau un neu ddau o *goons* Huw ap Elian yn fy annog i ddysgu fy ngwers. Dwi'm yn siŵr faint o gyfle roeddwn i'n mynd i'w gael i ddysgu fy ngwers achos doeddan nhw ddim yn dangos unrhyw arwydd eu bod yn mynd i stopio, ac roeddwn i'n dechrau llithro i stad hanner anymwybodol. Mae gen i gof am sgrech a gweiddi ac yna'n sydyn roedd popeth yn llonydd. Gwelais amlinell gyrliog rhyngof a'r lleuad.

'Yncl Jaci?'

'Thunthur?'

'Dach chi'n gallu cerddad?'

'M'bog . . . '

Ond ar ôl codi'n araf, roedd hi'n bosib, gyda chymorth Sunsur, i roi un droed heibio'r llall. Wnes i'm sylweddoli mai f'arwain i dŷ Raquel oedd hi tan oeddwn ar garreg y drws, ond gan nad oeddwn, erbyn hynny, yn rhy siŵr be oedd f'enw i chwaith, mae'n debyg nad oedd hynny'n syndod.

Wnaeth Raquel ddim ffŷs, dim ond gofyn oedd y ditectif wedi cael diwrnod da yn yr offis a rhoi sylw i'm clwyfau. Rhoddodd fi i orwedd ar y soffa a deud mod i'n lwcus o'm croen eliffant, gan y medrai pethau fod yn llawer gwaeth. Doedd dim esgyrn wedi torri; noson dda o gwsg a fyddwn i'm 'run un. Un glên oedd Raquel. Pan ddiolchais iddi, a hithau ar ei ffordd i fyny'r grisia, roedd hi hyd yn oed yn ddigon graslon i beidio fy holi pam y galwais hi'n Lois.

IAU

'Panad, Yncl Jaci?'

Do'n i'm yn sylweddoli mod i 'di deffro ond ma'n rhaid bod y fach wedi synhwyro rhyw symudiad. Roedd gen i gur yn fy mhen – be oedd yn newydd?

'Mm . . . '

'Peidiwch â symud.'

O ia. Y Labrinth . . . Fel y deffrown deuai'r atgofion am neithiwr yn gliriach. Sut fedrwn i fod wedi bod mor wirion â mynd i lawr yna? Fe wyddwn ar y pryd ei fod yn syniad gwallgof. Rhyfedd y'n gwnaed. Mae'n siŵr nad oedd hi'n helpu chwaith nad oeddwn i'n sobor ar y pryd, ond dwi'n ama mai'r un fyddai'r penderfyniad wedi bod beth bynnag y cyflwr meddwl. Llo.

'Dach ch'isio siwgwr?' gwaeddodd Sunsur o'r gegin.

'Un.'

Hanner munud wedyn daeth drwodd â'r banad. Coffi du.

'Hintio wyt ti'r hen hogan?'

'Dach ch'isio llefrith?'

'Na, ma'n iawn fel mae o. Lle ma dy fam?'

'Gwaith ers awr.'

'O . . . '

Faint o'r gloch oedd hi, ta? Codais ar fy eistedd er mwyn cael gwell golwg ar y cloc ar y wal, a theimlo ambell glais wrth wneud.

'Wel?' meddwn.

'Wel be?'

'Sut olwg s'arna i, ta?'

'Dach chi'm bad, deud gwir. Dach chi'n haeddu bod llawar gwaeth.'

'Be ti'n feddwl?'

'Oeddan nhw'n iwsio chi fath â ffwtbol. Be gaethoch chi i fynd i lawr 'na adag yna o'r nos?'

'Galwad ffôn.'

'Ma isio sbio'ch pen chi.'

'Isio sbio mhen *i*? Be goblyn oedd hogan bach ddeg oed yn da yna, ta? Dim angan sbio pen honno, debyg?'

'Dwi'n gallu edrach ar ôl 'yn hun, dydw? Diolchwch mod i yna.'

'Be oeddach chdi'n neud yna?'

''Di hynny ddim o'ch busnas chi.'

''Di dy fam yn gwbod bod ti'n mynd i ryw lefydd fel'na a hitha'n nos?'

'Ma Mam yn 'y nhrystio i.'

''Di'n iawn i neud?'

'Be ma hynna i fod i feddwl?'

'Gneud dryga wt ti?'

'Blydi hel, Yncl Jaci, be dach chi'n feddwl ydw i? Chwara o'n i, reit? Chwara efo'n ffrindia ac ar 'yn ffordd adra. Deg oed dwi – gin i hawl i chwara, siawns. Gneud drygs wir . . . '

'Dryga, dim drygia.'

'Difaru gneud y banad 'na i chi rŵan,' mwmiodd yn bwdlyd.

Meddalais.

''Mond poeni amdanach chdi Sunsur, na i gyd. 'Dio'm yn lle saff i hogan fach fod yn cerddad 'radag yna o'r nos.'

'A fi 'di'r un gath gweir ar ôl stagro lawr 'na'n pisd, ia? Dwi'm yn cario sein "Mygiwch fi" fel chi, Yncl Jaci.'

'Ei, paid ti â siarad fel'na efo fi, 'merch i.'

'Wel be am ddeud diolch wrtha i am ych achub chi ta, yn lle bod yn *patronising*. Dwi'm yn thick, 'chi.'

Roedd 'na rywun yn mynd i gael llond ei ddwylo efo hon rhyw ddydd.

'Diolch.'

'Croeso – eni teim. Rwla arall dach chi'n planio cal ych mygio, i neud petha'n haws i mi?'

'Ho ho. *Off-duty* neithiwr felly?'

'Be dach chi'n feddwl?'

'Be ddigwyddodd i dy Gathlic di?'

''S'na'm isio'i ddeud o fel'na. Dach chi'n cymryd rwbath yn siriys, 'dwch? Ma 'na bobol yn marw yn lle 'ma os na dach chi 'di sylwi.'

'A ti'n meddwl fod nelo hwn rwbath â'r peth wyt? Sut gall o fod, Sunsur? Ti'n alibi iddo fo ers dau ddiwrnod!'

'Ma 'na rwbath amdano fo sy'm yn iawn, Yncl Jaci.'

'Ti 'di ffindio be 'di'i enw fo?'

'Do.'

Edrychodd arnaf yn ddisgwylgar.

'Ti'n mynd i neud i mi ofyn?'

'José Nadal.'

'Sbaenwr?'

'Naci, Sbanish dwi'n meddwl.'

'A ma'n gweithio i'r Eglwys Gatholig yng Nghymru?'

'Nacdi.'

'Be ma'n neud, ta?'

'Dwi'm yn siŵr.'

'Ond ti'n 'ddilyn o ers deuddydd.'

'Olreit olreit! 'Di'm fel bod gennoch chitha gymint â hynny i'w ddangos 'blaw cleisia chwaith, nacdi? Cyn bellad â fedra i weld, mae o'n gneud lot o holi.'

'Ynglŷn â be?'

'Dwi'm yn siŵr. Ond mae o'n trio ffindio rwbath.'

'Debyg i be?'

'Dwi'm yn gwbod hynny chwaith – alla i'm mentro ddigon agos pan ma'n siarad efo rywun. Ond ma 'na un peth dwi 'di glwad o'n sôn amdano fo fwy nag unwaith.'

'Be?'

'Y Ddraig Goch.'

Sythais.

'Y Ddraig Goch! Ti'n siŵr?'

'Yndw tad.'

'Glywist ti o'n sôn rwbath be ydi'r Ddraig Goch?'

'Naddo, ond dwi 'di sylwi un peth 'de . . . '

'Be 'di hynny?'

'Ma ginno fo datŵ draig goch ar ei fraich. Welis i o ddoe.'

'Ti'n siŵr?'

'Yndw tad. Oedd hi'n boeth doedd?'

'Wyt ti 'di weld o'n gneud galwada ffôn o gwbwl?'

'Wel do, siŵr dduw . . . '

'Tua diwedd bora ddoe?'

'Argol, dwi'm yn cofio. Bosib . . . '

'A neithiwr tua chwartar awr cyn i ti ngweld i.'

'O'n i'm yn gweithio neithiwr. Dach chi'n gwrando gair dwi'n ddeud, 'dwch?'

'O ia – damia. Ti'n bwriadu 'i ddilyn o heddiw?'

''Swn i yna rŵan ond mod i'n meddwl dyla rhywun weld oeddach chi ar dir y byw.'

'Dwi'n iawn. Diolch i ti am feddwl, Sunsur. Gwranda rŵan. Os ti'n dilyn y boi 'ma – be oedd ei enw fo –'

'José Nadal.'

'José Nadal, ia. Tria ffindio be 'di'r Ddraig Goch, iawn?'

'Be dach chi'n feddwl dwi – thic?'

'Dim o gwbwl.'

'Siŵr dduw 'na i drio ffindio be 'di'r Ddraig Goch – oeddach chi ar fin deud wrtha i am fod yn ofalus 'fyd, ma'n siŵr . . . '

'Wel, y . . . '

'Olreit, Yncl Jaci. 'Na i fod yn ofalus, ond jyst am ych bod chi'n gofyn, cofiwch. Reit, dach chi 'di gorffan y banad 'na?'

'Y – do . . . '

'O'ma ta. Gin i betha i'w gneud.'

'Wel Jaci bach – be ti 'di bod yn neud?'

O'n i'n gwbod y bydda llwgu'n well dewis na hyn.

'Cal codwm wnes i, Doris.'

'O, ia . . . os ti'n deud. Bydda di'n ofalus rŵan.'

'Pam ma pawb isio i mi fod yn ofalus mwya sydyn, dwch?'

'Dwn i'm wir, ond ti'n amlwg ddim yn edrach ar ôl dy hun – ti'n gwbod be fasa Nora'n ddeud . . . '

'Bydda'n ofalus?'

'Yn union. Ag oedd dy fam yn gwbod am be oedd hi'n siarad.'

Doedd gen i ddim syniad am be oedd Doris Wyn yn siarad beth bynnag.

'Sa jans am frecwast, Doris?'

'Sa well ti gal, basa, tasa'm ond i gal egni i hambygio chwanag arnat dy hun. Be gymi di, sgraman?'

'Na, cowboi.'

'Un cowboi. A choffi?'

'Ia.'

'Du?'

Hon eto.

'Champion.'

'Be sy'n newydd, ta? Ar wahân i'r cleisia 'na?'

'Dim llawar 'chi.'

'Jaci Nora, paid ti â'u rhaffu nhw wrth dy Anti Doris neu mi gei di chwip din!'

'Plîs, Doris, peidiwch â dechrau'r miri yna . . . '

''Does 'na bobol yn marw ar hyd lle 'ma'n amlach na mae pont Aber Aber yn agor, a does gen ti'm niws wir! Be 'sa dy fam yn ddeud dŵad?'

'Bydda'n ofalus?'

'Paid ti â bod yn sbeitlyd efo fi, Jaci, neu fydd gen ti chwanag o gleisia i fynd efo rheina, dwi'n deud 'that ti rŵan!'

'Sori, Doris.'

''Swn i'n meddwl 'fyd . . . Ti'n meddwl fod marwolaeth Glyn rwbath i neud efo'r petha Steddfod 'ma ta?'

'Anodd deud.'

'Fedra i'm credu rwsut. Dwi'n meddwl ma politics 'di'r busnas Steddfod 'ma i gyd, sti.'

'Dach chi'n deud?'

'Saff ti. Dydi'r petha Steddfod 'ma'm 'run fath â ni, nacdyn? O, sori Jaci – ar wahân i Lili 'lly . . . a' i nôl y cowboi 'na . . . '

Ac i ffwrdd â Doris Wyn i ledaenu'r newydd am fy nghwymp anffodus wrth bwy bynnag oedd yn awyddus i wrando.

Wrth ymlwybro o Gaffi Ciaman i'r swyddfa ystyriais beth oedd bwriad Huw ap Elian yn gollwng ei gŵn arna i neithiwr. Pa bwrpas oedd yna mewn rhoi cweir i mi ac yntau'n gwybod nad oedd yna ddim o bwys tyngedfennol i'w ddarganfod yn y swyddfa? Gwir y byddai'r dystiolaeth o daliadau i Gill Rees yn medru bod yn achos embaras, ond yn ddim mwy na hynny, does bosib? Pam y gorymateb? Oni bai fy mod i, heb lawn sylweddoli, wedi dod yn rhy agos at ddarganfod rhywbeth a fyddai o wir niwed i Huw petawn yn dod o hyd iddo? Os oeddwn, beth allai fod? Roedd un peth yn sicr – os mai fy annog i beidio â bod yn ddraenen yn ei ystlys oedd o drwy yrru ei *goons* draw, mi fyddai'n ffeindio cyn hir ei fod wedi cael yr effaith hollol groes. A dim ots gen i faint o fwli bois oedd ganddo i'w amddiffyn, mi fyddwn yn ei wylio fel barcud . . .

''Ma fo – Rocky Balboa . . . '

'Rocky pwy?'

'Y bocsar, 'de?'

'Rocky Marciano ti'n feddwl?'

'Pwy uffar 'di hwnnw?'

'Rocky Marciano? Un o'r bocsars enwoca fuo' rioed!'

'Dim mor enwog â Rocky Balboa.'

'Dwi rioed 'di clwad amdano fo.'

'Yr *Italian Stallion*?'

'Y be?'

'Yr It— 'mots. Ti'n gabatsian go iawn pan mai'n dŵad i ffilms, d'wt?'

'Be – ffilm 'di?'

'Wt ti'n cymyd y mic? Rocky? Wyn tw thri ffôr ffeif? Sylvester Stallone?'

'Sgin i'm syniad am be ti'n siarad, Hanna.'

'Nagoes, nagoes? Edrychodd arnaf yn dosturiol. 'Arclwy, sheltyrd laiff . . . '

Brochais yn ddiangen.

'Be? Dwi 'di cal rhyw uffar o gollad mewn bywyd, 'lly?'

'Panad?'

Touché. Lliniarais.

'Diolch 'ti.'

'Du?'

Hat-tric.

'Ia, plîs.'

Hwyliodd Hanna'r coffi.

'Ddudodd Raquel . . . '

'O'n i'n ama . . . '

'Felly be ddigwyddodd?'

'Dwn i'm ddylwn i ddeud 'that ti.'

'Be haru ti – ti'm yn 'nhrystio i?'

'Dim hynny, ond ma'n ymddangos fwy a mwy i mi fel ma'r wsnos yma'n mynd yn ei blaen ma'r lleia'm byd mae rhywun yn wbod, saffa'm byd fydd eu crwyn nhw.'

'Annwyl ti 'de? 'Dra'i edrach ar ôl 'yn hun sti, Jaci. S'na'm isio i ti boeni amdana i.'

'Dyna ddudodd dy nith 'fyd – doedd hynny'm yn stopio iddi fod yn y Labrinth yn hwyr neithiwr chwaith.'

'Yn y gwaed 'li.'

'Be?'

''Dan ni'n deulu *impulsive*.'

'Ia wel, yn 'y mhrofiad i ma *impulsive* yn gallu arwain i drwbwl.'

'Mae o hefyd yn gallu atgoffa chdi bod ti'n fyw o dro i dro. Tria fo. Rŵan, be ot ti'n mynd i ddeud wrtha i?'

Roedd hi'n haws deud am wn i.

'Huw ap Elian.'

'Argol. Da efo'i ddyrna, yndi?'

'Dim fo'i hun naci – ei fysl o.'

'O, Steve Lowden a Brian Miller a Spud?'

'Oedd 'na fwy na thri. Ti'n nabod nhw?'

'Fuas i efo Brian, erstalwm 'de. A Raquel 'fyd dwi'n meddwl. Ffwtbolyr da pan oedd o'n iau.'

''Blaw bod o'n fwli ar y cae 'de.'

'Oedd o'n fwli odd' arno fo 'fyd, coelia di fi. Yfad gormod o beth cythral.'

'Wel, fi oedd y ffwtbol neithiwr beth bynnag.'

'Ti 'di bod yn lwcus ddudwn i. S'na'm llawar o hôl arn't ti.'

'Ma'n siŵr eu bod nhw 'di cal digon o bractis peidio gadal ôl bellach, dydyn?'

Ochneidiodd Hanna.

'Ydyn ella. Pam ta?'

'Pam be?'

'Pam gest ti stîd? Dwinna'm yn licio dy wynab di ond dwi rioed 'di bod isio rhoi cweir i ti am y peth – raid bod o'n rwbath mwy na hynny, yndi?'

Edrychais arni.

'Wyt ti wir isio gwbod, Hanna?'

'Yndw siŵr dduw, neu 'swn i'm yn gofyn, naf'swn?'

Estynnais botel wisgi fach a thywallt peth i'r coffi.

'Dorris i mewn i swyddfa Huw echnos.'

'Argol, Huw ap Elian? I be? Ti'm yn meddwl —'

'Fod 'nelo fo rwbath â'r llofruddiaetha 'ma? Yndw.'

'Huw ap Elian? Sgen ti brawf?'

'Dyna o'n i'n chwilio amdano fo noson blaen 'de!'

'Sgin ti'm byd, felly?'

Roedd ei llais yn gyhuddgar.

'Nagoes. Ond dwi'n gwbod bod ei ddylo fo'n fudur, Hanna.'

'Sut?'

'Dwi'm yn siŵr, jyst teimlad cry . . . '

'Yr un teimlad cry ag oedd gen ti pan o't ti'n meddwl mai fo laddodd Lili?'

'Dwi'n dal i feddwl mai fo laddodd Lili.'

'O, Jaci. Be ma'r polîs yn gorod neud i dy berswadio di mai dim fo nath?'

'Mae o'n glyfar, Hanna; mi oedd o'n rhy glyfar i ni i gyd tro dwytha, ond 'dio'm yn mynd i lwyddo i neud yr un tric y tro yma, faint bynnag o gweiria sy raid i mi dderbyn.'

'Jaci – gwranda arnach chdi dy hun. Ti isio iddo fo fod yn euog!'

'Mae o yn euog.'

'Be os 'dio ddim?'

'Wrth gwrs ei fod o. Crwc 'dio.'

''Dio'm yn sant, nacdi. Ond llofrudd?'

'Greda i rwbath am y diawl.'
'Gnei'n amlwg.'
'Be ti'n feddwl?'
'Ti'n ei gasáu o, Jaci. Ti'n hollol *biased* yn ei erbyn o!'
'O'n i'n gwbod mai fel hyn 'sat ti'n ymatab; dyna pam o'n i'm isio deud wrthat ti!'
'Jyst trio cal chdi i gallio, na i gyd. Ella'i fod o'n euog.'
'Tŵ dam reit.'
'Ond ella bod o ddim.'
'Olreit! Os 'dio ddim, pam ath o'm at y cops ar ôl i fi dorri fewn? Y? Am fod genno fo rwbath i guddio, 'de?'
'Ella.'
'O Iesu! Hanna, ti'n trio tynnu'n groes rŵan. Be am y busnas Archdderwydd 'ma – tyngu llw yn enw'r Ddraig Goch?'
'Wel ia, 'sa'n help tasa ni'n gwbod be ydi'r Ddraig Goch ella, Jaci, yn lle ista'n fama'n trio gneud i'r ffeithia ffitio Huw ap Elian!'
'Ti 'di ffindio rwbath?'
'Gesia be?'
'Naddo.'
Ochneidiodd.
'Naddo. Titha?'
'Na. 'Mond bod 'na Babydd Sbaeneg efo tatŵ draig goch o gwmpas lle 'ma – p'un ai 'di hynny'n golygu rwbath ta jyst cyd-ddigwyddiad, dwn i'm.'
Rhoddodd Hanna edrychiad slei i'm cyfeiriad.
'Sgen Lois datŵ draig goch, ta?'
'Be wn i? Be ma hynna i fod i feddwl?'
'Dim. Raquel ddudodd bod ti 'di galw hi'n Lois neithiwr . . . '
'O blydi hel, Hanna. Oes raid i chi ferchad neud môr a mynydd o'r petha lleia ma dyn yn ddeud o hyd?'
'Olreit, olreit, anghofia fo! 'Mond tynnu coes.'

'Dwyt ti'n gês.'
Sôn am Lois . . . Edrychais ar fy oriawr.
'Rhaid mi fynd.'
'I le?'
'Steddfod. Yn y cyfamser, ffindia be fedri di am foi o'r enw José Nadal. A Saul Ferino.'
'Saul Ferino?'
'Ia, ti 'di clŵad amdano fo?'
Syllodd yn wag arnaf.
'Naddo . . . '
Ochneidiais.
'Gna be fedri di beth bynnag.'
'Iawn, chief,' meddai'n frwd. Petai'r brwdfrydedd yna'n cael ei adlewyrchu mewn canlyniadau mi fedrwn ymddeol bellach. Fel yr oeddwn yn cychwyn am y drws, galwodd Hanna arnaf.
'Jaci?'
'Be?'
'Cadwa i symud a watcha 'i jab o, iawn?'

'Wel, wel! Y dyn haerllug. Hwyliau gwell heddiw, Mr Lewis?'
'Sginnoch chi docyn pafiliwn?'
Gwenodd y Don ac ysgwyd ei phen o ochr i ochr yn araf. Ochneidiais.
'Tocyn maes ta.'
'Oedolyn?'
Edrychais arni'n gam.
'Dach chi wir yn mwynhau eich gwaith, yn dydach?'
Ond roedd yn rhy brysur yn fy anwybyddu.

Fe wyddwn am be o'n i'n chwilio ac fe ddois o hyd iddo fo'n weddol sydyn. Waeth heb â cheisio clod am hynny oherwydd roedd pawb arall ar y maes wedi eu gwisgo ar gyfer tywydd braf.

'Hei, chi!'

'Shhh!' Edrychodd y towt o'i gwmpas, yna, o fodloni ei hun nad oedd neb yn gwylio, daeth ataf. 'Be ydach chi isio?'

'Tocyn pafiliwn.'

'Dos gen i ddim tocyn pafiliwn.'

'Be haru chi – o'ch chi'n gwerthu nhw ddoe!'

'Does gen i'm syniad am be dach chi'n siarad.'

'Naethoch chi werthu – wel na, dim gwerthu erbyn diwadd – naethoch chi roi tocyn i gefn y pafiliwn i mi – dach chi'n cofio? Naethoch chi sgwennu CEFN arno fo?'

Edrychodd yn hurt arnaf.

'Pam faswn i'n gwneud hynny?'

'O, ylwch – peidiwch â bod fel hyn. Ma'n rhaid i mi fynd i mewn i'r pafiliwn!'

'Dim fy mhroblem i ydi hynny.'

'S'na heddlu cudd o gwmpas neu rwbath? Pam dach chi'n smalio na dach chi'm yn dowt?'

Ffromodd y dyn bach.

'Towt? Mi ro i chi dowt! Dwi'm yn sefyll yn fama i gael fy sarhau! Towt wir!'

Ac i ffwrdd â fo. Fedrwn i'm coelio'r peth.

'Plîs, gwrandwch!'

Ond roedd o a'i ambarél a'i fobeil ffôn wedi mynd. Be ddiawl? O'n i wedi breuddwydio'r peth neu rywbeth? Sut o'n i'n mynd i fynd i mewn rŵan? A faint o'r gloch oedd cystadleuaeth yr unawd soprano yn dechrau beth bynnag?

Penderfynais fynd i chwilio am y dent gwrw, ond doedd hi'm ar agor. Yna cefais frenwêf a phenderfynu chwilio am babell y *Clarion* ar y maes. Heb fap. Haws ffeindio'r llofrudd beth gythral. Yn niwedd y sioe, y babell ddaeth o hyd i mi.

'Jaci Nora, cwd!'

'Hei, Jaci!'

'Be ti 'di bod yn neud, bwldog?'

Cerddais at y babell. Yno roedd Eliot Beics, Meirwen a Bygsun.

'Gwrandwch bois, ga i ofyn ffafr?'

'Gei di ofyn, 'de lad!'

'Sgennoch chi docyn neu bàs i'r pafiliwn?'

Edrychodd y tri ar ei gilydd.

'Be ddudwn ni wrtho fo dŵad, Mei?'

'Paid â malu cachu Bygsun – ma hyn yn bwysig,' medda fi.

Edrychodd Bygsun arnaf yn bwdlyd.

'Olreit, 'mond jôc . . . '

'Sori. Ma i neud efo Glyn 'li.'

Ryw siort. Gwelais y tri'n difrifoli.

''Dan ni'n cal cwpwl o rai sbâr bob dydd,' medda Eliot. 'Dwi'n siŵr 'sa nhw'm callach 'sa ti'n mynd ag un onyn nhw.' Aeth i gefn y babell i chwilio.

Bu tawelwch anghyffyrddus.

'Sut mae petha 'fo chdi?' holodd Meirwen.

'Iawn. Chditha?'

'Iawn.'

'Dwi'n iawn 'fyd,' meddai Bygsun.

Bu tawelwch ychydig mwy anghyfforddus nes i Eliot ddychwelyd â thocyn yn ei law.

''Ma chdi.'

'Diolch ti.'

'Pob lwc.'

'Diolch.'

Doeddwn i'm yn licio gadael mor swta, ond wyddwn i'm be arall i'w ddeud.

'Reit. Hwyl ta. Hwyl, Meirwen . . . '
'Hwyl . . . '

Roedd yr amseru'n wych – ar gychwyn oedd yr unawd soprano fel y cyrhaeddwn y pafiliwn (hanner gwag – lle oedd y bobol 'ma oedd yn berchen ar y tocynnau i gyd?) a chefais amser i ddewis sêt yn yr ochr fel na fyddwn yn denu sylw Lois, a hefyd fel y medrwn gael golygfa o'r pafiliwn cyfan heb orfod troi fy mhen yn ormodol.

Cerddodd y cystadleuydd cyntaf i'r llwyfan. Yn sydyn roeddwn i'n ôl dros ddeng mlynedd ynghynt yn yr un sefyllfa, yn byw pob nodyn ac yn profi'r un nerfau ag y teimlwn pan fyddai Lili'n canu. Roedd yn rhaid i mi atgoffa'n hun yn ysbeidiol i sadio a chofio mai yna i gadw golwg ar y lle roeddwn i, ond roedd safon y canu mor hudol nes ei bod bron yn amhosib i beidio â chael fy nghyfareddu'n llwyr – a dim ond y cystadleuydd cyntaf oedd honno! Erbyn i Lois gamu at y meic i ganu'n olaf roedd fy nghalon yn fy ngwddf a'm sylw wedi'i hoelio arni. Yn rhyfedd iawn, doeddwn i erioed wedi dychmygu sut lais canu fyddai ganddi. Doeddwn i'n sicr ddim wedi dychmygu y byddai mor gyfoethog a soniarus â'r hyn a glywn yn awr. Fe deimlwn fy hun yn reddfol yn ceisio cymharu ei llais hi â llais Lili, ond roedd hi'n anodd os nad yn amhosib gan fod llais Lili wedi pylu yn fy nghof gyda threigl y blynyddoedd. Ac efallai nad oedd fy nghyneddfau beirniadol mor finiog wedi fy absenoldeb o wrando ar ganu cystadleuol dros y blynyddoedd. Ond diaw, roedd hi'n swnio'n dda i mi. Ac yn edrych yn dda. Os oedd 'na ddynion yn beirniadu dim ond un enillydd fyddai, mi dybiwn.

Ta waeth, roedd hynny yn llaw'r duwiau – neu'r duwiau meidrol beth bynnag. A Lois wedi gadael y llwyfan yn ddiogel, roedd fy ngwaith i ar ben, a doedd gen i fawr o awydd aros i weld y triawdau cerdd dant yn brwydro am oruchafiaeth. Efallai na fyddai Elwyn o'r Gyfylchi Gyfylchi, neu fy nghyfaill o sect y Dawnswyr Gwerin yn cymeradwyo, ond fel'na'm ganwyd, yn anffodus. A beth bynnag, ro'n i isio gweld pwy fyddai'n cael ei ethol yn Geidwad y Cledd i lenwi sboran y diweddar Arthur Hopkins.

Yr oedd y wigwam gyda'r corn simdde yn parhau i sefyll ers dydd Mawrth, ond ychydig iawn o byntars oedd wedi ymgynnull o'i chwmpas. Yn wir, cefais ryddid y maes i fynd draw yna a chymryd cip drwy'r drws. Yr oedd y babell yn wag, ar wahân i'r crochan anferth a eisteddai'n unig a diymgeledd, gyda dafnau o gawl cennin wedi sychu'n ei addurno. Y tacla. Mi fasa rhywun yn meddwl y basa nhw wedi rhoi cadach gwlyb drosto o leia, ond na . . . Gadewais y babell a'i arogl cennin ysgafn a cheisio pendroni lle fyddai'n addas i aelodau'r orsedd urddo rhywun i swydd bwysig Ceidwad y Cledd.

A! Dacw nhw – yn eistedd y tu allan i babell 'Blas ar Ddylanwad Organig à la Carte', yn sipian gwin a mwynhau'r haul. Symudais yn nes i gael gwell golwg. Yn ôl yr hyn fedrwn i weld, roedd yr Archdderwydd – ein cyfaill Huw, wrth gwrs – yn mynd o amgylch aelodau'r Orsedd oedd yn cymryd rhan gyda phac o gardiau.

'Be ma'n neud?' meddyliais, cyn sylweddoli fy mod wedi gofyn y cwestiwn yn uchel. Trodd dynes fechan a'i gwallt fel yr eira i'm haddysgu.

'Ma fe'n dîlo'r cardie nes bo rywun yn cal y King of Spêds.'

'A be sy'n digwydd wedyn?'

Edrychodd arnaf mewn rhyfeddod.

'Hwnnw yw'r Ceidwad y Cledd newy', grwt. 'Na fel ma nhw 'di ethol e ers canrifodd.'

Be wn i. Roedd hi'n ddefod dipyn mwy anffurfiol nag echdoe beth bynnag. A deud y gwir, pan osododd Huw ap Elian frenin y rhawiau yn llaw un o'r merched (mwn) roedd hi'n hir ar y dian yn sylwi, cyn codi ei llaw a gweiddi,

'Hybarch Archdderwydd! Atolwg i ti Frenin y Cleddyfau!'

'Y?' meddyliais, a sylweddoli o weld pen fy nhiwtor yn troi tuag ataf fy mod wedi gwneud yr un peth eto.

''Na beth odden nhw 'slawer dydd – rwbeth i neud 'da'r *tarot* wy'n credu – s'da fi gynnig i bethe fel'a . . . '

Maen nhw'n ddigon da i'ch Gorsedd chi, madam, cefais fy nhemtio i ddeud ond, diolch byth, roeddwn wedi llwyddo i dorri'r cyswllt rhwng fy ymennydd a'm ceg y tro yma.

Roedd ap Elian yn dechrau ymchwyddo i'r foment erbyn hyn, wrth gwrs. Gafaelai yn y Cledd Mawr a chydag urddas, cyhoeddodd,

'Yn wyneb haul llygad goleuni ac o flaen y lliaws tystion hyn – a chi adref ar S4K, wrth gwrs . . . ' Roedd yr Archdderwydd yn gwybod ar ba ochor i'w fara oedd ei fenyn. ' . . . Fe'th urddaf di, Elfair Cristiolus, i barchus arswydus swydd Ceidwad Cledd Gorsedd Ynys Prydain ac i holl freiniau'r swydd hon.'

Breiniau? Pa freiniau? Cario uffar o gleddyf trwm o gwmpas lle mewn sboran? Mi fyddai Elfair druan angen osteopath cyn nos Sadwrn, dybiwn i. A chymryd fod lladd Ceidwad y Cledd wedi mynd allan o ffasiwn erbyn hynny.

Mae'n siŵr na fyddai'n rhaid tyrchu'n bell i ddarganfod fod Elfair Cristiolus yn aelod gorseddol o natur fwy rhyddfrydol y garfan. Roedd Huw ap Elian yn amlwg yn ceisio cael cynifer o'i ddisgyblion i'r aruchel swyddi ag y medrai er mwyn tynhau ei afael ar yr awenau. Roedd angen rhywun i stopio'r boi yma – os na ddigwyddai hynny o fewn ffiniau'r Eisteddfod, efallai fod gen i gyfraniad allanol i'w wneud tuag at ei ddarostwng. Ond fe fyddai'n rhaid wrth amynedd. Ac fe wyddwn y lle gorau i fagu amynedd. Y babell gwrw.

Bychan oedd y cynulliad yn y stondin gwrw – yr eisteddfotwyr yn fwy o bobol gwin, mae'n rhaid. Ond mae i griw bychan ei fanteision hefyd; mae yna fwy o siawns am lonydd pan ydych chi eisiau orig i fyfyrio dros bethau bywyd – neu felly'r oeddwn i'n meddwl . . .

'Pwy wt ti, ta?'

Edrychais arno. Roedd un olwg yn ddigon i gadarnhau f'ofnau gwaethaf. Yr oeddwn wedi denu sylw'r Eisteddfod Bôr.

'Diaw, cwestiwn da 'chan . . . '

Doedd yr Eisteddfod Bôr ddim yn delio mewn coegni.

'Na, deud 'ŵan – pwy wyt ti 'lly?'

'Be 'di d'enw di?'

'Fi? David dwi, David Morris – Dei Môr i bawb sy'n fy nabod i, 'de.'

Naci – Dei Bôr, dim ond bod nhw'm yn deud 'that ti, washi.

'Pwy wt ti, ta? Dwi 'di dy weld ti rwla o'r blaen, 'do?'

'Naddo sti.'

'Do tad. Dwi'n siŵr mod i sti.'

'Dwi'n siŵr bod ti ddim sti.'

'Ti'n deud? Ma dy wynab di'n ddiawl o gyfarwydd sti.'

'Go brin sti.'

'Dwi'n deud ei fod o sti.'

'Dwi'n ama'n fawr sti.'

'Pwy wt ti, ta?'

'Rhywun sy isio llonydd.'

'Ia, reit dda. Dwi wedi dy weld di o'r blaen sti.'

'Ti ddim sti.'

'Do tad. Fydd Dei Môr byth yn anghofio wynab.'

'Llongyfarchiada am hynny.'

'Y? Ia . . . Pwy wt ti, ta?'

Taswn i'n gallu dewis modd i David Morus farw, 'swn i'n dewis cwicsand . . . araf.

'Neb sti.'

'Ma raid bod ti'n rhywun, dwyt? Deud 'ŵan.'

'Deud be?'

'Pwy wyt ti 'de! Dwi 'di deud 'that ti pwy dw i, do?'

'Do.'

'Na fo. 'Di'm ond yn deg bod ti'n deud pwy wt ti felly, nacdi?'

'Nacdi, debyg.'

Safodd yna'n edrych yn chwilfrydig.

'Ti am ddeud, ta?'

'Nacdw.'

Dechreuodd golli ei hiwmor braidd. Culhaodd ei lygaid.

'O wela i. Clefyr Dic, ia? Meddwl bod ti'n well na fi, wyt?'

Rhesymeg meddwyn – y byd yn troi o'i gwmpas o.

'Callia.'

'Callia! Callia medda fo! Mi ro i ti callia!'

Be oedd hynny i fod i feddwl?

'Yli, dos rŵan . . . '

'Paid â deud 'tha i be i neud, clefyr dic!' Roedd 'na amryw o bobol yn sbio rŵan, rhai'n amlwg wedi cael y pleser o gyfarfod Dei Bôr yn gynharach yn yr wythnos, ac yn falch ar y diawl nad nhw oedd yn gorfod diodda'i lol o rŵan.

'Yli, 'sa well i ti dawelu ac ista i lawr.'

'Ista i lawr! Coc oen uffar!'

A cheisiodd roi dwrn i mi ond mi darodd ochor fy mhen. Rŵan ella basa fo 'di cal getawê ar ddiwrnod da ond mi oedd gen i glais yna'n barod yn sgil miri'r Labrinth neithiwr ac oedd o'n brifo, damia – felly gafaelais yn ei bibell wynt a'i godi nes yr oedd ar flaenau'i draed ac wedi gollwng ei ddiod er mwyn ceisio'n aflwyddiannus i dynnu fy llaw oddi ar ei wddw.

'Gwranda rŵan, David. Cerdda at y bar – ordra ddiod arall, ac wedyn cer i'r lle pella medri di ffindio oddi wrtha i yn y babell 'ma, a mi alla i addo i ti y byddi di'n falch bod ti 'di gneud.'

Roedd o'n rhy brysur yn troi'n biws i atab, felly rhoddais fy ffydd ynddo fo a'i ollwng, ei droi a rhoi hwth fach iddo i gyfeiriad y bar. Fe aeth dan dagu a mwmial,

'Bastad – 'mond trio bod yn gyfeillgar o'n i,' a gwelwn oddi wrth wynebau'r yfwyr eraill mai fi oedd y dihiryn bellach. Ta waeth. Roedd fy nghonsýrn am wisgi'n drech na'm consýrn am fy nelwedd. Wedi rhoi cyfle i Dei gilio, ordrais un mawr arall a thanio sigarét. Ddaeth neb i siarad ataf.

Serch hynny, llanwodd y babell yn sydyn iawn o fewn yr hanner awr nesaf, a hynny gyda chymysgedd o feirdd sarrug eu trem ac ambell ddawnsiwr gwerin milwriaethus yr olwg, ynghyd ag un neu ddau arall nad oeddwn yn eu hadnabod. Petawn yn gorfod dyfalu mi ddywedwn mai aelodau o'r frawdoliaeth gerdd dant oeddynt. Yr oedd eu sgwrs yn brysur ac yn danbaid; mi dybiwn mai trafod y datblygiadau diweddaraf yn nheyrnas Huw ap Elian oeddynt. Byddai'n braf bod wedi medru aros i glustfeinio ar eu sgwrs; yr oedd rhywbeth yn amlwg ar droed iddynt gael eu gweld yn pwyllgora mor agored ar faes y brifwyl fel hyn – ond roedd gen i a'm tocyn pafiliwn apwyntiad arall, felly cleciais fy niod ac anelu am y babell fawr.

Doeddwn i erioed wedi mynychu seremoni croesawu Cymru a'r Byd, fel y'i hailenwyd. Roedd ei galw yn seremoni'r Cymry ar Wasgar yn gwneud iddynt swnio fel petaent wedi cael eu poeri o'u henwlad ar draws y blaned rywsut. Ond alla i'm deud mod i'n edrych ymlaen at y profiad rhyw lawer. Roedd 'Unwaith Eto 'Nghymru Annwyl' yn ail agos i 'We'll Keep a Welcome' yn rhestr caneuon chwydlyd tŷ ni erstalwm – os oedd Cymru mor annwyl gennych, pam na wnaethoch chi'r ymdrech i fyw ar ei thir hi? Faswn i'm yn deud mod i'n Che Guevara ond o leia o'n i 'di byw yng Nghaerlloi ar hyd 'y mywyd. Ac mae'n rhaid nad fi oedd yr unig un oedd yn meddwl fel hyn, gan fod si ar led mai hon fyddai'r seremoni olaf o'i bath. Ta waeth am y wleidyddiaeth – gwaith oedd hyn.

Pan gyrhaeddais y pafiliwn roedd y drysau'n dal ar gau – rhedag yn hwyr efo rhyw fedal wyddoniaeth neu rwbath. Amser am smôc felly. Fel o'n i'n tanio, pwy frasgamai tuag ataf a'i feicroffon yn ei law ond y llanc ifanc o S4K. Mae'n rhaid nad oedd yn fy nghofio, oherwydd roedd y wên lydan yn ôl ar ei wyneb. Roedd ar fin fy holi am rywbeth neu'i gilydd pan welais yr adnabyddiaeth yn ei lygaid. Heb arafu cam, gostyngodd ei feicroffon a cherdded yn syth heibio gan edrych am ysglyfaeth arall. A, wel . . .

'Jaci?'

Trois i gyfeiriad y llais. Lois. Edrychais yn ddisgwylgar arni.

'Wel?'

Yr oedd yna dinc bron o embaras yn ei llais.

'Ennill.'

'Llongyfarchiadau!'

'Diolch.'

'Rhuban Glas felly?'

'Ia,' meddai, a'i llygaid yn pefrio.

'Ydach chi'n mynd i'r seremoni rŵan?' gofynnodd Lois.

'Yndw, a chitha?'

'Dim tocyn.'

'A . . . '

Ai siom a welwn yn ei llygaid? Ceisiais godi ei chalon.

'Efallai y daw rhywun o'r pafiliwn rŵan â thocyn sbâr.'

'Efallai . . . '

Safasom yno'n dau, a safodd amser gyda ni – am ennyd, o leiaf.

'Pssst!'

Trois i weld y towt yn sefyll wrth f'ysgwydd.

'Be dach chi isio?'

Anwybyddodd fi.

'Dach chi'n edrych fel dynes sy'n chwilio am docyn, madam.'

Ffromais.

'Ei – be 'di'r gêm, pal?'

Edrychodd yn hurt arnaf.

'Mae'n ddrwg gen i?'

'Ddoe dach chi'n dowt, bora ma dach chi ddim yn dowt, rŵan dach chi'n dowt eto!'

'Sgin i'm syniad am be ti'n siarad chief – madam – i chi – decpunt.'

'Decpunt?' meddai Lois.

'Punt, ta.'

'O'r gorau,' meddai Lois.

'A sws . . . '

'Oi!' medda fi.

'Olreit, dim punt – jyst sws . . . '

'Chi 'di'r towt odia dwi rioed 'di weld,' medda fi.

'Olreit olreit – cymwch o, madam,' meddai. Ysgrifennodd RHWLA ar y tocyn, ei roi i Lois a diflannu ar wib fel yr oedd dau blismon yn pasio heibio.

Edrychais ar Lois. Edrychodd hithau arnaf finnau. Roedd hyn yn dechrau mynd yn arferiad.

'Wel, mae'n edrych yn debyg fod gen i docyn,' meddai.

Dim ond gwneud fy ngwaith oeddwn i. Doeddwn i ddim yn amharchu coffadwriaeth Glyn drwy gadw cwmni i'w gyn-gariad. Ond teimlwn wrth eistedd wrth ochr Lois yn y pafiliwn, yn teimlo gwres ei chorff ac yn arogli'i phersawr cynnil, fy mod yn gorfod perswadio fy hun ychydig yn fwy nag yr hoffwn. Nes i mi sylweddoli pwy oedd arweinydd y Cymry Tramor ar y llwyfan.

José Nadal.

José Nadal a'i datŵ draig goch. Yn eistedd y tu ôl iddo, yn ei siwt capel pnawn 'ma yn hytrach na'i wisg orseddol, Huw ap Elian. Be ddiawl oedd yn mynd ymlaen? Yr oedd y seremoni'n gymharol ffurfiol ond bob hyn a hyn gwelid, hyd yn oed o'r pellter yr eisteddem ni o'r llwyfan, ambell nòd a winc rhwng y naill a'r llall. Nabod ei gilydd yn bur dda, ddudwn i. Ac yn ôl meistr y ddefod, nid Sbaenwr mo José, ond Patagoniad! A oedd ganddo gysylltiad â'r hyn ddigwyddodd i Esteban druan? A sut bod pob peth a ddigwyddai yr wythnos yma rhywsut yn cysylltu â Huw ap Elian? Yr oeddwn wedi gweld fy siâr o gyd-ddigwyddiadau ond roedd hyn yn gwthio'r ffiniau.

Cwmni tawedog a gafodd Lois ar y siwrnai'n ôl i'r dre o'r maes, ond yr oedd yn ddirwgnach am y peth, chwarae teg iddi. Wedi gwneud yn siŵr ei bod yn cyrraedd y Brython yn saff, trefnais i'w chyfarfod am swper yno ymhen dwyawr. Ni chwestiynodd y naill na'r llall ohonom y penderfyniad – roedd fel petai y peth naturiol i'w wneud.

Serch hynny, yn sgil y datblygiad newydd a ddysgais y prynhawn yma roedd yn rhaid i mi gael mwy o wybodaeth – a dim ond un dyn fedrwn i feddwl amdano i ddarparu'r wybodaeth honno i mi. Roedd yn rhaid cymryd siawns ei fod o gwmpas tafarnau'r dre yn rhywle. Yn ffodus i mi, dim ond drwy ddrws tair yr oedd yn rhaid i mi gerdded (a dioddef gwawd y jocars lleol ynglŷn â'm cleisiau mewn dwy ohonynt: roedd newyddion yn trafaelio'n gyflym yng Nghaerlloi) cyn i mi weld cefn Wil Gaucho wrth far y Delyn Deires.

'José Nadal?' meddai Wil wedi cael ei wisgi mawr. Ystyriodd â llygaid culion am beth amser. 'Do, dwi 'di clwad amdano fo.'

'Be?'

Roeddwn yn rhy eiddgar. Astudiodd Gaucho fi'n fanwl cyn dod i'w benderfyniad.

'Reit, Nora. Hwn 'di'r tro ola. Wisgis yn neis – llonydd yn neisiach – dallt?'

'Dallt.'

'Reit, gringo.'

Ymgollodd yn ei feddyliau, cyn deffro drwyddo.

'Fel hyn ma'i. Dim José Nadal ydi'i enw fo.'

'Be ta?'

'Gabriel Garcia de Morris. Teulu yn Esquel ond yn gweithio ran fwya yn Buenos Aires.'

'Fel be?'

'Cyfreithiwr.'

'Gonest?'

'Prin.'

'Sut ti'n gwbod?'

'Ma'i enw fo'n ddihareb drwy Ddyffryn Camwy. Wastad ryw sgiam ar y go.'

'Dwi'n nabod un arall digon tebyg iddo fo.'

'Ap Elian? Dim cymhariaeth. Huw ap Elian ddigon call i gadw'i drwyn yn lân. Gabriel dipyn blerach am guddio'i lwybrau.'

'Lwcus i ni. Oes 'na gysylltiad rhwng y ddau?'

'Oes.'

Bingo.

'Ap Elian wastad yn aros efo de Morris pan ddaw i Batagonia i Eisteddfod y Wladfa.'

'Pryd oedd y tro dwytha iddo fynd?'

'Dim syniad.'

'Diolch am dy help, Gaucho.'

'Un peth arall. Noson gath Esteban ei ladd . . . '

'Ia?'

'Oedd Gabriel Garcia de Morris yn Nhrelew.'

Esteban. Glyn. Elwyn o'r Gyfylchi Gyfylchi. Arthur Hopkins. Ai llaw Gabriel Garcia de Morris oedd yn gyfrifol am dranc y pedwar ohonyn nhw? A hynny ar gais Huw ap Elian? Bob yn ychydig roedd yr holl fusnes yn dod yn eglurach. Dim rhyfedd fod yr Ap mor awyddus i'm perswadio i beidio â busnesa yn ei faterion preifat. Byddai'n rhaid i mi holi Sunsur yn fanylach ynglŷn â symudiadau de Morris o gwmpas y lle dros y deuddydd dwytha, a'i hargymell ei bod hi'n rhy beryg iddi barhau i'w ddilyn, er mor ddefnyddiol y buasai hynny.

Cyrhaeddais yn ôl i'r Brython â brwdfrydedd newydd oherwydd y wybodaeth. Ac efallai'r wisgi. A gwybod mai gyda Lois yr oeddwn yn cyfarfod. Gadewais neges yn y dderbynfa i ddeud y byddwn yn aros amdani yn y bar a, chwarae teg iddi, ymhen chwarter awr ymunodd gyda mi. Er fy mod yn ysu i drafod y digwyddiadau diweddaraf gyda hi, penderfynais aros tan i ni fynd drwodd i fwyta.

Wedi cael diod yr un i ni, codais fy ngwydr iddi.

'Llongyfarchiadau – eto . . . ' meddwn.

'Diolch,' meddai – ychydig yn llai swil y tro yma, a tharo ei gwydr yn erbyn f'un i.

'Awn ni drwodd?'

'Ia, pam lai?'

A chyda chalon ysgafn cydgerddais â hi drwodd i'r ystafell fwyta.

Ond mae'n amlwg fod rhywun yn rhywle wedi ordeinio nad oedd eiliad o heddwch na mwynhad i fod yr wythnos yma, oherwydd pwy oedd yn eistedd mewn cwmni o wyth ynghanol yr ystafell, a'i lais uchel yn awgrymu mai ei ystafell bersonol ef oedd hon, ond Satan ei hun. Efallai y byddai person callach wedi troi ar ei sawdl a cherdded o'na heb ddeud dim. Ond yn sgil digwyddiadau'r diwrnodiau diwethaf, yr oedd rhyw gythraul fel petai wedi gafael ynof. Gwelodd Lois fy llygaid yn caledu, a sibrydodd yn dawel,

'Jaci, ydach chi'n meddwl efallai y byddai'n well i ni fynd i rywle arall?'

Ond prin y cafodd siawns i orffen ei brawddeg cyn i mi droedio yn bwrpasol at yr octofwrdd, gan ei harwain hithau gyda mi.

Yr oedd yr Ap yn amlwg yn ei hwyliau: Ceidwad y Cledd wrth ei fodd, un o'i gyfeillion yn seren sioe Cymru a'r Byd a phopeth yn dda. Ymddengys mai cymdeithas y llyfwyr tinau roedd o'n ei chadw heno a barnu oddi wrth y chwerthin sycoffantaidd a atalnodai bob sylw a ddeuai allan o'i enau Archdderwyddol. Yn wir, yr oedd yn mwynhau ei hun gymaint fel na sylwodd fy mod yn sefyll wrth ei ysgwydd am tua hanner munud. Sylwodd yn raddol fod sawl un o'i gwmni yn syllu i'm cyfeiriad, a throdd ei ben.

'Noswaith dda, Huw.'

Edrychodd yn oeraidd arnaf fel petai'n ceisio penderfynu beth i'w wneud. Yna lledodd y wên barod ar draws ei wyneb.

'Jaci!' Gwelodd fod Lois yn sefyll y tu ôl i mi ac arhosodd i mi ei chyflwyno iddo. Wnes i ddim.

'Diwrnod da, Huw?' gofynnais.

'Diwrnod arbennig, Jaci. Cofiadwy.'

Roedd y bobol o amgylch y bwrdd wedi synhwyro fod rhywbeth ddim cweit yn iawn.

'Da iawn. Ges innau noson gofiadwy neithiwr hefyd.'

'O . . . ?' Ceisiai Huw edrych yn ddi-hid ond gwelwn ei feddwl yn gweithio ar garlam – sut oedd y ffordd orau i ddelio â'r sefyllfa fach chwithig yma?

'Do. Yli . . . ' ac amneidiais at un neu ddau o'r cleisiau gyda phendantrwydd. Roedd un neu ddau o'r bobol o gwmpas y bwrdd yn dechrau anesmwytho go iawn rŵan. Edrychodd Huw yn llawn consýrn.

'O – cas iawn – diflas ydi damweiniau yndê? Y . . . gwranda, Jaci – dwi ynghanol swper yn fama . . . '

'Dw inna ynghanol cês, Huw. A ma'r trywydd yn mynd yn boethach bob dydd.'

'Ydi o? Da iawn. Pob lwc . . . '

'A deud y gwir, mae o'n mynd mor boeth nes bod yna rywun yn trio gwneud niwed corfforol i mi i nghael i i roi'r gora iddi.'

Deudodd o ddim byd rŵan, ond roedd ei sylw wedi'i hoelio arna i.

'Ond 'di hynny ddim yn mynd i weithio. Mi ydw i'n rhy agos at y gwir. Ac mi ydw i'n mynd i ddal ati nes y do i o hyd i'r gwir, neu farw yn yr ymdrech.'

Eisteddodd Huw yno'n ystyried am ychydig, yna trodd at ei gynulleidfa â gwên.

'Wel, gadwch i ni obeithio na ddaw hi i hynny.'

Chwarddodd un neu ddau ychydig yn rhy uchel. Roedd y gwahoddiad i adael y cwmni yn amlwg.

'Gyda llaw, mae Gabriel Garcia de Morris yn anfon ei gyfarchion.'

Am y tro cyntaf erioed, gwyddwn fy mod wedi sgorio'n drwm yn erbyn Huw ap Elian. Un ai hynny neu fod Gabriel a'i ddiffyg disgyblaeth yn ddraenen gyson yn ei gynlluniau. Trodd at ei gwmni, a'u hannerch.

'Esgusodwch fi am eiliad, gyfeillion. Mae 'na rywbeth bach gennyf i'w drafod gyda'm cyfaill.' Amneidiodd ataf. 'Fydda i ddim dau funud.'

Arweiniodd fi allan o'r ystafell fwyta i gornel dawel.

'Wyt ti wedi mynd yn hollol dw-lal, Jaci? Be 'di dy gêm di?'

'Paid ag actio'r diniweityn efo fi, mêt. Wyt ti'n gwadu'r cysylltiad rhyngddot ti a de Morris?'

'Nacdw siŵr – mae o'n hen gyfaill.'

'Hen gyfaill o ddiawl. Dwyt ti'n cael wsnos dda Huw – Archdderwydd, ethol dy bobol di dy hun i'r swyddi pwysig, pawb yn meddwl dy fod ti'n sant! Sgwn i sut ti'n neud o? Sut mae pob peth yn digwydd disgyn i dy gôl heb i ti hyd yn oed orfod trio? Ydi o rwbath i neud efo'r Ddraig Goch tybad?'

Am yr ail waith o fewn pum munud, mi gefais ymateb.

'Y Ddraig Goch?'

'Be alli di ddeud wrtha i amdani, Huw? Ai'r Ddraig Goch sy'n gyfrifol am y miri yma i gyd, efallai?'

'Gwranda Jaci —'

'Na – gwranda di, washi. Dwi 'di cymyd un gweir gan dy thygs di ond fydda i ddim mor wirion eto. Gwna'r mwya o dy amsar ar y top. Fyddi di'm yna'n hir, pal.'

Ffromodd Huw.

'Wyt ti wedi colli dy synhwyrau, ddyn? Elli di'm mynd o gwmpas y lle'n gwneud cyhuddiadau heb unrhyw ffeithiau i gefnogi'r cyhuddiadau hynny!'

'Mi fedra i lle wyt ti'n y cwestiwn.'

'A be mae hynny i fod i feddwl? Aros – paid â deud

wrtha i – rydan ni'n mynd yn ôl tua deng mlynedd eto fyth, ydan?'

'Wnest ti ei dwyn hi odd' arna i, a wedyn nest ti'i—'

'Paid â'i ddeud o, Jaci – gad i mi dy helpu di i beidio â chael dy hun i ormod o drwbwl, er mwyn dyn.'

''Sa menyn ddim yn toddi'n dy geg di, naf'sa?'

'Olreit, Jaci Nora, gad ni siarad yn strêt am ddau funud. Lili adawodd chdi. Doedd 'nelo'r peth ddim â fi. Mi ddudodd fod y berthynas wedi oeri, wedi chwerwi, a bod hynny wedi tanlinellu cyn lleied oedd ganddoch chi'n gyffredin mewn gwirionedd. Ei gobaith hi, coelia neu beidio, oedd y byddech yn medru cael cyfnod o sefyll ar eich traed eich hunain, ar wahân, ac yna efallai ddod yn ôl at eich gilydd yn gryfach pobol, ond erbyn hynny roeddat ti wedi dechrau yfed a theimlo'n fwy a mwy hunandosturiol, ac felly fe drodd Lili ei serch tuag ata i. Ac mi fues mewn cariad efo hi nes y diwrnod y bu hi farw. Drwy ei chyfnodau isel – ac mi roedd 'na ddigon o'r rheiny – mi oeddwn i yna iddi. Fedri di ddeud yr un peth, Jaci?'

'Wnes i mo'i lladd hi, naddo?'

'Wela i ddim pam mae'n rhaid i mi amddiffyn fy hun rhag dy falais di, Jaci, ond mi wna i yr un tro yma. Wnes i mo'i lladd hi chwaith. Hunanladdiad oedd o. Mi oedd o'n bosibilrwydd parhaol, Jaci. Mi oedd hi'n dioddef o iselder.'

'Fasa hi ddim yn lladd ei hun.'

'Mae'n anodd gen innau gredu hefyd – hyd heddiw. Ond os ydi'r arbenigwyr yn deud mai dyna ddigwyddodd, sut fedrwn ni ddadlau yn eu herbyn? Ac efallai ei fod yn ffordd o ddygymod â'r peth hefyd. Mae hi wedi mynd, Jaci – wnaiff arteithio dy hun ynglŷn â'r gorffennol ddim dod â hi'n ôl.'

'Pam crogi'i hun efo rhuban glas? Pwy sens sy 'na'n hynna?'

'Jaci, dwi wedi bod yn reit amyneddgar efo ti. Mae dy ymddygiad y chwarter awr dwytha 'ma wedi bod yn annerbyniol, a deud y lleiaf. Rŵan – mae'r sgwrs yma ar ben. Dwi'n mynd yn ôl i orffen fy mhryd bwyd a dwi'n mynd i'w wneud o mewn llonyddwch. Os oes gen ti unrhyw fater pellach i'w godi ynglŷn â'r wythnos yma, Lili, Gabriel, y Ddraig Goch neu unrhyw beth arall mi fydda i'n eu trafod gyda thi drwy gyfreithiwr arall, ond mewn difrif calon, Jaci bach, fy nghyngor i i ti fuasai i chwilio am glinic yn rhwla i ti gael sortio ychydig bach arnat ti dy hun. Dwi 'di clwad o fwy nag un lle dy fod ti'n prysur fynd yn ffigwr truenus rownd y dre 'ma. Symud ymlaen, Jaci, neu ti'n mynd i foddi.'

Roedd y bygythiad yn amlwg yn ei eiriau olaf. Wrth adael, rhoddodd gip ar Lois a nòd iddi wrth basio. Prin y medrai hi edrych arno. Codwyd fy nghalon ychydig wrth sylweddoli nad oedd hithau'n reddfol yn ei hoffi chwaith.

Am yr ail waith y diwrnod hwnnw cwmni go dawedog gafodd Lois yn y bar. Penderfynasom nad oedd gan y naill na'r llall ohonom fawr o awydd bwyta ac felly meddiannwyd soffa gyfforddus mewn cornel dawel o'r bar. Yno yr eisteddasom yn yfed yn dawel, ac yn ysbeidiol, yn cynnal sgwrs doredig. Ymhen diod neu ddau, wrth gwrs, fe drodd y sgwrs at Lili.

'Rydach chi'n dal i'w cholli hi?'

'O'n i 'di cholli hi erstalwm. Ond wnes i byth stopio credu y bydda hi, ryw ddydd, yn dod yn ôl.'

'Roeddach chi'n ei charu yn fawr iawn.'

'Oedd gen i ffordd od o'i ddangos o . . . '

'Mae merch fel arfer yn gwybod.'

'Dyna 'di'r peth – fedra i ddim coelio be nath hi – a

hitha'n gwbod sut bynnag oedd petha rhyngddon ni, mod i yna iddi hi.'

Estynnodd ei llaw a gafael yn f'un i. A'r eiliad honno roeddem fel dau blentyn amddifad ar gwch heb angor. Gwelwn fod fy hiraeth i am Lili wedi tanio'i hiraeth hithau, a hawdd iawn fyddai i un peth fod wedi arwain at y llall. Roedd fy nghalon yn fy nghlustiau a'm llais yn gryg.

'Well i mi 'i throi hi am adra,' meddwn.

Sobrodd hithau.

'Ia . . . ' ochneidiodd.

Ffarweliais â hi ac addunedu i mi fy hun yr holl ffordd adra na fuaswn i byth yn gwneud dewis mor wirion eto.

GWENER

Diolch am y lliwiau. Ro'n i adref. Yn teimlo'n ryff. Fel arfer. Ac wedi rhedeg allan o sigaréts. Eto.

Wrth godi cofiais am Lois. A Huw ap Elian. A dechreuodd fy ngwaed gorddi am fwy nag un rheswm. Cofiais ei fod wedi ceisio fy nghywilyddio o flaen Lois – tric go siabi dan unrhyw amgylchiadau. Diolch byth ei bod hi wedi gweld drwyddo, neu . . .

Ac yna ystyriais. Neu be? Bum diwrnod yn ôl doeddwn i erioed wedi clywed ei henw, a rŵan roeddwn yn poeni be oedd hi'n feddwl ohona i? Callia wir dduw, hogyn.

Roedd gen i waith i'w wneud. Ac roedd gen i deimlad nad oedd canlyniadau gwaith ymchwil Hanna Barbra yn mynd i wneud pethau'n ddim haws.

'José Nadal?'

'Na.'

'Saul Ferino?'

'Na.'

Mi fentra i nad oedd hyn yn digwydd i Gari Tryfan.

'Dim byd felly?'

Petrusodd Hanna.

'Wel . . . mae 'na un peth . . .

A bu tawelwch.

'Ia?'

'Be t'isio – y newyddion da ta'r newyddion drwg?'

''Sa newyddion da'n chênj wsnos yma.'

'Ma Seilej 'di cracio'r cod.'

'O'n i'n disgwyl dim llai. A'r newyddion drwg?'

'Mae o isio cash.'

'A . . . '

Teimlais fy stumog yn rhoi tro.

'Felly fydd rhaid i un onon ni fynd draw 'na,' meddwn.

'Bydd . . . '

'Ti'n folyntîrio?'

Daeth golwg o arswyd dros ei hwyneb.

'O! Jaci, paid â gneud i fi fynd draw 'na plîs – dim 'yn syniad i oedd o, dy syniad di – plîs paid â gneud i mi —'

'Olreit, olreit – sadia. Mi a' i – paid â phoeni.'

'Diolch, Jaci,' meddai gyda rhyddhad, a dechrau hwylio panad i ddathlu. 'Panad?'

'Dim diolch. Rhaid 'mi fynd i'r cop shop – os 'dyn nhw yna . . . '

'Mae 'na un peth 'di nharo fi 'de . . . '

'O . . . '

'Rhag ofn bod ti'n meddwl na dwi'm yn gneud dim yn y swyddfa 'ma o ddydd i ddydd 'de . . . '

'Paid â phoeni am hynny rŵan. Ma raid 'mi ffonio Tom.'

'Be – ti'm isio clwad be sgin i ddeud?'

'Dio'n rwbath i neud efo'r cês?'

'Wel, yndi – rhyw lun . . . '

'Rhyw lun?'

'Ia . . . '

'Paid â deud 'tha i – un o dy theoris di.'

'Rwbath felly, ia.'

'Hanna – sgin i'm amsar i hyn. Ffeithia calad dwi angan dim dy *woman's intuition* di.'

'Ti'di bod yn lwcus ohono fo mewn achosion o'r blaen.'

'Sgin i'm co'.'

'Cythral powld. Gwranda rŵan 'de. Dwi'm yn siŵr os t'isio clwad hyn 'de, ond hyn oedd 'di 'nharo fi 'li —'

'Nacdw, Hanna – dwi ddim isio clwad hyn!'

Pwdodd Hanna. Penderfynais roi cyfle iddi.

'Oni bai fod 'nelo fo rwbath â Huw ap Elian.'

Nid ymatebodd.

'Ga i gymryd hynna fel na?'

Cymerais hynna fel na. Deialais rif uniongyrchol Tom yn ei swyddfa a chadarnhau y byddai yno am yr awr nesaf.

'Dwi'n mynd i Plas Plod, Hanna.'

Edrychodd yn bîg arnaf, yn trio penderfynu a wnâi ymateb ai peidio. Ni fedrai ymatal.

'I sbowtio am Huw ap Elian, mwn. Ddysgi di byth, na nei?'

'Wel ddeuda i 'that ti be. Tra dwi 'di mynd, pam na nei di ddal y llofrudd go iawn a wedyn gawn ni barti caws a gwin a sosej rôls i ddathlu!'

'Ella gwna i! Ella cei di sioc ar dy din!'

Gwenais yn dadol.

'Gwna dy ora, beth bynnag.'

Fel y camwn i'r stryd, clywn fŵg coffi'n cael ei hyrddio'n erbyn y drws nes ei fod yn deilchion. Pryn rad, pryn eilwaith . . .

'Lle ma Den boy gen ti, ta?'

'Dwi fan hyn.'

Trois i weld Dennis yn cario dau fŵg o goffi i mewn i'r swyddfa.

'Wel wel. Promoshyn 'na'm bach yn hir yn dŵad, dydi Den – dal i gartio coffi? Gwyn, un siwgwr plîs.'

Fflachiodd ei lygaid ond cadwodd reolaeth ar ei dymer. Gwenodd.

'Clywed bod 'na ddigwyddiad tua'r Labrinth noson o'r blaen. *Sori* bod ni heb gyrraedd mewn pryd.'

Doedd gan Tom ddim amynedd â'r lol yma.

'Ti yma am reswm, Jaci?'

Roedd ei ddiffyg amynedd amlwg yn dod fel ychydig o sioc. Mae'n amlwg fod yr ymchwiliad yn mynd yn wael. Anghofiais am y coffi.

'Huw ap Elian.'

'Be amdano fo?'

'Mae o mewn dros ei glustia.'

'Bydda'n ofalus, Jaci. Mae o'n ddyn â dylanwad, a rhyngthach chdi a fi, ma ganddo fo ffrind neu ddau mewn llefydd uchel hefyd.'

'Wel, wrth gwrs fod genno fo – sut uffar fasa fo 'di cal get-awê 'fo'i holl firi cyhyd fel arall?'

Syllodd Tom arnaf a'i feddwl yn amlwg yn gweithio'n galed. Sylweddolais wrth edrych i'w lygaid fod ganddo yntau ei amheuon dybryd ynglŷn â Huw ap Elian, ond i ba raddau? Un ai hynny neu mi oedd o mor despret i gael rhyw lychyn o olau dydd nes ei fod yn fodlon gwrando ar bron unrhyw beth.

'Be sgin ti, ta?'

Ac adroddais y rhan fwyaf o'r hyn roeddwn i'n ei wybod a'i amau, ac wedi'i brofi drosof fy hun. Gwrandawodd y ddau mewn tawelwch, gyda Dennis yn gwneud ati i fwynhau ei goffi tra gwrandawai. Wedi i mi dawelu, edrychodd y ddau ar ei gilydd.

'Dim byd concrit iawn fanna, na?' cyfrannodd Dennis.

''Di hynny'n golygu mod i'n dal yn cael bod dy breim syspect di, Den?'

'Swnio'n debyg i fi ma isio dial am y gweir wyt ti.'

Edrychais gyda thristwch arno.

'Dennis, Dennis – lle aethon ni'n rong dŵad?'

'Wastio amsar yr heddlu dwi'n galw peth fel'na.'

'A be ti'n neud fel arfar pan ti'n cal dy banad, ta? Paid â deud 'tha i, un llaw ti angen 'de . . . '

'Dwi'n meddwl eu bod nhw'n gyfres eithriadol o gyd-ddigwyddiadau,' meddai Tom. 'Ond mae 'na bethau ti'n amlwg ddim wedi eu deud wrthon ni.'

'Dwi 'di deud pob peth perthnasol.'

'Ond 'dio'm yn ddigon, Jaci.'

'Dwi'n gwbod. A fasa fo'n dal ddim yn ddigon taswn i'n bwrw 'mol chwaith. Ond mi fydda'n wirion i'w anwybyddu o. A mae 'na brif seremoni arall pnawn 'ma – 'dan ni'n gwbod be sy 'di digwydd yn y ddwy arall.'

'Deud un peth wrtha i.'

'Mi dria i.'

'Wyt ti wedi gwneud unrhyw fath o gysylltiad rhwng Huw ap Elian a Genghis Puw?'

Meddyliais yn hir.

'Naddo.'

Neidiodd Dennis at y cyfle.

'Pan siaradon ni efo chdi ddwytha, naethon ni ofyn i ti ffindio Genghis Puw i ni.'

'Do.'

'Yn lle hynny, ti'n cyflwyno pob math o theoris di-sail am un o hed honchos y dre 'ma. Sy'n arwain rhywun i ofyn y cwestiwn – wyt ti'n cymyd y piss? Ta 'di dy frên di'n dechra mynd yn sogi, falla?'

'Ara deg, DS,' meddai Tom. Edrychodd arnaf. 'Mae genno fo bwynt, Jaci . . . '

'Olreit,' medda fi. 'Welis 'i frawd o.'

'Sun Tzu?'

'Naci – Cochise.'

'Y bach 'di hwnnw, ia?'

'Wel, dim ond mewn cymhariaeth efo'r lleill . . . '

'A be oedd ganddo fo i'w ddeud?'

'Dim llawar.'

'Dim syniad lle oedd Genghis?'

'Na.'

Oedd hi'n amser da i sôn am Saul Ferino?

Penderfynais beidio. Dwi'n gwybod mod i'n ystyried Tom yn ffrind ond mae gan bob ditectif preifat ei hunanbarch. Do'n i'm i fod i helpu'r heddlu fwy nag oedd yr heddlu'n fy helpu i. Fel'na roedd hi wedi gweithio drwy'r oesau, a welwn i'm rheswm i bethau newid rŵan. Efallai mai coel gwrach oedd y Ferino 'ma beth bynnag – rhyw ddihiryn gwneud er mwyn codi ofn ar bobol, yn yr un modd ag yr oedd rhieni'r dre 'ma wedi defnyddio enw Seilej i godi ofn ar eu plant ers degawdau.

A ia – Seilej . . .

Doedd 'na byth adeg pan nad oeddwn i'n falch o gael gadael swyddfa'r heddlu. Ac roedd hi'n fore braf arall a gwres yr haul, chwarae teg iddo fo, yn gwneud ei orau i godi f'ysbryd. Ond buan y dechreuai suddo eto fel y nesawn at Ffos Wen a chartref Seilej.

Tu hwnt i'r tai cyngor roedd yna lwybr troed yn arwain i lawr at Nant Llygad ac, o groesi'r bompren ar ei thraws, i stad ddiwydiannol Waun Petryal ar ffordd Llanrafael. Ychydig lathenni oddi wrth ddechrau'r llwybr yma roedd caban pren a golwg fel petai ar fin disgyn arno. Hwn oedd cartref Seilej. Dros y blynyddoedd bu'r bwthyn hwn yn destun arswyd a braw i gannoedd o blant y dref, gyda'r canlyniad mai ychydig iawn o blant Ffos Wen âi i lawr at yr afon i chwarae. 'Paid ti â chambihafio, neu mi a' i â chdi i fwthyn Seilej!' 'Gna di'n siŵr bod chdi'n pasio'r bwthyn cyn iddi dwllu!' Dwi'n cofio clywed bygythiadau fel'na pan o'n i'n blentyn. Dwi'n cofio hefyd i chwilfrydedd fynd yn drech na Robin Sgowt a Keith Downs (brawd Les) pan oeddan nhw'n hogia, a'r ddau'n penderfynu eu bod nhw'n mynd i dorri i mewn i'r bwthyn i ddangos faint o jiarffia di-ofn oeddan nhw. Pan ddaethon nhw adra'r noson honno roedd Keith wedi'i cholli hi'n llwyr. Sterics mawr – wedi cael llond twll o ofn.

Fel arall oedd Robin Sgowt. Siaradodd o'r un gair am ddau ddiwrnod, a hyd heddiw a hwythau'n ddynion, doedd 'na'r un o'r ddau wedi adrodd gair wrth neb ynglŷn â'r hyn a welson nhw y noson honno. Mi fuodd yna dipyn o sŵn yn sgil hynny y dylai'r bwthyn gael ei ddymchwel a Seilej ei hel o'no, ond yno roedd o hyd heddiw. Am wn i fod y cyngor yn teimlo os gadawent i'r bwthyn ddymchwel ohono'i hun yr arbedai y gwaith iddyn nhw. Dal i ddisgwyl oeddan nhw.

Fel y gadewn y tai cyngor a chychwyn i lawr y llwybr, gallwn daeru fod y tymheredd yn gostwng. Do'n i'm wedi troedio'r llwybr ers blynyddoedd maith ac felly mi gefais dipyn o sioc o weld cyflwr presennol y caban pren. Edrychai fel bod darnau helaeth ohono wedi pydru drwyddo; yn wir, roedd yna dyllau amlwg mewn rhai llefydd. Fel y nesawn gwelwn fod y darnau pydredig yn gartref i bob mathau o fywyd gwyllt, boed yn wrachod lludw, ffwng, nadroedd cantroed neu falwod duon. Oedais cyn camu at y drws. Bûm yn ddigon hirben i alw heibio'r cemist ar y ffordd i 'nôl jar fach o Vicks. Agorais hi a rhoi ychydig ohono dan bob ffroen nes i'r croen losgi'n oer. Yna cymerais wynt dwfn a chamu at y drws. Digon o waith oedd medru dod o hyd i fan digon solet yn y drws i gnocio arno, ond cymerais fy siawns.

Clywais sŵn nid annhebyg i daran yn cylchruo yn y pellter.

'De-ewch . . . '

Agorais y drws yn araf, a daeth y pla i'm cyfarfod. Doedd gan y Vicks druan ddim gobaith. Coctel o arogleuon ymosodol megis effaith diffyg ymolchi am o leiaf chwe mis, llwydni, cyfog a thrwy'r mwrllwch llychlyd mi daerwn i mi weld corff ci yn gorwedd lle y disgynnodd. Ynghanol y mynydd o bizzas a thecawês wedi eu hanner bwyta a'r llygod mawr a'r pryfetach a'r tamprwydd a'r mysharŵms yn tyfu'n y carped a'r morgrug a'r chwain a'r cynrhon yn y ci, eisteddai Seilej. Dwi'n deud eistedd – yr oedd bellach wedi tyfu mor fawr nes fod breichiau'r gadair esmwyth yn ei ddal fel feis. Dwi'm yn siŵr a oedd ei din o'n cyffwrdd y gwaelod. Gwnes ymdrech eithafol i siarad heb besychu.

'Seilej . . . '

'Silas Jones i ti, Jaci Nora!' meddai'r hen ŵr, gan ollwng afonig fach o fflem hyd ei ên fel y siaradai.

'Silas Jones, sori . . . ' Byddwn wedi cytuno mai Iesu Grist oedd ei enw o petai'n golygu treulio eiliad yn llai yn yr uffern yma. 'Di dod â'ch pres i chi – cash – fel gofynsoch chi.'

'Faint?'

Do'n i'm wedi meddwl am hynny.

'Ugian?'

Chwarddodd Seilej gan lafoerio ychydig chwaneg yn y broses. Yna difrifolodd.

'Hanner cant.'

'Ia – iawn. 'Ma chi . . . '

Ceisiais basio'r arian iddo heb orfod mynd yn rhy agos ond gafaelodd yn fy llaw a'm tynnu nes oedd fy mhen yn ymyl ei un o. Gallwn arogli holl erchyllterau'r cread ar ei anadl. Gallai yntau arogli fy arswyd innau.

'Y c-cod?'

Edrychodd arnaf fel pe bai'n deffro o freuddwyd, ac yna gollyngodd fi.

'Hawdd. Colli'r "r" – symud yr "n" – "Corundum".'

'Ond dyna naethon ni!'

'Pam fy nhalu i ta?'

'Achos nad ydi Corundum yn golygu dim byd!'

Edrychodd arnaf yn chwareus.

'Wnest ti edrych yn y geiriadur, Jaci Nora?'

Teimlwn yn ffŵl amaturaidd. Y peth mwyaf elfennol i'w

wneud, hyd yn oed petai ond rhag ofn – roeddwn wedi methu â gwneud hyd yn oed hynny. Pam y gwnes i gymryd yn ganiataol y byddai neges gan Glyn yn llawer mwy cymhleth na hyn?

'Naddo.'

Dechreuodd Seilej chwerthin eto. Llond ei fol y tro hwn. Roedd yn olygfa arswydus – dwi'm yn synnu fod Robin Sgowt wedi methu siarad am ddau ddiwrnod.

'*Aluminium oxide.*'

'Sori?'

'Corundum.'

'Dyna 'dio – *aluminium oxide?*'

'Dyna ydi o'n gemegol. Ond dydi cemeg ddim yn deud hanner y stori weithiau.'

'Dwi'm yn dallt.'

'Er enghraifft, petaswn i'n deud "carbon" wrthat ti, am be fasat ti'n meddwl?'

'Dwn i'm, graffeit?'

'Ia, neu . . . '

'Deiamond?'

'Yn union. Mae *aluminium oxide* yn fwy gwerthfawr na hynny.'

'Mwy gwerthfawr na deiamond?'

'Fesul carat, yndi.'

'Dach chi'n mynd i ddeud wrtha i be ydi o, ta?'

'Mae o'n ddau beth.'

'Y?'

'Fe all fod yn saffir, fe all fod yn rhuddem – dibynnu ar ei liw – *sapphire* a *ruby* i ti gan bod ti'n dod o dre, Jaci . . . '

'Olreit – o'n i'n gwbod . . . '

'Roedd gan Glyn wybodaeth i ti ynglŷn â charreg werthfawr, efallai? Wyt ti'n un gwael am ddatrys posau, Jaci?'

'Drybeilig.'

'Mi fyddai hynny'n esbonio pam fod y cod mor wirion o hawdd. Ac yn esbonio pam yr ysgrifennodd dy enw i gadarnhau hynny.'

'Sy'n gadael yr "heddwch".'

'Wel mae Glyn yn gorffwys mewn heddwch rŵan. Oedd o'n gwbod ei fod o'n mynd i farw tybed?'

'Synnwn i datan.'

'Neu mae'r cysylltiad Eisteddfodol wrth gwrs – "A oes heddwch?" '

'Wel s'na'm llawar o hwnnw wedi bod yr wsnos yma, alla i ddeud wrthach chi.'

'Efallai fod yr Archdderwydd yn gwbod rwbath.'

'Mae o 'di'i ladd.'

'Efallai fod Ceidwad y Cledd yn gwbod rwbath.'

'Mae o 'di'i ladd hefyd.'

'Diddorol. Sy'n gadael un person sydd yn dal yn fyw ynghlwm â'r seremoni fach yma. Y bardd buddugol.'

''Dan ni'm yn gwbod pwy ydi o eto!'

'Mae o'n gwbod, yn dydi?'

'Neu hi. Ia, ond sut fasa Glyn yn gwbod hynny?'

'Mae gen ti bwynt.'

'Ond dach chi'n iawn. Ma'n rhaid i mi fynd i gadw llygad ar betha.'

Cymaint ag oeddwn yn werthfawrogol o'i gymorth mi o'n i bron â thagu gan ansawdd yr awyr yn y caban. Teimlwn fy mod wedi magu stôn ers bod yno, a hynny ddim ond ar fy 'sgyfaint. Ond gan ei fod wedi derbyn hanner canpunt am yr hyn a oedd yn gyfystyr â chwarae plant iddo fo, fedrwn i'm peidio â physgota am un darn arall o wybodaeth.

'Dudwch i mi, Silas, dach chi wedi clywed am ddyn o'r enw Saul Ferino?'

Oedodd yn hir cyn ateb.

'Naddo. Pam?'

'Mae o'n holi amdanoch chi, mae'n debyg,' rhaffais.

Edrychodd arnaf yn hir eto.

'Na. Dydi'r enw'n golygu dim i mi. Mae'n ddrwg gen i.'

Wedi ffarwelio a gorwedd ar fy nghefn am ryw bum munud ar y gwair y tu allan yn anadlu'r awyr iach, penderfynais fod yn rhaid i mi wybod llawer mwy am y bonheddwr Ferino. Roedd Seilej yn un sâl am ddeud celwydd. Mi oedd o wedi clywed am Saul Ferino, a'r hyn a welais yn ei lygaid, mor glir â grisial, oedd arswyd pur.

Corundum. Saffir neu ruddem. Heddwch. Be oedd Glyn yn ceisio'i ddeud? A pham wrtha i? Saffir neu ruddem. Oedd o'n gyfoethog? Saffir *a* rhuddem efallai? Pwy oedd yn gwybod rwbath am y petha 'ma? Pwy yn wir – pwy yn ei iawn bwyll fyddai'n arbenigwr ar gerrig heblaw rhywun â'i ben mewn llyfr rownd y ril a dim synhwyrau o'r byd o'i amgylch o un dydd i'r llall?

'Corundum? *Ruby* neu *Sapphire*, onid?'

'Ia, 'na chi.'

'Ydi chi'n dechrau busnes cerrig gem, efallai?' holodd Moth.

'Y – na, dim yn union.'

'A wel, dim busnes i mi unrhyw ffordd. Yna! Rwy'n argyhoeddwr fod gen i ganllaw i chi.'

Roedd be bynnag ddudodd o'n swnio'n gadarnhaol, felly rhoddais fy ngwên ysgol Sul orau iddo. Tyrchodd Moth ymysg rhyw gyfrolau lliwgar iawn yr olwg.

'Sut mae Mrs Moth gennoch chi, Stirling?' mentrais yn betrus.

'Sbanciog, diolch!' atebodd yn frwd. Argol, odd hwn yn

gwybod mwy nag oedd o'n gymryd arno, tybed? Yna cofiodd rywbeth.

'A ie! Tarawoch ar Jeffries?'

'Argol naddo! Gaethon ni ddrinc, 'de – dim byd mwy.'

Edrychodd Moth ychydig yn ddryslyd.

'Ond fe ddarganfyddoch fo?'

'Be?'

'Jeffries.'

'O, do tad. Ddwywaith.'

'Mae'n ddrwg?'

'M'ots . . . '

Goleuodd wyneb Moth yn sydyn a thynnodd un o'r cyfrolau lliwgar allan.

'A! Fe gredais! Darling Klandestine – maen nhw'n llyfr am bob achos dan yr haul!'

'O . . . y – da iawn . . . '

Roedd y Proff yn dechrau cynhesu i'w bwnc.

'Rwyf wedi eisoes darllen hwn ond mae'r cof yn pyllu.'

'Pylu.'

'Mae'n ddrwg?'

'Na, arbennig o dda, chwara teg.'

Edrychodd Moth yn od arnaf eto. Penderfynais gau fy ngheg a gadael iddo chwilota mewn heddwch.

'A! *Ruby*. *Lord of the Gems*. Wedi clywed am *Lord of the Gems*, Mr Lewis?'

'Y – do. Tolkien, ia?'

Newidiodd edrychiad Moth i un o dosturi. Os baswn yn penderfynu cau ngheg ddigon o weithiau efallai y baswn i'n gwneud.

'*More valuable and rare than top quality diamonds* . . . Reit, mae mwy gwerthfawr . . . ' dechreuodd Moth gyfieithu air am air. Roedd y llyfr yn un mawr. Gwelais fy mywyd yn fflachio o'm blaen.

'Y – s'na'm angan i chi gyfieithu, wchi, Stirling.'

Edrychodd yn syn arnaf.

'O? Ond mae mwynhad i mi . . . '

Teimlwn yn hen beth sâl, ond roedd amser yn brin. Sylweddolodd Moth hynny o edrych yn fy llygaid.

'Na phoendod. Ble'r oedd? *Mineral corundum. Hardness 9 on Mohs scale. Top rubies above 5 carats extremely rare. Finest examples Burmese – legendary mines of Mogok. Famous instances – Emperor's Heart, Scarlet Princess, Red Dragon of Burma, Blood Star* —'

'Be?'

Roeddwn wedi torri ar ei draws cyn i mi sylweddoli mod i'n gwneud.

'*Hardness 9 on* —'

'Na na na – yr enwau – be oedd yr enwau?'

'Y . . . *Emperor's Heart* . . y . . . Calon yr Emperawdwr.'

''Dio'm ots am gyfieithu!'

'Oh ok . . . *Scarlet Princess, Red Dragon of Burma* —'

'Hwnna!'

Prin o'n i'n medru cael fy ngwynt.

'*Red Dragon of Burma*?' Beth amdano?'

'Cyfieithwch o!'

'Oh gwneud dy meddwl i fyny, please!' ochneidiodd Moth. 'Draig Coch Byrma . . . Bwrma . . . '

'Yn union!'

Draig Goch Burma. Roedd y peth yn hollol eglur mwya sydyn – mor eglur fel y methwn gredu fy mod wedi bod mor wirion â pheidio ag ystyried y posibilrwydd yn llawer cynt. Nid *mudiad* mo'r Ddraig Goch o gwbwl, ond *carreg* – carreg mor werthfawr nes bod rhai pobol yn fodlon lladd er mwyn cael eu dwylo arni. Ond be ar y ddaear oedd ei chyswllt â'r rhan yma o'r byd? A faint o straeon y medrid eu hadrodd am ei thaith dros y canrifoedd o Mogok i ble bynnag yr oedd hi'n llechu'r eiliad hon? Holais Moth a oedd chwaneg o wybodaeth ond doedd dim mwy na'i henw. Roedd fy nghyffro mor danbaid â phe bawn yn ei dal ar gledr fy llaw yr eiliad honno! Y Ddraig Goch! O'r diwedd roedd gen i rywbeth cadarnhaol i afael ynddo. Diolch i Seilej. Medrwn ei gusanu. Olreit – fedrwn i mo'i gusanu ond roeddwn yn dra diolchgar iddo, serch hynny.

Ond ddim yn ddigon diolchgar i brynu'r llyfr, ystyriais wrth gerdded yn ysgafndroed drwy'r Siambals.

Wedi'r annifyrrwch rhwng Hanna a minnau yn y swyddfa y bore 'ma penderfynais nid yn unig mai hi fyddai'r cyntaf i glywed y newyddion da, ond y byddwn yn ogystal yn 'nôl ei beic o Garej Paradwys ar y ffordd i'r swyddfa. Ond fel y cerddwn hyd Deras Cryman, gyda'i olygfeydd godidog o'r castell a'r aber, bu bron i mi dagu ar fy sigarét. Drwy ddrws agored y lle teiars islaw gwelwn ben-ôl car du hynod o debyg i'r un geisiodd anharddu y beic a minnau'r diwrnod o'r blaen.

Cyd-ddigwyddiad, mae'n siŵr. Ond roedd yn rhaid bod yn sicr. Taflais fy sigarét a disgyn i lawr y grisiau cerrig i'r stryd islaw. Clywn sŵn radio'n dod o'r agoriad ond fawr ddim arall. Dim sŵn lleisiau, dim sŵn gwaith. Od.

A'm cefn at y wal allanol, edrychais yn araf rownd y gornel. Doedd dim dwy waith – roedd yn ddiawl o debyg i'r car welais i. Ac ar wahân i sŵn y radio, doedd 'na'm golwg fod neb yna – dim golau hyd yn oed. Do'n i'm yn hoff iawn o hyn gan y golygai y byddwn yn taflu cysgod wrth fynd i mewn, ond waeth heb â disgwyl bwyd llwy ryw lawer yn y gêm yma. Felly mentrais yn araf a gofalus, gan geisio cynefino mor sydyn â phosib â'r prinder golau.

Ond nid yn ddigon sydyn. Clywais sŵn uchel a phylodd y golau'n ddim gyda chlec oedd yn diasbedain. Yr oedd rhywun wedi cau'r *shutter* dur a weithredai fel drws i'r garej. Daliai'r radio i ganu'n aflafar ond fe daerwn ei bod yn uwch a mwy sinistr bellach – y sain yn adlewyrchu oddi ar y waliau, mae'n siŵr. Roedd yn rhaid i mi geisio cyrraedd y swyddfa a'r ffôn – dim yn hawdd gan ei bod fel bol buwch bellach, ond o leia gallwn symud i gyfeiriad y radio – a chymryd mai yn y swyddfa yr oedd honno.

Yna clywais sŵn traed ar goncrid a sylweddolais nad y tu allan ond y tu mewn yr oedd y person a gaeodd y drws. Os oeddwn yn amau nad oedd ei fwriadau'n dda cynt, fe wyddwn i sicrwydd yn awr.

Hyd y gwelwn, roedd gennyf un o ddau ddewis – un ai i geisio cyrraedd y swyddfa a chymryd y risg o gael fy nghornelu yno, neu i geisio cadw'r car du rhyngof a'm ffrind newydd. Dewisais yr ail. Wrth gwrs, hyd nes y baglais ar fy nghefn doeddwn i ddim wedi ystyried fod lle teiars yn debyg o fod yn llawn o deiars. Clywais y traed yn symud i'm cyfeiriad rywfaint, ond roedd yn dal yn anodd drybeilig clywed pob symudiad oherwydd sŵn y radio. Be ar y ddaear oedd y boi 'ma isio beth bynnag?

Fe'm hatebwyd gan fflach o olau a chlec oedd yn ddigon i sythu fy ngwallt, a dilynwyd hyn yn syth gan sŵn paen enfawr o wydr yn torri'n deilchion a sŵn y radio bellach yn fyddarol. Roedd wedi saethu ffenest y swyddfa.

Wel, doedd o'm isio siarad beth bynnag. Sylwais ar olau LED bychan gwyrdd a ddeuai o gyfeiriad y radio: gallwn ei ddefnyddio fel rhyw fath o gyfeirnod o'r lle'r oeddwn yn yr ystafell. Faint o ddefnydd fyddai hynny efo dyn yn ceisio fy saethu, do'n i'm yn siŵr, ond roedd yn well na dim. Ceisiais godi fy ysbryd drwy feddwl am wasgfeydd gwaeth y bûm ynddynt ond yn anffodus, yr eiliad honno, fedrwn i ddim meddwl am yr un.

Roedd hi bellach, wrth gwrs, yn amhosib i glywed sŵn

traed fy narpar-ddienyddiwr, ond ar y llaw arall ni allai yntau chwaith glywed fy rhai i. Ystyriais guddio mewn stac o deiars ond ni fyddai hynny'n para am byth – unwaith y byddai'r dihiryn yn rhoi'r golau ymlaen medrai ddod o hyd i mi lle bynnag y ceisiwn guddio. Ac yna ystyriais – pam nad oedd eisoes wedi rhoi'r golau ymlaen? Ac wedi ychwanegu at ei drafferth a'r olion a adawai drwy saethu ffenest y swyddfa? Sylweddolais mai'r unig ateb posib oedd am ei fod yn idiot, a chododd fy nghalon.

Fflachiodd y gwn eto a chamais yn ôl yn reddfol, gan faglu mewn teiar arall. Fel y disgynnwn clywn y fwled yn griddfan wrth daro'r wal y tu ôl i mi. Os mai ar hap y taniodd honna, roedd hi'n agos drybeilig. Ond fel y glaniais, teimlais y boen fwya rhyfeddol rhwng fy ysgwyddau. Gobeithiwn nad oeddwn wedi gwneud sŵn, achos do'n i ddim yn mynd i fedru codi ar fy nhraed am ychydig, os o gwbwl. Ceisiais fy ngorau, ond roedd y boen yn ormod. Ro'n i 'di torri rhywbeth mae'n rhaid. Be fedrwn i wneud?

Ac yna, diffoddwyd y radio.

Clywais sŵn ei draed yn crensian yn araf drwy'r gwydr toredig yn ôl o'r swyddfa i'r brif ystafell. Roedd yn rhaid i mi geisio codi.

Roedd o'n symud yn ofalus ofalus rŵan, ond yn araf ac yn sicr yn nesáu â phob cam. Doedd hyn ddim yn dda. Ewyllysiais fy hun i godi ar fy eistedd ar waetha'r boen. Gydag ymdrech eithafol, mi lwyddais, a theimlo fy nghefn i weld a oeddwn yn gwaedu.

Clywn ei droed yn rhoi cic ar ddamwain i'r teiar cyntaf y baglais i ynddo. Dim ond bonet y car oedd rhyngof a fo, felly. Cyffyrddodd fy llaw â haearn oer. Be gythral? Sbeidar! Dim rhyfedd mod i wedi diodda'r ffasiwn boen . . .

Roedd y traed bellach yn gwneud eu ffordd am gornel flaen y car. Amcangyfrifwn ei fod yn defnyddio'r car fel canllaw, felly os codwn yn araf – dim sŵn anadlu . . . Os penderfynai danio rŵan, mi fyddai'n o hyll.

Codais mor araf a thawel â phosib, gan glustfeinio am unrhyw sŵn a ddynodai ble'r oedd. Dim siw. Codais fy mraich yn barod. A safodd amser unwaith eto. Does gen i ddim syniad am ba hyd y safais yno yn y tywyllwch fel delw – fe allai mai eiliadau oedd, ond fe deimlai fel awr. Ar un adeg roeddwn i hyd yn oed yn dechrau meddwl mai breuddwydio'r oeddwn ac mai fi oedd yr unig un yn yr ystafell. Ond y gwir amdani oedd ein bod bellach mewn sefyllfa lle mai'r cyntaf i symud fyddai'n colli. Yn enwedig fi – o leiaf fe gâi o gyfle arall petai'n methu.

Yna, reit wrth f'ymyl, clywais y smic lleiaf o sŵn gwydr dan draed, a chyda gwaedd, colbiais y düwch droedfedd i ffwrdd gyda holl nerth panic y tu cefn i mi. Roedd sŵn y *wheelbrace* haearn wythgoes yn taro croen, asgwrn ac ymennydd yn un o'r pethau mwyaf anghynnes a glywais erioed, ond roedd y rhyddhad o beidio â chlywed y gwn yn tanio yn mwy na gwneud i fyny amdano fo. Clywn ei gorff yn disgyn yn bentwr i'r teiars, a'r gwn yn syrthio o'i law. Palfalais yn wyllt ar hyd y llawr o amgylch y lle y'i clywais ddiwethaf nes cael hyd iddo. Gyda hyder newydd, gwnes fy ffordd yn araf at y drws haearn ac, yn drafferthus, llwyddo i'w agor ymhen hir a hwyr. Ni fu smic o gyfeiriad fy mhoenydiwr drwy gydol yr amser.

Llifodd golau dydd i mewn i'm cartref dros dro afreal. Roedd y garej yn llanast, gwydr ymhobman a chorff ynghanol y teiars. Oedd o wedi marw? Fe deimlwn yn reddfol ei fod, ond allwn i'm bod yn siŵr. Pwy oedd o? Doeddwn i'm yn ei adnabod a doedd dim dogfennau o fath ganddo, dim ond ychydig o arian parod. A lle'r oedd Trefor Teiars yn hyn i gyd? Sychais fy olion bysedd oddi ar y sbeidar a chymryd golwg sydyn y tu mewn i'r car. Fel y tybiais – dim goleuni yn fama chwaith. Yna clywais sŵn car yn dynesu a fferrais – os byddai'r gyrrwr yn digwydd edrych i mewn wrth basio . . .

Ond wnaeth o ddim. Roedd ugeiniau yn pasio'r garej bob dydd heb ddangos dim diddordeb ynddi. Ond doedd o ddim yn lle i loetran, serch hynny. Cychwynnais am allan ac oedi pan ddaliodd rhywbeth fy llygaid ar lawr y swyddfa. Trefor. Aeth ias i lawr fy nghefn. Marwolaeth arall. Y Ddraig Goch wedi taro eto? Fedrwn i wneud dim i'w helpu felly gadawais y garej ar feic Hanna Barbra, mor sydyn a diffwdan ag y medrwn, gan bocedu'r gwn. Roedd y gêm yma'n mynd yn rhy beryg i fentro bod heb un bellach.

Roedd gen i ddigon i'w ddeud wrth Hanna ond doedd hi ddim yno. Ond mi oedd y botel wisgi. Ac mi oeddwn i angen un wedi anturiaethau'r oriau dwytha. Taniais sigarét ac ystyried y digwyddiadau yn y garej. Roedd yn union fel petai'r dihiryn, pwy bynnag oedd o, yn aros amdana i. Sut oedd o'n gwybod y byddwn i'n digwydd nôl y beic ar yr union adeg honno? Roedd yn amlwg mai gwas cyflog oedd o, neu fe fyddai'n dipyn gwell yn ei waith. Oedd 'na weision cyflog eraill yn llechu mewn llefydd eraill yn aros amdanaf? Oeddwn i'n dod yn rhy agos at ddarganfod gwirionedd y Ddraig Goch?

Twt. Paranoia. Roeddwn yn rhy agos i stopio rŵan. Beth bynnag, roedd 'na ormod o bethau oedd yn dal ddim yn gwneud synnwyr. Fedrwn i'm rhoi'r gorau iddi hyd yn oed petawn i isio, beryg.

Ond pan gamais allan i'r stryd, daeth yr amheuon yn eu hôl. Pwy a gerddai'n syth i'm cyfeiriad ond Cochise Puw – ar ei ben ei hun, diolch byth. Roedd yntau â golwg fel pe bai wedi bod yn aros i mi ddod allan o'r offis, ac fel y nesâi, ni thynnodd ei lygaid oddi arnaf am eiliad. Roedd 'na olwg fuddugoliaethus arno. Ofnais y gwaethaf, ond ystyriais fod yna ddigon o dystion o gwmpas. A chofiais am y gwn yn fy mhoced.

'Allright, dick?'

'Yndw, diolch. Titha?'

Roedd Cochise yn trio peidio chwerthin.

'Cicio bit of sense mewn i ti, naethon nhw?'

'Neith o'm digwydd eto.'

'Ti'n deud?'

'O yndw . . . ' Anwesais y gwn yn fy mhoced.

Difrifolodd Cochise.

'Word of advice, dick. Dwi'm yn gwbod what's your game, 'de —'

'Ma' hyn tu hwnt i gêm rŵan, Cochise.'

'Yeah, whatever. Word on the street ydi bod y big cheese on the move.'

'Ferino?'

'Ker-ching! Half-Italian half-Jew. Mafia connections a huge bankroll – ddim yn licio cael yn ffordd o, mate, know what I mean?' A chyda gwên faleisus cychwynnodd Cochise ar ei ffordd.

'Ma'n dod i *Gaerlloi?*' gwaeddais ar ei ôl.

'Watch your back, dick!' gwaeddodd yn bryfoclyd, heb droi i edrych hyd yn oed.

Roedd yr haul wedi gwenu ar yr Eisteddfod bob dydd o'r wythnos ond pennod go dywyll fyddai'r wythnos hon yn y llyfrau hanes, mi dybiwn.

'Helô f'anwylyd.'

'Doniol iawn, Mr Lewis. Braf gweld eich hwyliau'n gwella bob dydd.'

'Sgennoch chi docyn pafiliwn?' holais, er mwyn iddi gael ei phleser.

Goleuodd ei llygaid.

'Ylwch beth sy gen i yn fan hyn.'

'Tocyn pafiliwn?'

'Ia, cofiwch. Yr unig un ar ôl.'

'A pheidiwch â deud wrtha i – dach chi'm yn mynd i'w roi o i mi.'

'Dyna lle rydach chi'n anghywir.'

'Dach chi *yn* mynd i'w roi o i mi?'

'Dim yn unig hynny – dwi 'di gadw fo'n un swydd ar eich cyfer chi.'

'Sut o'ch chi'n gwbod baswn i'n dod heddiw?'

'Dach chi 'di bod yn fflyrtio efo fi ers deuddydd – o'n i'n rhyw ama y byddech chi'n ôl, rywsut.'

Arglwydd, dyna oedd hi'n feddwl oedd o? Merchad – rhyw ddydd fe gân nhw'u datrys.

'Dim chi 'di'r llofrudd, ia?'

'O, Mr Lewis – dach chi'n gês!' Gwyrodd ei phen ataf yn gyfrinachol. 'Dwi'n wraig weddw 'chi . . . '

'Dwi'm yn synnu.'

'O, ofnadwy dach chi!' Roedd y Don wrth ei bodd. Roeddwn yn dra balch fod yna wobr o docyn pafiliwn i'w dderbyn achos roedd y cyfarfyddiadau yma yn mynd yn fwy swreal bob dydd. Ffarweliais â hi heb ofyn ei henw, rhag ofn iddi gael y syniad anghywir – eto. Ro'n i'n tybio fod yn well gen i'r fersiwn anghyfeillgar.

Penderfynais fod amser am un sydyn a smôc yn y babell gwrw. Roedd hi'n lled brysur o'i gymharu â ddoe – roedd 'na gorau'n cystadlu, ma raid. Fel y safwn wrth y bar yn disgwyl fy nhro, baglodd dyn a'i wydr plastig at fy ochr. Dei Bôr. Edrychodd y ddau ohonom ar ein gilydd am eiliad. Ochneidiais.

'Gwranda Dei, dwi'n meddwl i mi fod braidd yn galad

arnat ti ddoe. Wnei di dderbyn peint gen i fel ymddiheuriad?'

Edrychodd arnaf yn amheus – ond nodiodd ei gytundeb. Archebais ddau beint ac arhosodd y ddau ohonom amdanynt mewn tawelwch. Wedi'u cael, pasiais un i Dei a thalu amdanynt.

'Iechyd da,' meddwn, gan ddechrau symud i ffwrdd.

Ni wnaeth osgo i'm dilyn, dim ond galw ar f'ôl:

'Ti'n mynd i ddeud 'tha i pwy wt ti, ta?'

'Nacdw.'

'Twat . . . '

Wedi drama'r seremonïau blaenorol roeddwn yn gobeithio am dipyn o anti-cleimacs y prynhawn 'ma, petai ond am y rheswm fod digon o bobol wedi marw eisoes, os gwir yr awgrym mai un garreg goch oedd tu cefn i'r holl firi. Do'n i'm yn siŵr be oedd gweddill y pyntars yn gobeithio amdano – mwy na mi a barnu oddi wrth eu hwynebau eiddgar wrth iddynt dyrru tua'r pafiliwn. Rhwng aelodau'r wasg a swyddogion diogelwch a phresenoldeb heddlu ucha'r wythnos, mi fyddai'r pafiliwn yn lwcus i fedru cynnig lle o gwbwl i'r cyhoedd beth bynnag. Ond roedd gennym ni'r etholedig rai docyn. Diolch Don. Fel y safwn yn y ciw i fynd i mewn gwelais y towt yn pasio gyda'i ambarél yn ei law. Edrychai fel pe bai'n hanner chwilio am rywun, ond gyda'r holl heddlu o gwmpas y lle does bosib na fyddai ei waith yn amhosib heddiw? Arhosais i'w lygaid grwydro dros y bobol wrth f'ymyl, ac unwaith iddo hoelio'i olwg arnaf, fedrwn i ddim peidio â chwifio fy nhocyn yn fuddugoliaethus. Edrychodd arnaf heb fawr o ddeall, a llai fyth o ddiddordeb, a cherddodd yn ei flaen.

Doeddwn i ddim wedi sylweddoli cyn ei darganfod fod fy sedd yn gymharol bell ymlaen o fewn y pafiliwn. Roedd hyn yn mynd i'w gwneud yn sobor o anodd i gadw llygad am unrhyw ddarpar asasin o'r tu cefn i mi. Ar y llaw arall, os oedd darpar asasin ar y llwyfan byddai'n haws ei adnabod – er bod pa mor gyflym y medrai unrhyw un ohonom ymateb i'w rwystro yn parhau'n gwestiwn.

Byddai Iolo Morganwg wedi gwirioni ar y tensiwn theatrig a lenwai'r pafiliwn pan dywyllodd y golau a'r cyrn yn annog yr Orsedd i wneud ei ffordd i'r llwyfan. Roedd 'Ymdaith y Brenin' yn swnio fwy fel y 'Death March' bob tro y'i chwaraeid yr wythnos yma. Ond wrth weld y gorseddigion yn paru ac yna'n ymdeithio'n hamddenol tua'r llwyfan, gan wenu ar aelodau o'r gynulleidfa, bron na fedrai rhywun fentro ymlacio ychydig – nes gweld y deryn dinistr ei hun yn y pellter yn ei wisg aur. Doedd hi ddim yn deilwng ohonof ond am eiliad gadewais i'r cwestiwn – ai tro Huw ap Elian fyddai hi heddiw – wneud ei daith o gwmpas fy mhen.

Ond pharodd yr eiliad ddim yn hir. Denwyd fy llygaid gan Elfair Cristiolus yn canolbwyntio i'r eithaf ar gario'r cledd mawr heb wneud smonach o bethau. Druan ohoni. Oedd Huw ap Elian yn cymryd y mic? Rhoi'r swydd fwyaf cyhyrog i'r ferch leiaf yn yr Orsedd? Os bu rhybudd yn erbyn peryglon hapchwarae erioed, hwn oedd o.

Ond llwyddodd i esgyn i'r llwyfan, a chyda'r Archdderwydd yn ei dilyn ar gyfer ei ail seremoni, goleuwyd yr Orsedd. Ac anodd oedd i'r sinic eithaf beidio â theimlo eiliad o wefr.

A thra bod y gynulleidfa'n tynnu ei hanadl fel un, gwelodd Huw ap Elian, y perfformiwr craff ag yr oedd, y cyfle i ailosod ei awdurdod a'i ewyllys ar y seremoni. Nododd ei anfodlonrwydd ynglŷn ag ymddygiad rhai echdoe a ddylent wybod yn well, a hyderai y byddent yn anrhydeddu yn hytrach nag anrheithio'r seremoni heddiw. A barnu oddi wrth y bonllefau o gymeradwyaeth o amgylch y pafiliwn, roedd y gynulleidfa, o leiaf, yng nghledr ei law. Ond er iddo gael ychydig mwy o ymateb na chynt o'r llwyfan, roedd y tensiwn ar y wynebau yn darogan gwae.

Ac aeth y seremoni rhagddi. Canwyd Gweddi'r Orsedd gan dderwydd mor hen fel y gallai fod yn Iolo Morganwg ei hun. Llwyddodd Huw i gadw'i anerchiad yn syndod o fyr cyn galw ar y tri beirniad i'r llwyfan, a Ken Elis i draddodi. Daeth Ken at y meic, a'r ddau feirniad arall yn eistedd ychydig yn hunanymwybodol ar ddwy gadair blastig, a edrychai mor anghydnaws o flaen crandrwydd yr Orsedd. A dechreuodd.

Rŵan, un o'r pethau oedd wedi 'nharo fi yn y seremoni'r diwrnod o'r blaen oedd y busnas chwara mig efo'r gynulleidfa ynglŷn â'r cwestiwn oedd 'na deilyngdod ai peidio. A heddiw mi oedd hwn wrthi eto. Nid fel'ma oedd hi erstalwm. Ro'n i'n ffindio'r peth braidd yn blentynnaidd, a deud y gwir – duda pwy sy 'di ennill wir dduw, ac wedyn gei di ddeud os 'dio ddigon da. A chwara teg, ma raid bod 'rhen Ken wedi clywed fy ngweddi, achos o hynny allan mi draddododd heb bwt o gopi, a dyfynnu o'r cerddi ar ei gof, nes bod gên pawb yn cyffwrdd y llawr. Dim ond rhyw ddeg yn y pafiliwn oedd yn dallt be oedd o'n ddeud, wrth gwrs, ond roedd hi'n goblyn o sioe.

A daeth at y gerdd orau, a dyfynnu darnau ohoni. A diawl – oedd hi'n swnio'n dda i mi. Ond yna, er mawr sioc i bawb (oddi wrth yr ymateb), dyma fo'n troi rownd a deud eu bod nhw'n hollol unfrydol fel beirniaid nad oedd hi'n deilwng o gadair yr Eisteddfod. Petai o wedi ei gadael hi ar hynny efallai y byddai'n ddiwedd ar y mater. Ond fel yr aeth i ysgwyd llaw'r Archdderwydd, rhoddodd Ken winc arno ac fe wyddai'r rhai â'i gwelodd fod yna ryw ddrwg yn y caws. A dyna'r fflam wedi'i thanio.

Neidiodd sawl cynganeddwr ar ei draed dan brotestio'n fygythiol. Ymatebodd y llenorion gan grechwenu ac annog y beirdd i ymosod arnyn nhw 'os oedden nhw'n ddigon caled'. Ceisiai Huw a'i uwch-swyddogion weiddi synnwyr ond roedd tensiwn yr wythnos ar fin berwi drosodd, a phan daflwyd y dwrn cyntaf roedd hi'n bedlam ar y llwyfan. Plannai pob gwisg o bob lliw i mewn i'w gilydd, wedi'u meddiannu gan gasineb llwyr tuag at eu gwrthwynebwyr. Clywyd gwaedd 'Amddiffynnwch yr Archdderwydd!' a cheisiodd catrawd o lenorion amgylchynu Huw ap Elian er mwyn ei hebrwng yn ddiogel oddi ar y llwyfan.

Erbyn hyn roedd yr heddweision agosaf wedi cyrraedd y llwyfan – nid mater hawdd, gan fod y gynulleidfa, am y trydydd tro'r wythnos yma, yn prysur ddianc nerth eu gwadnau o'r pafiliwn mewn panig llwyr. Ai fi oedd yr unig un na wrthwynebai i'r Archdderwydd gael stîd? Ond ni châi wrth gwrs – roedd eisoes hanner ffordd at gefn y llwyfan, ond poenus o ara deg oedd y daith. Erbyn hyn roedd mwy o'r beirdd wedi sylwi fod ffocws eu rhwystredigaeth yn ceisio dihangfa, a throesant eu sylw i geisio'i atal rhag gwneud. Mewn sawl rhan o'r llwyfan, roedd dau dderwydd yn colbio'i gilydd am a fedrent, er nad oedd y cobannau yn caniatáu llawer o le i symud y bachau'n hollol rydd. Gwelais Elfair Cristiolus a Melangell Fazackerly yn ceisio tagu'i gilydd – od – o'n i'n meddwl fod y ddwy yna ar yr un ochor . . . Gynau gwynion, gwyrddion, gleision dros y llwyfan ymhob man ac ambell siwt ddu'n ceisio eu gwahanu – ac yn y canol, y ddwy gadair, a'r cleddyf mawr ar ei hyd ar lawr – yr unig ardal o'r llwyfan lle'r oedd yna unrhyw fath o heddwch.

Ac yna fe wyddwn lle cuddiodd Glyn y Ddraig Goch.

'Heddwch'.

Neidiais o'm sedd a phlannu am y llwyfan. Ceisiodd un o'r heddweision fy rhwystro ond roedd yna ormod o gyrff yn hedfan o gwmpas iddo fedru canolbwyntio arna i'n llawn, a dihangais o'i afael. Baglais fy ffordd at y cleddyf, gan osgoi ergydion a chiciau, a'i godi, â thrafferth, ar draws breichiau'r gadair. Pan geisiodd un o'r derwyddon fy rhwystro, rhoddais glec iddo ar draws ei ên a disgynnodd yn ei ôl i ganol y pentwr derwyddon oedd yno eisoes. Tynnais y cledd mawr o'r wain a'i godi o'm blaen. Erbyn hyn, roedd rhai o'r ymladdwyr wedi dechrau sylwi ar y sioe fach yma ond rhag ofn nad oeddwn yn cael sylw pawb, rhoddais waedd o'm hymysgaroedd a drodd pob pen i'm cyfeiriad. Am eiliad bron nad oedd yna lonyddwch. Yna, â'm holl nerth, teflais y cleddyf mawr mor uchel i'r awyr ag y medrwn. Hedfanodd yn urddasol i gyfeiriad cefn y llwyfan a Huw ap Elian, a hypnoteiddiwyd pawb wrth ei wylio. Yna, wedi cyrraedd uchafbwynt ei lwybr, plymiodd â'i lafn yn gyntaf yn ddiwyro nes plannu ei hun â chlec i mewn i lawr y llwyfan.

Yn araf, trodd pob llygad oddi wrtho ata i.

''Na fo – mi stopiodd hynna chi, do?' medda fi. Rhoddais winc ar Huw ap Elian.

'Heddwch,' meddwn.

A chan eu gadael yn gegrwth, crwydrais oddi ar y llwyfan ac am y drws agosaf, gan anwesu'r lwmpyn mewn cadach yr oeddwn wedi ei achub o'r wain tra oedd pob llygad yn y lle wedi'i hoelio ar yr awyr.

'Jaci!' galwodd Huw ar fy ôl.

Arafais fy ngham.

'Mae'n rhaid i ni gael sgwrs!'

Trois i'w wynebu.

'Sgwrs? Chdi a fi? Am be dŵad?'

'Ynglŷn â neithiwr. Sgwrs breifat.'

'A pha mor saff fyddai un o'r rheiny, tybad? Na, dwi'm yn meddwl, Huw.'

'Jaci!'

Ond roeddwn wedi camu i oleuni diwedd y pnawn, a'm calon yn curo'n gynt na'r miwsig a ddeuai o'r babell ieuenctid gerllaw.

Teimlwn fod pob llygad wedi eu hoelio arna i wrth i mi groesi'r maes am yr allanfa, ac ni thynnais fy llaw o'm poced un waith, ar wahân i dalu gyrrwr y bys i'r dre. Mi daerwn mod i'n cael fy nilyn bob cam o'r ffordd i'r swyddfa ond ar ôl cerdded rownd un neu ddwy o'r strydoedd cefn a dyblu'n ôl, teimlwn yn fwy hyderus mai fy mharanoia i oedd yr unig beth a oedd yn f'ymlid.

Doedd dim golwg o Hanna yn y swyddfa. Cloais y drws o'm hôl. Yna, yn ddefodol bron, tynnais y lwmpyn meddal o'm poced a'i osod ar y ddesg. Eisteddais, a'm calon yn fy ngwddw. Yna'n araf, agorais gorneli'r cadach nes datgelu'r hyn roedd yn ei warchod.

Y Ddraig Goch.

Dwn i'm am faint y bûm i'n eistedd yna'n syllu arni ond y gwir plaen oedd na fedrwn dynnu fy llygaid oddi arni. Doeddwn i erioed wedi gweld rhuddem go iawn felly doedd gen i'm syniad be i'w ddisgwyl. Yn sicr dim byd mor hardd â hyn. Roedd ei lliw fwy ar yr ochr binc nag oeddwn i'n ei ddisgwyl ond eto roedd dwyster y golau drwyddi'n gwneud i rywun feddwl am dân yn mudlosgi. Pan darai llafn o olau'n uniongyrchol ar ei gwyneb llwyddai i greu'r effaith mai ansawdd o sidan oedd iddi ond eto, ffordd bynnag y symudai rhywun y garreg, roedd yna seren lachar wen yn taro'r llygaid mewn modd oedd bron yn hypnotig. Ac roedd ei maint yn fwy na digon i'm hargyhoeddi mai hon yn wir oedd y greal sanctaidd yr oedd pobol yn fodlon lladd drosti. Ac wedi gwneud dros y canrifoedd, mae'n siŵr. Ac yn debygol o wneud eto.

Ac roedd hi rŵan gen i.

Cachu mot.

Pan oeddwn yn cyflawni fy nhric consuriwr gyda'r cleddyf yn y pafiliwn, roeddwn i wedi anghofio un peth. Roedd yr holl bantomeim yn mynd allan yn fyw ar y teledu. A, wel, doedd bywyd ddim mor felys â hynny beth bynnag. Yr unig obaith oedd gennyf oedd bod y criw camera yn ddilynwyr golff, ac wedi dilyn y cleddyf yn reddfol. Waeth heb â phoeni am hynny rŵan – fe gymerwn yn ganiataol fy mod mewn peryg. Mi fyddai'n rhaid cuddio'r Ddraig yn syth.

Ac yna daeth cnoc ar y drws. Cnoc araf, bwrpasol, fel pe bai'r sawl oedd y tu allan yn gwybod yn iawn mod i yma – ai fi oedd yn dychmygu pethau eto? Wedi'r cwbwl, doedd perygl ddim yn cnocio cyn ymweld – nag oedd?

Daeth cnoc eilwaith, ac ysgydwyd y drws ychydig fel petai'n cesio profi a oedd wedi'i gloi ai peidio. Roeddwn wedi delwi ac wedi anghofio anadlu am ychydig funudau hefyd, mi dybiwn. Ceisiais, yn araf a thawel, lapio'r Ddraig yn y cadach i'w rhoi yn fy mhoced. Ond fel y dechreuwn wneud hynny, gwelais gysgod ar y ffenest – rhywun yn gwasgu'n agos ati i geisio edrych i mewn. Diolch i'r effaith farugog ar y gwydr ni fedrai wneud hynny ond byddai unrhyw symudiad o'm heiddo yn denu'i lygaid. Safodd y ddau ohonom yn berffaith lonydd. Mi daerwn ei fod yn chwarae mig â mi ac yn gwybod yn iawn mod i yma. Yna cofiais am y gwn, a theimlais ychydig yn well. Do'n i'm yn rhy hoff o'r ffaith fod cofio bod gen i wn yn anorfod yn gwneud i mi deimlo'n well, ond nid dyma'r adeg orau i boeni am egwyddorion o'r fath, mae'n siŵr.

Ciliodd y cysgod, ond ymhen ychydig daeth cnoc arall

ar y drws – mwy diamynedd y tro yma. Manteisiais ar y cyfle i estyn y gwn o'm poced a chwiliais am le mwy addas i guddio. Buan iawn y deuthum i'r casgliad fod tu ôl i ddesg gystal ag un lle arall, a swatiais yn fy sêt yn barod am beth bynnag ddôi drwy'r drws neu'r ffenest. Arhosais. Tawelwch. Clustfeiniais am y sŵn lleiaf, ond doedd dim. Ddylwn i symud? Gwell peidio. Disgwyliais ychwaneg. Roedd pobman fel y bedd.

Yna canodd y ffôn wrth fy mhenelin.

Bu bron i'm pen daro'r nenfwd. Wedi canolbwyntio cymaint ar y tawelwch roedd hi'n swnio fel cloch eglwys. Doedd fiw i mi ei hateb, nid yn unig byddai unrhyw un o'r tu allan yn gwybod yn syth fod yna rywun yma, ond hefyd gan mai'r siawns debycaf oedd mai'r dihirod oedd yn gwneud y ffonio. Canodd am hir, a phob caniad yn breuo ychydig mwy ar fy nerfau. Yna stopiodd.

Fe daerwn fod ei hatsain i'w glywed o amgylch y swyddfa am tua pum munud. Nid oedd smic o'r tu allan o hyd. Roedd hi'n prysur ddod yn amser i wneud penderfyniad. Fedrwn i ddim aros yma drwy'r nos. Os oedd yna rywun yn stelcian y tu allan, does bosib y byddai rhywrai oedd yn pasio o bell wedi dechrau eu llygadu'n amheus erbyn hyn? Ac roedd yn gas gen i fod mewn sefyllfa oddefol yn hytrach na gweithredol.

Canodd y ffôn eto.

P'un ai diffyg amynedd, nerfau brau neu ryw chweched synnwyr oedd yn gyfrifol, ni oedais y tro yma cyn codi'r derbynnydd at fy nghlust. Ni ddywedais ddim.

Clywn sŵn anadlu afreolaidd – merch yn crio.

'Jaci . . . ?'

'Raquel? Be sy?'

Yna gafaelodd llaw oer yn fy nghalon.

'Sunsur!'

'Naci. Hanna . . . '

'Hanna? 'Di brifo?'

'Yndi.'

Doedd Raquel ddim yn un i wneud ffŷs, a doedd hi'm yn un i grio chwaith. Ofnwn y gwaethaf.

''Di brifo'n ddrwg?'

'Yndi.'

'Lle?'

'Lawr wrth y cei.'

''Na i dy gwarfod di yno mewn pum munud —'

'Na.'

'Lle ta?'

'Y morg . . . '

Hanner awr yn ddiweddarach roeddwn yn sefyll yn anghrediniol yng ngwmni Raquel, Stan, Tom a Dennis yn edrych ar yr hyn oedd, naw awr ynghynt, yn Hanna Barbra Adams – cês, cyd-weithiwr a choman jac. Roeddwn wedi gorfod cymryd siawns a chuddio'r Ddraig yn y swyddfa – nid y lle delfrydol, ond allwn i ddim mentro'i chario ar fy mherson. Tawedog iawn fu'r siwrnai i fyny gyda Raquel. Roedd pennau'r ddau ohonom yn llawn o atgofion a chwestiynau. Pam oedd yn rhaid i Hanna a minnau ffraeo'r bora 'ma? Be oedd ganddi dan sylw? Sut oedd ei lladd yn helpu'r llofrudd?

Cerddodd Raquel at ei chorff a syllu'n dawel arni am rai munudau. Yna estynnodd law'n dyner fe pe bai i gyffwrdd â'i boch, ond tynnodd hi'n ôl yn sydyn wrth deimlo oerfel y corff. Yna gosododd ei llaw yn ôl eto a sefyll yna'n dawel. Edrychodd ar Tom, a nodio'i chadarnhad.

'Diolch, Miss Adams,' meddai Tom. 'Mi aiff Detective Sergeant Thompson â chi allan.'

'Ma'n iawn, Tom,' meddwn i gan estyn fy llaw at Raquel.

''Swn i'n licio gair sydyn os ca i, Jaci,' meddai Tom.

'O . . . wel . . . ' Edrychais ar Raquel ond roedd hi eisoes ar ei ffordd allan fel pe bai mewn breuddwyd, a Dennis ar ei hôl. Gwyliais hwy'n diflannu i'r coridor y tu allan.

'Be sy?'

Edrychodd Tom yn od arnaf.

'Meddwl 'sat ti'n licio gwbod sut bu hi farw, 'na i gyd . . . '

Sobrais, ac edrych ar gorff Hanna.

'Wel, a bod yn gwbwl onest efo ti, yn yr achos yma 'sa well gen i beidio.'

'Dwi'n dallt. Ond mae gennon ni waith i'w wneud.'

'A 'dan ni'm yn neud o. Ti'n iawn.' Anadlais yn ddwfn. 'Ffeiar awê.'

Rhoddodd Tom nòd i Stan. Gwingodd hwnnw yn anesmwyth ei fyd.

'Ma'n ddrwg gin i, Jaci.'

'Diolch, Stan.'

Cliriodd Stan ei wddw.

'Reit . . . roedd 'i 'sgyfaint hi'n llawn o ddŵr, ond yn ogystal â hynny, ma ganddi hi gleisiau dyfnion iawn ar ei gwegil a chefn ei phen.'

'Dim damwain, felly.' Syrpréis syrpréis.

'Go brin. Efo un marc efallai, ond 'swn i'n deud bod rhywun wedi ei tharo hi'n o hegar ddwy waith cyn ei thaflu i'r dŵr. Jyst theori ddechreuol, wrth gwrs.'

'Wrth gwrs . . . '

Hanna Hanna Hanna – fi ddyla fod ar y llechan yna rŵan, nid y chdi. I be oedd isio i ti fynnu temtio ffawd er mwyn profi pwynt? Be wna i hebdda ti, dŵad? Olreit, geith dy sgiliau ditectyddol di mo'u colli – neu gawn nhw? Wedi'r cwbwl, ma'n ymddangos i ti ddod o hyd i'r llofrudd, yn do? Edrychais ar Tom.

'Genghis?'

'Dyna mae Thompson yn 'i feddwl.'

'Bobol bach. Dim fi felly?'

'Unrhyw sôn amdano fo, Jaci?'

Gwgais.

'O'n i ar faes y Steddfod pnawn 'ma – 'swn i'm yn gwbod.'

'Ia, glywis i.'

'Clwad be?'

'Bod 'na dipyn o sioe tua'r Steddfod 'na. A ma' ti oedd y seren.'

'Stopis i ffeit, do?'

'Oeddat ti'n y Steddfod y bore 'ma, ta?'

Edrychais yn amheus arno.

'Pam?'

'Pa mor dda ti'n nabod Trefor Teiars?'

'Ddim felly. Pam?'

'Ychwanega fo i'r rhestr.'

'Rhestr?'

'O gyrff.'

'Trefor?'

'Trefor, ia,' meddai Tom yn amyneddgar. Mi daerwn weithia 'i fod o'n gweld yn syth drwydda i.

'Unrhyw syniad pwy nath?' gofynnais wysg tin.

'Dim mwy na'r lleill.'

'O . . . ' mentrais.

'Ond mae 'na dystiolaeth ddiddorol iawn – ffenast wedi torri, olion saethu ond dim bwledi. *Spider wheelbrace* â gwaed arno ond dim corff.'

'O'n i'n meddwl bod ti'n deud bod Trefor 'di marw.'

'Dim gwaed Trefor oedd ar y sbeidar.'

'Dwi'm yn dallt.'

'Os ti'n deud, Jaci. 'Y namcaniaeth i a Thompson ydi fod Trefor wedi cael ei ladd gan rywun anhysbys, a bod hwnnw'n ei dro wedi derbyn sbeidar yn ei ben gan foi oedd o wedi saethu ato o leia ddwywaith. Uffarn o foi. Wedi i hwnnw ddengid, mi ddaeth mêts y llofrudd gwreiddiol i chwilio amdano fo, ei gael yn gorff, a'i symud o – a hynny o dystiolaeth fedren nhw ddod o hyd iddi – o'na gan adael dim ond Trefor, y ffenest ac olion y bwledi. Dwi'n agos ati?'

'Pam ti'n gofyn i mi?'

Edrychodd Tom yn hir arnaf cyn ochneidio.

'Dwn i'm. Rhyw syniad bach y medrat ti daflu goleuni ar y mater. Ond ti'm wedi taflu llawer o ddim i'n cyfeiriad ni hyd yn hyn, naddo?'

'Hei, stedi on 'ŵan, Tom . . . '

'Jaci, os nag wyt ti wedi sylwi, mae 'na bobol yn marw o dy gwmpas di ym mhob man. Helpa ni i dy helpu di, ia?'

'Ers pryd ma gen Dennis ddiddordeb yn fy helpu fi?'

'Gad Dennis i mi. Rŵan, oes 'na rwbath ddylwn i wbod?'

Edrychais ar Hanna druan. Yna ar Stan yn edrych yn ddisgwylgar. Yna ar Tom.

'Be ti'n wbod am Saul Ferino?'

Be bynnag oedd Tom wedi bod yn ei ddisgwyl, nid hynna oedd o.

'Pwy?'

'Saul Ferino – *big cheese* draw tua'r Eidal 'na.'

'Be ddiawl sydd 'nelo boi o'r Eidal â llofruddiaethau sydd wedi bod yn digwydd yng Nghaerlloi?'

'Lot . . . Dim . . . Dwi'm yn siŵr.'

Doedd Tom ddim yn hapus.

'Ma'n rhaid ti wneud yn well na hyn, Jaci.'

Edrychais eto ar gorff Hanna. Ffromais.

'Ydi hi? 'S'na'm rhaid 'mi neud dim byd, Tom. Ond

dwi'n cynnig lîd i chdi – o bosib yr allwedd i'r holl beth – a ti'm isio gwbod!'

'Lle ma Genghis yn hyn?'

'Bosib bod o'n gweithio i Ferino.'

Edrychai Tom yn amheus.

'Meddwl am y peth, Tom! Pwy bynnag sy wrthi – ma nhw'n dda. Mae marwolaeth Hanna bron yn flêr mewn cymhariaeth â'r rhan fwya o'r lleill, ond ma hynny am y rheswm syml nad oedd Hanna i fod i gael 'i lladd.'

'Sut ti'n gwbod?'

'Rwbath ddudodd hi bora 'ma. Dwi'n meddwl bod Hanna wedi ffindio'r llofrudd bron ar ddamwain ac felly roedd rhaid cau ei cheg hi'n sydyn – o bosib yn y fan a'r lle.'

'A be sydd 'nelo hynny â Saul Ferino?'

'Eto, dim ella. Ond 'dio'm bwys pa mor dda wyt ti fel llofrudd, ma rhaid i ti gal pres, a gora oll os oes 'na glowt tu cefn i ti hefyd.'

'A mae'r ddau gan Ferino?'

'Felly ma nhw'n deud.'

'Felly mi wyt ti'n meddwl ar hyd yr un llinellau â Thompson?'

'Nacdw, gobeithio.'

'Mai Genghis sydd wrthi gyda chefnogaeth rhywun o'r tu cefn iddo.'

''Dio'n gneud sens i ti?'

'Yndi. Ond lle mae hynny'n gadael Huw ap Elian?'

Ochneidiais.

'Ia. Mae 'na rwbath ar goll, dwi'n gwbod. Ond ma'n bosibiliad beth bynnag . . . '

'Ond sut mae rhywun yn mynd i ddechrau cael gafael ar y Ferino 'ma?'

'A – wel . . . '

'Deud . . . '

'Ma'n bosib bod Mr Ferino yn dod draw i edrych amdanon ni . . . '

'A sut gwyddost ti hynny?'

'Achos dwi'n meddwl bod 'rhen Genghis yn gwneud cachfa o gal gafal ar rwbath ma Ferino isio.'

'Sef?'

Ystyriais ddeud wrtho fo – ond na. Ro'n i mewn sefyllfa ddigon peryg fel roedd petha.

'Dwi'm yn siŵr.'

'Wel dwi'n gobeithio dy fod ti'n iawn, Jaci – achos y mwya rhwystredig mae Genghis yn mynd i fynd, mwya o bobol mae o'n mynd i'w lladd. Mi fasa'n talu i ti gadw hynna mewn cof.'

'Saff o neud.'

'Reit.' Edrychodd Tom o'i gwmpas yn flin. 'Cadwch y corff 'na bellach, Lloyd . . . '

Ac ar y nodyn diamynedd yna y canais fy ffarwél olaf â'r fflach o liw mewn byd llwyd a ydoedd Hanna Barbra.

'Ma raid ti ffindio Sunsur, Raquel.'

Ro'n i wedi treulio hanner awr frysiog yn chwilio'r strydoedd amdani tra'n ceisio cadw 'mhen yn isel yr un pryd, ond doedd 'na'm golwg o'r hogan fach yn unlle. Cyrhaeddais yn ôl i'w chartref i ddarganfod ei mam yn cerdded o gwmpas y tŷ fel pe bai mewn breuddwyd, yn gwneud panad o de a thwtio petha nad oedd angen eu twtio.

'Raquel!'

'Hmm?'

'Dwi'n gwbod bod ti mewn sioc, ond ma raid i ti ffindio'r fach.'

'Pam?'

'Rhaid 'ti ddeud wrthi am stopio dilyn de Morris.'

'Pwy?'

'Gabriel Garcia de Morris. Ma'n foi peryg.' O'n i'm isio deud wrthi ei bod hi'n bosib mai fo oedd y llofrudd.

'Fasa hi'm yn debycach o wrando arna chdi?'

'Fedra i'm dod o hyd iddi. A ma raid i mi fynd i chwilio am Lois.'

Edrychodd i fyw fy llygaid a gwenu. Roedd 'na olwg wedi meddwi arni, er mod i'n gwybod nad oedd hi wedi bod yn yfed.

'Wyt ti'n ei charu hi?'

'Pwy, Sunsur?'

Ni pheidiodd â gwenu arnaf am sbel.

'Naci, Lois.'

'Be s'an't ti dŵad? Ma'i bywyd hi mewn peryg, dydi?'

'O. Panad?'

''S'na'm amsar . . . Raquel, wyt ti'n iawn, dŵad? Ti'n ymddwyn yn od braidd.'

'Dim bob dydd ma'n chwaer i'n marw, Jaci.'

Ochneidiais a mwytho'i chyrls.

'Naci . . . '

Derbyniodd y cysur trwsgl am ychydig eiliadau, yna croesodd yn hamddenol i'r gegin.

'Fyddi di'n olreit?' holais.

'Dwi'n mynd i gal panad, a wedyn dwi'n mynd i chwilio am Sunsur a deud wrthi am stopio dilyn boi peryg.'

Daeth drwodd gyda'i phanad a'i gosod ar y bwrdd. Edrychodd arnaf.

'Wrth gwrs bydda i'n olreit. Pwy sy'n fwy tyff na fi, y?'

Ar amrantiad estynnais y gwn o'm poced.

'Hwda.'

'Lle gest ti hwnna?'

'Nath 'na rywun drio'n lladd i bora 'ma.'

'Jaci!'

'Dwi'n iawn. Ond ma'n dangos fod pawb sydd a wnelo

nhw rwbath â'r cês mewn peryg. Dyna pam ma'n rhaid i mi fynd i ffindio Lois. Does 'nelo ti a Sunsur ddim byd â fo, felly ddylsach chi fod yn saff – ond . . . '

Cydiais yn ei llaw a rhoi'r gwn ynddi.

'Jyst rhag ofn . . . '

Edrychodd ar y gwn yn ei llaw fel petai'n heintus, gan furmur.

'Diolch . . . '

Doeddwn i'm yn siŵr a fyddwn i'n medru gwneud heb y gwn, ond teimlwn yn well o wybod bod Raquel a Sunsur yn saff.

'Rhaid 'mi fynd.'

Trois am y drws.

'Jaci?'

Trois yn ôl i edrych arni, a derbyn celpan a loriai geffyl. Mae sioc yn effeithio ar wahanol bobol mewn gwahanol ffyrdd, meddan nhw.

Diolch byth, roedd Lois yn ei stafell yn y Brython, er nad oeddwn i'n hapus o feddwl y gallai'r llofrudd neu'r llofruddion fod wedi'i darganfod mor hawdd â mi, petaent wedi rhoi'u bryd ar y peth. Roedd y newyddion am Hanna wedi cyrraedd mannau yfed y dre ac nid oedd Lois mewn stad rhy glyfar. Ceisiais ei thawelu a siarad ychydig o synnwyr ond mi gredaf ei bod wedi cael gwydriad neu ddau i sadio'i nerfau, a'r rheiny wedi cael yr effaith wrthgyferbyniol i'r hyn a obeithiai amdano – nid y paratoad gorau cyn ei hawr fawr fory. Ond y ffordd yr oedd pethau'n datblygu efallai nad peth doeth fyddai iddi feddwl am gystadlu fory beth bynnag. Pan fentrais awgrymu hynny, edrychodd arnaf fel petawn newydd lanio o Neifion.

'Peidio â chystadlu? Pryd faswn i'n cael y cyfle eto, Jaci?'

Ma'r perfformwyr 'ma i gyd 'run fath medda nhw – cachu brics am bob peth dan haul drwy bob awr o'r dydd – rhowch nhw ar stêj ac mi gewch saethu atyn nhw o bob cyfeiriad.

'Wel allwch chi'm aros yn fama heno beth bynnag.'

'Lle ta?'

Meddyliais. Nid fy lle i yn bendant – nid y swyddfa. Gwesty arall? Rhy amlwg. Tŷ Glyn – rhy hawdd i'w jecio. Bwthyn Nora?

Bwthyn Nora.

Ac wedi prynu potel o wisgi at y daith, gadawsom y Brython yn dawel a gwyliadwrus a gwau'n ffordd o ganol y dre i ardal Bryn Gwin ar y cyrion, gan wylio a gwrando ar hyd y ffordd. Ni welsom unrhyw arwydd fod neb yn ein dilyn, ond byddai'r ddau ohonom yn anadlu ein rhyddhad o roi'r drws rhyngom ni a'r dref. Wrth lwc, roedd allwedd y bwthyn yn barhaol ar fy nghylch allweddi – petawn yn gwneud mwy o ddefnydd ohoni efallai y byddai cyflwr y bwthyn ychydig yn fwy llewyrchus. Unwaith bob pedwar amser y byddwn yn galw draw i daro golwg a gwneud tân – nid bod hynny'n ddigon i atal yr ogla tamp a darai'n ffroenau yr eiliad yr aethom drwy'r drws. A hynny ar ôl wythnosau poeth a sych hefyd – faint o weithiau o'n i 'di deud bod rhaid i mi alw draw?

Yn ffodus doedd y tamprwydd ddim wedi effeithio ar y stafell fyw ac mi oedd 'na stoc o goed yn dal mewn cyflwr rhyfeddol, o ystyried. Dechreuais hwylio tân – roedd y tŷ yn od o oer o feddwl ei bod yn haf mor boeth.

O'r diwedd mi gydiodd a chymerais gip o gwmpas gweddill y tŷ tra arhosodd Lois ar y soffa i lawr grisia. Roedd hi'n amlwg nad oedd yr un o'r gwlâu'n mynd i fod yn ffit i gysgu ynddyn nhw, oni bai fod niwmonia'n uchel ar y rhestr bresanta 'Dolig, felly byddai'n rhaid i Lois druan gysgu ar y soffa. A minnau ar lawr. Tyrchais am flancedi y gellid eu gwresogi a deuthum â hynny ffeindiais i lawr y grisia efo mi.

'Newyddion drwg,' meddwn.

Edrychodd a deallodd.

'Dim problem,' meddai. 'Dwi'n ddiolchgar iawn eich bod wedi helpu cymaint arna i.'

Hongiais y blancedi yng nghyffiniau'r tân, a gafaelais yn y botel. Eisteddais.

'Wel,' meddwn wrth ei hagor, 'cystal i mi gyfadda nad ydi o wedi bod yn boendod i gyd.'

Gwenodd yn ddiolchgar, a chymerais lwnc o'r wisgi. Roedd y tân yn cydio'n reit daclus erbyn hyn ac yn dechrau taflu'i gynhesrwydd ar draws y stafell.

'Gymrwch chi beth?'

Edrychodd yn amheus ar y botel a chofiais weld yr un wyneb y diwrnod cyntaf hwnnw yn y swyddfa – mor bell yn ôl i'w weld erbyn hyn. Ond a hithau eisoes wedi cael diod neu ddau, mi wyddwn o brofiad nad hawdd gwrthod y nesa. Estynnodd am y botel a chymryd llwnc, gan adweithio'n boenus fel ag o'r blaen.

'Mi helpith, ma'n siŵr,' meddai.

'Dwi'm yn siŵr faint helpith o ar ych llais chi chwaith,' meddwn.

Edrychodd arnaf a chymryd llwnc arall. Ust Mam . . .

Parhaodd y tân i godi a pharhaodd y wisgi i fynd i lawr. Ac er nad oedd y sgwrs yn llifo, roeddem yn ddigon dedwydd a disymud, ar wahân i ambell fflych o goedyn ar y tân. Ac yno y buom am oriau, nes colli trac ar amser, a nesu at waelod y botel.

Wedi i mi ufuddhau i alwad natur, dychwelais ychydig yn sigledig i ganfod Lois yn myfyrio'n ddwys ar y fflamau. Eisteddais a'i gwylio'n dawel am hir.

'Wel,' meddai toc, 'os bydda i farw fory dwi isio i chi wbod mod i'n fythol ddiolchgar, Jaci.'

'Am be, Lois fach?' meddwn, gan gymryd llwnc arall.

'Am wneud hynny fedrech chi,' meddai. 'Fedar neb wneud mwy na hynny.'

A rhoddodd nòd fach bendant fel pe bai i atalnodi'r gosodiad.

'Lois?'

Trodd yn feddw i'm 'wynebu.

'Hmm?'

'Dwi 'di cha'l hi!'

'Cael beth?'

'Y Ddraig Goch!'

Edrychodd Lois yn ddi-ddallt.

'Cael? Roeddwn i'n meddwl mai mudiad oedd y Ddraig Goch . . . '

'Nagia! Ia – a finna – ond nagia 'lwch . . . '

'Be 'di'r Ddraig Goch, ta?' gofynnodd, a'i geiriau'n rhedeg i'w gilydd.

'Rhuddem 'di hi.'

'Rhuddem?'

'Ia, rhuddem, *ruby* – a ma' hi gen i!'

'Gennoch chi? Fama?'

'Naci – dwi 'di chuddio hi.'

'Yn lle?'

'Well mi beidio deud – ma petha'n ddigon peryg fel maen nhw.'

'Ow, go on – deudwch!'

'Na, fiw i mi Lois. Lleia dach chi'n wbod, saffa fyddwch chi.'

Ystyriodd.

'Ia, ma hynna'n gwneud synnwyr.'

'Faswn i byth yn madda i fi'n hun tasa 'na rwbath yn digwydd i chi, Lois.'

Ro'n i'n dechra rwdlan. Amsar am y ciando dwi'n meddwl, cyn codi cwilydd arna i'n hun. Teimlwn yn drwsgl a blinedig mwya sydyn.

'Jaci?'

'Be?'

'Wnewch chi afael ynof fi?'

Edrychais arni, ac roeddem ni'n ôl yn yr un sefyllfa â'r Brython ddiwedd neithiwr. Ond fyddai yna ddim cerdded o'na'r tro yma. Croesais ati, a gafael amdani'n dyn. Gwasgodd hithau yn f'erbyn a theimlais gynhesrwydd ei chorff drwy ei gwisg.

Dwi'm yn cofio pwy gusanodd pwy gyntaf, dim ond iddo deimlo fel y peth mwyaf naturiol yn y byd yn sgil ein cofleidio. Edrychodd Lois arnaf fel pe bai'n fy astudio a rhedeg ei bys yn sidanaidd ar draws fy ngwefus ac o amgylch fy ngwyneb. Am eiliad meddyliais ei bod hi'n edifar am y bennod fach yna, ond gofynnodd yn dawel a didwyll:

'Wnewch chi gysgu efo fi drwy'r nos?'

Roedd hi'n weddol saff o'i hateb cyn gofyn, siŵr gen i.

Codais at y blancedi, ond ataliodd fi gyda'i llaw.

'Gorweddwch chi fan'na.'

Cododd yn sigledig a dechrau rhyddhau'r blancedi o'u caethiwed. Yna dadwisgodd ei hun, ac wedi hynny, rhwng cusanau, fe'm dadwisgodd innau. A thrwy haenen niwlog y wisgi fe brofais bleserau y tu hwnt i'm haeddiant, o gysidro mai fy unig gyfraniad bron oedd dilyn ei chyngor a gorwedd yn fan'na. Roedd y cyfan fel breuddwyd yng ngolau'r fflamau a chofiaf deimlo ar un adeg y medrwn bara fel hyn am byth. Ond mae'n rhaid ein bod wedi dod i ben rywbryd, oherwydd y cof nesaf sydd gen i ydi ei bod hi'n fore, ac mi oedd gen i gur pen.

SADWRN

Doedd y lliwiau ddim yn eu llefydd iawn. Lle o'n i? Roedd hi'n rhy fuan i feddwl am roi fy nghorff ar waith, felly ceisiais feddwl rhwng curiadau'r ordd yn fy mhen. Yn araf fel llif triog, ffurfiodd delweddau gwahanol yn fy mhen – y Steddfod, Hanna, Lois – Lois! Wrth gwrs, roeddwn wedi dod â Lois i fwthyn Nora. Dyna lle oeddwn i – ar lawr ym mwthyn Nora. A hithau ar y soffa. A chofiais fy mod wedi breuddwydio amdani, a bod y wisgi wedi peri i'r freuddwyd ymddangos yn real, a bod fy nyheada cudd wedi dod i'r wyneb, a'u bod wedi cael eu dychwelyd mewn modd na fuasai byth yn digwydd mewn bywyd go iawn.

Ac yna symudodd rhywbeth wrth f'ymyl.

Sylweddolais fod fy mraich yn amgylchynu cynhesrwydd llyfn corff merch. Ac fel y dadebrwn yn araf, medrwn arogli olion persawr, arogl corff a chwys caru. Trodd y corff yn fy mreichiau a theimlais anadl ysgafn yn mwytho fy ngwyneb. Agorais fy llygaid eto a gwybod, er na fedrwn weld yn glir, nad breuddwyd a brofais.

'Lois?'

Rhyddhaodd ei hun o'm breichiau. Gan fod hyn yn mynd â hi droedfedd neu ddwy ymhellach oddi wrthyf roedd yn haws ei chael mewn ffocws. Gwelais wên swil a harddwch ei hwyneb cwsg-ac-effro diaddurn. Ceisiais wenu'n ôl, ond ni chefais lawer o hwyl arni – p'un ai oherwydd y cur pen felltith 'ma ai'r edifeirwch o deimlo mod i wedi bradychu Glyn, dwi'm yn siŵr. Ond lle'r oedd ein perthynas neithiwr yn gyfforddus fel gwasgod blu, bellach roedd yna deimladau o embaras ac euogrwydd yn byseddu'u ffordd yn drwsgl dros fy meddyliau. A does bosib nad oedd hi'n teimlo'r un fath, er i'w llygaid am eiliad fradychu ei siom pan welodd f'ymateb, neu ei ddiffyg. Ni wyddwn beth i'w ddeud wrthi. Hyd y cofiaf, doedd y llyfrau gosod ddim yn trafod sut y dylid ymddwyn wedi ffwcio cleient.

'Gysgoch chi'n iawn?'

Pathetig. Pylodd ei hwyneb ychydig mwy. Gwyddwn mai ymarferoldeb yn hytrach na rhamant oedd fy nghryfder ond roedd hi'n bosib gwneud rhyw fath o ymdrech. Gwenodd Lois eto.

'Galwch fi'n "ti" . . . '

Mi daerwn imi gochi fel hogyn pymtheg oed. Yn anffodus wnaeth hynny helpu dim ar y cur pen a chaeais fy llygaid am ychydig eiliadau.

Galwch fi'n 'ti'. Nid camgymeriad o ganlyniad diod ac adrenalin oedd neithiwr iddi hi felly. Roedd hi eisiau symud ein perthynas yn ei blaen i lefel arall. Roeddwn innau hefyd, does bosib – pam oeddwn i hyd yn oed yn ystyried cwestiynu'r peth? Oeddwn i mewn hwyliau eithriadol o negyddol y bore 'ma? Neu dim ond y cyneddfau ditectif yna oedd yn mynnu bod yn ymarferol ac atgoffa rhywun fod y sefyllfa beryglus bresennol ymhell o fod yn ddelfrydol i ddechrau ystyried unrhyw gynlluniau hir-dymor? Torrodd ar fy myfyrdodau.

'Paned?'

''S'na'm coffi 'ma . . . na llefrith.'

'Gin i *sachets* – dwi wastad yn cymryd rhai o'm stafell mewn gwestai. Does 'na'm golwg angen llefrith arnoch chi . . . '

'Diolch.'

Cododd Lois gan fynd ag un o'r blancedi i'w chanlyn a'i chlymu o'i hamgylch mewn ffordd a ymddangosai i mi yn ymarferol ac yn hynod rywiol yr un pryd. Wedi palfalu ennyd yn ei bag, chwifiodd ddau sgwaryn bach brown o bapur a llithro'n osgeiddig i mewn i bâr o sandalau, ac yna drwodd i'r gegin.

Ar waetha'r pen, teimlwn y dylwn wneud ymdrech i godi. Araf a phoenus fu'r broses, ond erbyn iddi gyrraedd drwodd â dau fŵg yn stemio, roeddwn fwy neu lai wedi dod o hyd i bob dilledyn mewn gwahanol rannau o'r ystafell, a'u gwisgo.

'Diolch . . . '

Roedd yn rhaid i mi stopio yfed. A chysidro fod Lois wedi gwneud ei chyfraniad neithiwr, dim ond tri chwarter potel wisgi oeddwn i wedi'i yfed. Teimlai'n fwy fel tair.

'Felly – be ydi'r drefn heddiw, ta?'

Roedd hi'n amlwg fod Lois wedi cael amser i feddwl yn y gegin ar ôl nodi fy embaras yn gynharach. Ac roedd hi'n amlwg wedi dod i benderfyniad na fyddai dim mwy o dindroi yn dadansoddi digwyddiadau neithiwr a'u harwyddocâd. A phwy a welai fai arni? Roedd heddiw â'r potensial – mewn byd delfrydol – i fod y diwrnod mwyaf arwyddocaol yn hanes ei bywyd.

Yn anffodus doedd y byd ddim wedi bod yn rhy ddelfrydol drwy gydol yr wythnos hyd yn hyn, felly annoeth fyddai codi ei gobeithion ormod y byddai hi'n syniad da iddi gystadlu ar lwyfan y genedlaethol yng ngŵydd cannoedd heddiw. Roedd ei diogelwch hi'n bwysicach nag unrhyw ruban glas – yn fy nhyb i, beth bynnag. Efallai y byddai hi'n anghytuno. Fodd bynnag, llwyddais i'w darbwyllo mai'r peth doethaf i'w wneud ar hyn o bryd fyddai aros o'r golwg yma yn y bwthyn tra byddwn i'n mynd i weld sut oedd y gwynt yn chwythu (ac i achub y cyfle i guddio'r Ddraig mewn gwell lle na'r swyddfa tra byddwn wrthi).

Ac felly, gyda'm pen yn dal yn niwlog, os ychydig yn well ar ôl y baned goffi, gwnes fy ffordd mor wyliadwrus ag y medrwn tua chanol y dre. Y peth olaf oeddwn i eisiau dan yr amgylchiadau oedd gweld Doris Wyn neu Dennis (heb sôn am Genghis, efallai) a diolch byth, gyda digon o ofal ac un neu ddwy stryd gefn, llwyddais i gyrraedd tŷ Raquel. Roedd yn rhaid i mi wybod ei bod hi a Sunsur yn ddiogel cyn mynd draw i'r swyddfa.

Ond doedd yna ddim ateb, nac unrhyw olwg o fywyd. Aeth ias drwof am eiliad – ond wedyn ystyriais mai am Raquel oeddan ni'n sôn, a gwyddwn lle y byddai'n mynd mewn ymateb i argyfwng.

'Be uffar ti'n da fama?'

'Lle arall faswn i?

'Adra ddylat ti fod, hogan! Lle ma Sunsur?'

'O gwmpas lle rwla . . . '

'Blydi hel, Raquel! Ma 'na lofrudd o gwmpas a mae o 'di lladd dy chwaer!'

'Sut dwi fod i ymateb ta, Jaci?'

'Wel . . . '

'Helpa fi – dwi'm 'di colli chwaer o'r blaen.'

'Jyst . . . '

'Dwi'n cymyd y peth yn rhy dawal, yndw? Be ddylwn i neud – rwbath fel'ma?'

Cydiodd yn ei phanad a'i thaflu â'i holl nerth yn erbyn wal y lôndret nes ei bod yn shwrwd.

'Raquel!'

'Ta hyn?'

Estynnodd y gwn o boced ei brat.

'Nath hi noson go lew, Jaci? Boenast ti'm rhyw lawar am Sunsur neithiwr ma siŵr, naddo?'

Anelodd rhyw lathen heibio fy nghlust chwith, a thanio. Clywais y fwled yn adlamu oddi ar ddau neu dri gwrthrych yn ogystal ag eco'r ergyd.

'Raquel – callia!'

'O'ma!!'

Penderfynais nad oedd Raquel mewn hwyliau am sgwrs. Efallai y byddwn angen fy ngwn yn nes ymlaen ond nid dyma'r adeg i drafod hynny, mi dybiwn. O leia roedd hi'n iawn, ac yn debyg o fod yn fwy na llond llaw i unrhyw lofrudd a fentrai'n rhy agos i'r londrét. A Sunsur? Wel, roedd y fach wedi deud y drefn wrthyf unwaith o'r blaen am fy niffyg ffydd yn ei gallu i edrych ar ôl ei hun. Byddai'n ddoeth i beidio â gwneud yr un camgymeriad eto.

Sleifiais o bant i bentan nes cyrraedd cornel stryd y swyddfa (neu Stryd Cynamser i bawb arall) a thaflu fy hun yn sydyn i gil drws wrth weld wyneb cyfarwydd yn brasgamu i'm cyfeiriad. Gabriel Garcia de Morris. Neu José Nadal. Neu Wil Cwac Cwac – be bynnag oedd o'n teimlo fel galw'i hun heddiw.

Chwyrlïodd heibio heb fy ngweld, a'i wep yn syndod o welw o ystyried iddo gael ei fagu yn yr anialwch. Calonogwyd fi y tu hwnt o sylwi nad oedd yna dditectif pedair troedfedd yn ei ddilyn, ond codai hynny'r cwestiwn tybed a ddylwn *i* wneud? Gydag eiliadau i bwyso a mesur, penderfynais wneud, ar waetha'r ffaith nad oedd gen i wn. Ond be ydi un penderfyniad annoeth ymysg ugeinia?

Mae yna sawl peth sy'n anodd mewn bywyd. Mae dilyn boi peryg heb iddo fo na neb arall eich gweld pan mae'ch pen fel rwdan yn un ohonynt. Diolch mai byr oedd y siwrnai – i'r sgwâr ynghanol dre. A diolch i Gabriel / José / Wil, nid yn unig am beidio ag edrych yn ei ôl gymaint ag un waith, ond hefyd am gyhoeddi mewn gwich uchel wrth ddreifar y tacsi: 'Aberystum – pronto!' fel y medrai unrhyw fusnesgi o fewn hanner canllath ei glywed yn eglur.

Aberystum? Pe na bawn yn gwybod yn well mi ddudwn fod yr hen Gabriel yn gadael y dre. Heb ei gês. Oedd o 'di bod yn hogyn drwg? Ta oedd 'na rwbath wedi'i ddychryn o'n o arw? Dyna pam roedd o'n welw efallai. Yna, gydag ysictod sydyn, gofynnais i'm hun am y tro cyntaf pam nad oedd Sunsur yn ei ddilyn. Gydag arswyd rhedais fel gwallgofddyn, heb boeni bellach pwy a'm gwelai, yn ôl tua'r swyddfa, a phob mathau o ddarluniau erchyll yn fflachio'n fy mhen: de Morris yn dod o hyd i'r Ddraig; Sunsur yn ceisio'i rwystro; clec gwn . . .

Heb anadl a chan deimlo fy mod eisiau chwydu'm perfedd, cyrhaeddais ddrws y swyddfa.

Yr oedd yn gilagored.

Suddodd pob nerth oedd ynof i'm traed. Bron nad oedd yn well gennyf droi a dianc oddi yno na gorfod wynebu hyn. Yn araf hunllefus, gwthiais y drws ar agor a cheisiais baratoi fy hun yn feddyliol i ddygymod â'r olygfa. Caeais fy llygaid a chyfri i ddeg, a chamais i'r ystafell fu'n gymaint rhan o'm bywyd dros y blynyddoedd diwethaf. Ac fel y'm rhybuddiwyd gan bob greddf, yr oedd yna gorff marw yn fy nisgwyl.

Ond nid corff Sunsur.

Caeais y drws yn araf o'm hôl a sefyll yno'n ceisio adennill rhyw fath o reolaeth ar fy anadl a'm hymennydd. Yna camais yn bwyllog i gyfeiriad y ddesg i gael gwell golwg ar yr ail Archdderwydd i gyfarfod ei Greawdwr o fewn wythnos.

Huw ap Elian. Yn fy swyddfa i. Wedi'i lofruddio. Roedd hyn yn mynd i edrych yn dda . . .

Doedd dim dwy waith nad oedd yn gelain. Eisteddai yn fy nghadair a'i waed dros fy nesg, ei wddw a'i arddyrnau'n rhubanau cochion. Job broffesiynol – eto fyth.

Be oedd o'n da'n fama?

Roedd yna lawer gormod o gwestiynau, felly ceisiais beidio â meddwl. Yn hytrach, camais yn ofalus o'i gwmpas a gweld yr hyn roeddwn i'n chwilio amdano ymhell cyn ei gyrraedd.

Roedd y drôr isaf ar agor, a'r Ddraig wedi mynd.

Am yr ail waith o fewn ychydig funudau, teimlais yn hollol ddiymadferth a phob gronyn o egni wedi diflannu o'm corff. Wedi wythnos o chwarae mig efo mi, roedd y llofrudd nid yn unig wedi llwyddo i gael y wobr y bu'n chwilio amdani, nid yn unig wedi lladd, ymysg eraill, fy nau gyd-weithiwr ond rŵan wedi llwyddo i adael corff fy ngelyn pennaf yn fy swyddfa er mwyn rhoi sbort i'r heddlu. Yna sylweddolais fy mod yn gosod fy hun braidd yn agos i ganol y darlun. Olreit, Jaci. Dechra eto . . .

Roedd Huw yn gorff a'r Ddraig wedi mynd. Roedd de Morris wedi dod ar frys o gyfeiriad y swyddfa a gadael am Aberystum – a thu hwnt, fe ellid tybio. Stopio de Morris, felly. Ond i wneud hynny byddai'n rhaid ffonio'r heddlu. Ac mi fyddai'r heddlu'n fy amau i. Ond os mai de Morris wnaeth, a bod y Ddraig ganddo, mi fyddwn yn glir.

Ond roedd y corff yn oer. Roedd Huw wedi marw ers oriau. Os mai de Morris wnaeth, roedd wedi dychwelyd eilwaith. Pam fasa fo'n gwneud hynny? Oedd o wedi digwydd anghofio am y Ddraig y tro cyntaf a phicio i'w nôl wedyn? Sgersli bilîf.

Ond roedd o hanner ffordd i Aberystum ac mi oedd yna

ddigon o le i'w amau. Roedd yn gas gen i ffonio'r glas yn reddfol. Roedd o fel cyfaddef methiant a gofyn am help gan dad neu frawd mawr – nid fod gen i rai wedi bod erioed. Ond un peth oedd sleifio oddi wrth gorff mewn garej deiars – peth arall oedd gadael Archdderwydd yn eich offis heb hysbysu neb. Estynnais hances o'm poced a'i defnyddio i afael yn y ffôn.

Wedi treulio cryn bum munud yn ceisio perswadio Tom i dynnu de Morris i mewn ac i yrru tîm SOCO i lawr i'r swyddfa, rhois y ffôn i lawr. Be oedd o am blismyn? Cwyno fod pobol ddim yn helpu digon arnyn nhw, gwrthod credu pan oedd pobol yn trio'u helpu. Dim yn trystio neb, ac isio i bawb eu trystio nhw. Does 'na'm ennill . . .

Wedi bodloni fy hun nad oedd yna unrhyw olion amlwg arni, eisteddais yng nghadair Hanna Barbra a syllu ar gorff llonydd y dyn oedd, ryw ffordd neu'i gilydd, wedi gwthio'i ffordd i'm bywyd preifat a phroffesiynol ers dros ddeng mlynedd a mwy. Oeddwn i'n falch o'i weld yn farw? Bron na ddeudwn i mod i – os medrwn i berswadio fy hun mai fo fu'n gyfrifol am farwolaeth Glyn a Hanna, mi fyddai'n llawer haws ar fy nghydwybod. A doedd hi ddim yn amhosib. Be goblyn oedd o'n da fama os nad chwilio am y Ddraig oedd o? Ysgwn i gafodd o'i gweld hi cyn tynnu'i anadl olaf, ac yntau wedi bod mor awchus i gael gafael arni? Be aeth o'i le? Cael ei fradychu gan de Morris wnaeth o, ta oedd Genghis Puw yn y cyffiniau ar y pryd, neu ffrind i'r dyn yn y car du – neu Mr Big ei hun, efallai?

Cofiais yn sydyn am ei awydd annaturiol i gael sgwrs â mi bnawn ddoe. Ynglŷn ag echnos. Be oeddan ni wedi'i drafod echnos oedd mor bwysig iddo? Y Ddraig? de Morris? Lili? Oedd Huw wedi teimlo pwl o euogrwydd ynglŷn â rhywbeth ddywedwyd ar y pryd? Anodd gen i gredu. Rhywbeth arall ta – ond be?

Daeth cnoc uchel ar y drws a sythais yn fy nghadair. Doedd 'na'm posib y byddai'r heddlu wedi medru cyrraedd o fewn hynna o amser. Edrychais o'm cwmpas am arf ond doedd dim i'w weld – lle oedd y gaib rew 'na wedi mynd? Cachu. Agorodd y drws, a daeth dyn gyda wyneb llofrudd i mewn i'r ystafell.

'Mr Lewis.'

Am ryw reswm, yr oedd yn cyfarch y corff. Yna cofiais ei fod yn fyr ei olwg.

'Mae hi heddiw yn ddydd Sadwrn. I Gristion traddodiadol fel fi mae dydd Sadwrn yn golygu diwedd yr wythnos. Felly rhent neu went, os gwelwch yn dda.'

'Bore da, Mr Saunders.'

Trodd Iorwerth Saunders i edrych yn hurt arnaf.

'Mr Lewis? Ond —'

Trodd yn ôl a nesáu at y corff i graffu arno.

'Peidiwch â chyffwrdd dim byd, na 'newch?' rhybuddiais.

Edrychodd yn ddi-ddallt arnaf. Rhoddais winc gyfrinachol iddo.

'Tystiolaeth . . . '

'Tyst—' Nesaodd eto, a sylweddoli ar beth yr oedd yn edrych. Gydag ochenaid isel, llewygodd, gan daro'i ên yn y ddesg wrth fynd i lawr. Ar unrhyw adeg arall efallai y byddai wedi bod yn ddigwyddiad ag elfen ddigri'n perthyn iddo, ond gyda'r heddlu ar fin cyrraedd y peth olaf roedd y sefyllfa yma ei hangen oedd mwy o gymhlethdod. Ystyriais geisio'i ddeffro. Yna penderfynais mod i'n licio'i gwmni'n fwy fel roedd o.

Roedd yn rhaid imi ffonio Lois i adael iddi wybod be oedd wedi digwydd ac esbonio pam na fedrwn i ddychwelyd am sbel. Diolch byth, ar ôl gadael y ffôn i ganu am tua pymtheg gwaith fe'i hatebodd. Roeddwn yn gyndyn o ddychryn chwaneg arni ond fe dderbyniodd y newydd yn weddol, o ystyried pethau. Wnes i ddim trafferthu cymhlethu pethau drwy sôn am de Morris, dim ond fod Huw wedi'i ladd a'r Ddraig wedi mynd. Darbwyllais hi i fod yn amyneddgar am y tro, a pharhau i gadw'i phen o'r golwg nes y down yn ôl i'r bwthyn.

Edrychai Dennis fel y gath gafodd hufen pen-blwydd arbennig o flasus.

'Wel wel wel wel – wel!' cynigiodd fel cyfarchiad wrth gamu'n foddhaus drwy'r drws. Yna gwelodd Iorwerth Saunders yn llonydd ar lawr, a chrychodd ei dalcen. 'Pwy 'di hwn?'

'Y landlord.'

'Ti 'di lladd hwn hefyd?'

'Ara deg, Einstein – watcha chwthu falf.'

'Cau hi —'

''Dio'm 'di marw.'

'Be ma'n da fama, ta?'

''Di dod i nôl 'i rent.'

'Gwranda – paid â trio bod yn ffyni. Ti'm mewn lle i fod yn ffyni.'

'O? Pam hynny, Den?'

'Ti'n *shit creek,* mêt.'

'Heb badl, mwn?'

'Ia.'

'Rong 'li. Dach chi 'di dal de Morris eto?'

'Dim o dy fusnas di.'

Ochneidiais.

'Tom, unrhyw siawns am siarad efo rhywun call?'

'Mae o'n iawn wsti, Jaci.'

'Hwn? Ti'n deud?'

''Dio'm yn edrych yn dda nacdi, efo'ch hanas chi a ballu . . . '

'Callia, wir dduw.'

Ond roedd y ddau'n dal i edrych yn amheus arna i. Doeddan nhw'm mor hurt â hynny, d'oes bosib? Ac eto – dwn i'm . . .

'I be ddiawl faswn i 'di cysylltu efo chi os mai fi 'nath?'

'Achos bod ti'n meddwl bod ni'n thic, falla?' cynigiodd Dennis.

Doedd gen i'm atab i hynna.

'A fynta'n dy swyddfa di, mi fasa hi'n reit anodd i ti beidio, yn basa?' Roedd Tom yn meddwl ar hyd yr un llinellau â mi, mae'n amlwg.

Cyrhaeddodd y tîm *scene of crime* gyda hynny a'n hel ni i gyd o'r ffordd, yn ogystal â gwgu arna i am eistedd mewn cadair fedrai fod yn lloches i 'ffeibrau tyngedfennol'. Fedrwn i'm cysylltu'r cysyniad o ffeibr tyngedfennol efo dim heblaw am All Bran, ond doedd wyneb caled y swyddog ifanc ddim yn gwahodd chwerthin.

'Be dach chi isio i ni wneud efo hwn?' holodd Dennis, gan bwyntio at Iorwerth Saunders.

'Gadwch o yna am rŵan. 'Dio'm yn y ffordd.'

Ac felly, o'r tu allan, gwyliasom griw o astronôts yn brwsho a bagio dros bob blewyn o dir o gwmpas fy nesg, gan gamu'n ddeheuig dros Saunders pan oedd raid wrth hynny. Roedd 'na rywbeth hypnotig yn y ffordd dawel effeithiol yr aent o gylch eu gwaith, a theimlais fy hun, am y drydedd waith y bore hwnnw, yn dechrau mynd yn flinedig iawn. Roedd yna ryw deimlad terfynol ynglŷn â hyn. Roedd llofrudd Glyn wedi llwyddo i'm trechu, a'r gêm ar ben. Doeddwn i ddim eisiau credu hynny am eiliad, wrth gwrs, ond gyda chyffro'r oriau dwytha'n pellhau a realiti'n dechrau ailsefydlu'i hun, roedd yn dechrau edrych yn anochel braidd. Efallai mai dyna pam, pan holodd Tom pam fod Huw ap Elian yn fy swyddfa, y penderfynais roi ateb gonest iddo fo.

'Gwranda Tom – ma 'na rwbath dwi heb ddeud wrthat ti . . . '

Ac adroddais hanes y Ddraig yn gymaint ag y'i gwyddwn, a mynegi fy amheuaeth gref mai hi oedd achos yr holl ladd, er na fedrwn gysoni marwolaeth Elwyn o'r Gyfylchi Gyfylchi â'r theori yma chwaith. Gwrandawodd Tom yn astud, ac wedi i mi orffen nodiodd yn dawel, fel pe bai'n cadarnhau y gwyddai fod yna rywbeth roeddwn i'n ei ddal yn ôl oddi wrthynt. Edrychai Dennis arnaf, ar y llaw arall, fel dyn oedd newydd roi ei droed mewn cachu ci, a phoerodd ei sen arnaf.

'Pam 'sat ti 'di deud 'tha ni'n gynt, y twat da i ddim?'

Edrychais ar Tom.

'Tom, a diystyru'r Ddraig Goch am eiliad; dros y blynyddoedd ac yn yr achos yma, ti 'di cael ffafr ar ôl ffafr gen i pan ti'n meddwl am y peth, yn do?'

Cysidrodd Tom.

'Do, mae'n siŵr, i fod yn deg . . . '

Rhoddais ddwrn i Dennis nes ei fod ar ei hyd a'i lygaid yn rhowlio yn ei ben. Edrychais eto ar Tom.

'Arnach chdi honna i fi, 'li . . . '

Gwelais fod Tom yn brwydro rhwng gwg a gwên. Cododd Dennis yn ansad.

'Ga i di am hynna'r —'

'Na wnewch, DS,' meddai Tom. Edrychodd Dennis yn ddi-ddallt arno.

'Mae 'na ffasiwn beth â *harassment* fel dach chi'n gwbod. Rŵan, dwi'm yn siŵr ydach chi ar unrhyw adeg yn ystod yr achos yma wedi croesi'r llinell gyda Mr Lewis yn fama, ond dydach chi ddim ar dir digon saff i fynd ag unrhyw beth ymhellach, mae hynny'n sicr.'

Newidiodd edrychiad Dennis i un o anghrediniaeth.

'Ond ma newydd —'

'Dyna ddigon, DS!' meddai Tom gydag awdurdod pendant. Roedd Dennis yn ddigon call i ddallt y sgôr, ond nid oedd yn hapus o gwbwl ynglŷn â'r peth.

'Syr . . ' mwmiodd i'w hun gyda dichell.

Roeddwn ar fin gwenu pan drodd Tom ata i a deud yn dawel.

'Paid ti byth â gwneud hynna i un o'm swyddogion i eto, wyt ti'n dallt?'

Ni fyddai'n ddoeth i anghytuno. Nodiais.

Er bod y drws ar agor, doedd criw SOCO ddim i'w gweld wedi sylwi ar ein camddealltwriaeth o gwbwl. Yna clywais sŵn griddfan a sylweddolais pam. Roedd Iorwerth Saunders wedi deffro ac yn mynd â'u sylw. Sylwodd Tom hefyd, a chamu drwy'r drws.

'DS Thompson . . . '

Aeth Dennis efo fo i roi help llaw i godi Saunders ar ei draed (ond hefyd i wneud yn siŵr nad oedd o ar ei ben ei hun efo fi, siŵr o fod . . .). Gyda'i gilydd fe'i cerddasant allan o'r swyddfa i'r lle safwn i.

'Beth . . beth ddigwyddodd?' meddai'n floesg.

''Nethoch chi ffeintio,' medda fi.

Adnabu'r llais, ac roedd yr effaith yn well nag unrhyw *smelling salts*. Bywiogodd drwyddo.

'Mr Lewis, mae yna gorff yn y swyddfa.'

'Tewch. Naethoch chi'i nabod o?'

Edrychodd arnaf ag arswyd.

'Ddylwn i ei adnabod?'

'Huw ap Elian.'

'*Yr* Huw ap Elian?'

'Y feri wan.'

Edrychodd am achubiaeth at y ddau dditectif.

'Ydi o'n deud y gwir?'

Nodiodd y ddau.

'Huw ap Elian – ond pam?'

'Codi gormod o rent ella . . '

Nid oedd Iorwerth Saunders yn gwerthfawrogi ymgeision at hiwmor ar y fath adegau. Ymchwyddodd i'w lawn bum troedfedd a hanner a datgan i'r byd:

'Fe gynigiais raff i chi, Mr Lewis, a chrogasoch eich hun. Oherwydd gweithred o garedigrwydd yn ymestyn eich cyfnod o denantiaeth am ychydig ddyddiau yn sgil tranc eich partner busnes, caf ad-daliad o lofruddiaeth erchyll i un o bileri cymdeithas ac enw drwg i'r eiddo fydd yn parhau am flynyddoedd i ddod. Fe wyddwn o'n cyfarfyddiad cyntaf mai dagrau fyddai ar ddiwedd ein taith. Pa un ai ydych yn euog ai peidio, Mr Lewis, mae eich tenantiaeth ar ben o'r dydd hwn ymlaen, ac ni phetrusaf i ledaenu eich enw drwg ar unrhyw gyfle sy'n codi i wneuthur hynny. Dydd da, gyfeillion.' A chydag urddas clodwiw o ddyn oedd newydd fod ar ei hyd ar lawr y swyddfa, brasgamodd Iorwerth Saunders ymaith i afael yn ei ddydd.

Gan fy mod i wedi arfer gyda Iorwerth Saunders ychydig mwy na'r ddau blismon, oedd yn dal i syllu ar ei gefn yn gegrwth, llwyddais i achub y blaen ar Dennis.

'Awydd dechra mudiad, DS Thompson?'

'Edrych yn debyg bod ti heb offis,' meddai hwnnw'n faleisus.

'Edrych yn debyg,' ochneidiais.

Nid ei fod yn gwneud llawer o wahaniaeth rŵan. Roedd y Ddraig wedi mynd, y cês ar ben p'un ai de Morris oedd ein dyn ai peidio, a'm dau gymar gwaith wedi marw. A'r corff a eisteddai mor hamddenol yn fy nghadair yn arwyddo diwedd cyfnod. Chawn i byth wybod i sicrwydd bellach pwy laddodd Lili. Roedd cael cic allan o swyddfa megis piso dryw mewn cymhariaeth â hynny.

'Ti'n meddwl mai'r de Morris 'ma wnaeth, Jaci?'

'Be 'di'r ots? 'Runig wahaniaeth ydi: os mai fo 'nath, mi gewch chi afal ar y Ddraig. Fel arall – ma'i 'di mynd.'

'Neu ella bod 'na'm un yn y lle cynta, 'de?'

'A be ma hynny i fod i feddwl, Dennis?'

''Mond dy air di sgennon ni fod 'na Ddraig Goch. Ella ma stori gyfleus i dynnu sylw odd'arnach chdi ydi.'

'Arglwydd, dos â hwn o'ma Tom, wir dduw . . . '

'Neu ella bod ti'n cyfro dros rywun arall.'

'Debyg i pwy? Doris Wyn?'

'Y fodan canu 'na debycach . . . '

''Di hwn yn weindio fi fyny?'

'Ma i'n dal yn syspect s'nag wyt ti 'di anghofio.'

'Wel nacdi, siŵr dduw! 'Does ganddi hi alibi?'

'Pwy?'

'Fi!'

Doedd o'm yn disgwyl honna. Do'n inna'm wedi disgwyl gorfod deud. Roeddwn yn ymwybodol fy mod yn gwthio ewyllys da Tom i eithafion. Ond roedd Dennis, fel arfer, â'i big i mewn gyntaf.

'Argol. O'n i'm yn gwbod bod o ynach chdi.' Crechwenodd.

'Ti isio clec arall?'

Cododd Tom ei law i arwyddo am heddwch. Doedd hyn ddim yn argoeli'n dda.

'Be – be yn union wyt ti'n ei feddwl pan wyt ti'n deud "alibi", Jaci?'

Sut oedd egluro mod i wedi cysgu gyda syspect yng ngolwg yr heddlu, oedd hefyd yn gleient i mi, am nad oedd yn ymddiried yng ngallu'r heddlu i wneud eu gwaith? Yn ofalus, penderfynais . . .

'Wel . . . dim hi laddodd Huw ap Elian.'

'Pam?'
'Am na fedra hi fod wedi gwneud.'
'Pam?'
'Am bod hi'n rwla arall.'
'Lle?'
'Rwla arall.'
'Lle, Jaci?'
'Yn – rwla arall . . . '
'Sut ti'n gwbod?'
'Dwi'n gwbod.'
'Sut?'
'Wel . . . dyna 'di ngwaith i – gwbod petha.'
'Ti ydi'i halibi hi, medda chdi.'
'Ddudis i hynny?'
'Jaci!'
'Olreit, olreit! Pa ddewis oedd gin i? Oedd 'i bywyd hi mewn peryg, doedd?'
'Ddim os mai hi 'di'r llofrudd, dimwit!'
'Dim hi ydi'r ffycin llofrudd, naci, Dennis!'
'Ond 'sa hi wedi gallu bod, basa? A fasa ti'n dal 'di gadal iddi droi dy ben di'n 'basat – y *loser*!'
A sylweddolais ei fod yn deud y gwir. Wyneb del a llais canu da – dyna i gyd fyddai ei angen i ddallu'r ditectif yma. Am un waith yn ei fywyd, roedd geiriau Dennis yn llawer mwy effeithiol nag unrhyw beth fedrai Tom ei ddeud. Gwelodd Tom yntau hynny ac ymatal rhag y ddarlith. P'un bynnag, fyddai o ddim wedi cael amser i'w thraddodi, oherwydd iddo dderbyn neges fod Gabriel Garcia de Morris bellach yn nwylo Tremoch Bê.
'Fyddwn ni angen *statement* llawn, pal.' Roedd Dennis yn amlwg yn teimlo mai fo gafodd y fuddugoliaeth yn y pen draw. Yr eiliad honno, allwn i'm anghytuno.

Doedd dim pwrpas i mi aros i SOCO orffen eu gwaith

felly anelais yn ôl am y bwthyn i ddeud yr hanes wrth Lois a'i sicrhau fod pob dim drosodd. Os oeddwn yn teimlo'n anghyfforddus y bore 'ma ynglŷn â'r hyn a ddigwyddodd, roedd y teimlad ddeng gwaith gwaeth bellach yn sgil y sylweddoliad llawn o'r hyn roeddwn i wedi'i wneud. Gobeithiwn y medrwn ymddwyn yn gall o flaen Lois a pheidio â niweidio'r dyfodol tra'n ceisio arfer â'r presennol.

Yn waeth na dim ofnwn fod hithau'n mynd drwy'r un amheuon. Doedd hi ddim yn argoeli am sgwrs esmwyth iawn.

Ond ni fuasai'n rhaid i mi fod wedi poeni. Pan gyrhaeddais y bwthyn, roedd yn wag. Wedi'r ias gyntaf o banig, gwelais nodyn ar fwrdd y gegin, a darllenais ef.

'Jaci – os ydyw'r dihirod wedi cael yr hyn y maent eisiau, mae'n saff i mi godi allan, onid ydi? Llawer o waith paratoi ar gyfer heno. 'Wish me luck' cariad. Lois xx'

Blydi cantorion! Blydi merchaid!

'Cariad . . . '

Ystyriais. Mi ddylai fod yn ddigon diogel rŵan. O leia roedd un ohonon ni fel petai'n gwybod be oedd hi'n ei neud. Ro'n i, ar y llaw arall, bron â cholli rheolaeth yn llwyr ar bopeth – y cês, fy sefyllfa, fy emosiynau . . . fy mywyd . . .

Edrychais o gwmpas y gegin a meddwl pa gyngor fyddai Nora wedi ei roi ar awr fel hyn.

'Cau dy geg, agor dy glustia ac actia dy oed,' neu rwbath tebyg ma siŵr. Cyngor da. Biti na fedrwn ei ddilyn. Yn lle hynny penderfynais ddychwelyd i'r tŷ i folchi, siafio ac ailbaratoi i wynebu'r byd.

Doedd hi'm yn sioc o gwbwl i ddarganfod fod y tŷ â'i ben i lawr pan gyrhaeddais adref. Roedd hi'n rhesymol i feddwl os oedd y llofrudd wedi dilyn trywydd y Ddraig i'r swyddfa y byddai wedi talu ymweliad â'm cartref i ddechrau. Efallai fod yna fflyd ohonyn nhw, un ar ôl y llall am a wyddwn i. Diolchais mai i fwthyn Nora yr aethom neithiwr. Edrychais ar y poteli wisgi gweigion ynghanol y dillad, papurau a gweddill y nialwch oedd yn strim stram hyd y lle. A sylweddolais nad oeddwn wedi hyd yn oed meddwl am ddiod heddiw – tan rŵan. A phenderfynais yn y fan a'r lle mai felly y byddai'n aros, oni bai y byddai'r cryndod yn mynd yn ormod erbyn diwedd y pnawn. Os oedd llai na photelaid yn gallu rhoi'r fath gur pen i ddyn, does 'na'm posib ei fod o'r stwff iachus o'n i'n meddwl oedd o . . .

I gyd-fynd â'r *regime* ffitrwydd newydd penderfynais y talai i mi fwyta pryd o fwyd iawn, felly wedi sbriwsio a myfyrio, trois i mewn i Gaffi Ciaman am sgraman. Mi fedrwn fod wedi gwneud heb weld Cochise Puw a'i frawd, Sun Tzu, yn eistedd yn nyth y frân, yn cadw cow ar bawb a phopeth a âi heibio.

'Wotcher dick! Fun an' games neithiwr, then?'

Bu bron i'm hwyneb fy mradychu – sut ar y ddaear y gwyddai o?

'Told 'im i watchio back fo, Sun!'

Ebychodd Sun Tzu. Nid oedd yn siaradwr.

'Oedd o'n meddwl bod o'n big fish ffor 'yn, doedd? Wel mae 'na lot bigger fish than 'im, innit Sun?'

Doedd Sun ddim yn mynd i wastraffu ebwch arall ar yr un sgwrs. Wrth gwrs, am Huw oedd Cochise yn sôn, nid Lois.

'Ti'n awgrymu mai Ferino oedd yn gyfrifol, Cochise?'

Gwgodd y ddau arnaf.

'Shh – keep yer voice down, dick – be wyt ti, amateur? Mae careless talk yn costio lives, dydi Sun?'

Ebwch. Roedd hwn yn bwnc gwahanol, mae'n rhaid.

'Neu ych brawd mawr, ella?'

Gostyngodd y tymheredd rhyw bum gradd.

'Rŵan ti'n getting out of order, dick. Do one.'

'Te 'na'n oeri 's'na watchi di, Cochise. Neis sgwrsio efo ti, Sun.'

'Fuck off or I'll kill you where you stand,' meddai Sun Tzu.

Ffyciais off.

'Paid â chal dim byd i neud efo'r hen Buwiaid 'na, Jaci bach. 'Mond i helynt ei di.'

'Diolch am y cyngor, Doris.'

'Er, dwi'n cofio'r hen Gotchîs bach 'na pan oedd o'm ond seis pimpl. Rwbath digon annwyl ynddo fo'r adag honno – ma'n dal yn boleit iawn efo fi. Saladin 'di'r calla – 'dio'n dal yn fyw, dŵad?'

'Sgraman plîs, Doris.'

'Ei ei ei – lle ma dy fanars di, Jaci Nora? A beth bynnag, ti'm yn cal briwsionyn nes dudi di be gythral sy'n mynd ymlaen yn yr offis 'na!'

'Glywch chi'n hen ddigon buan.'

'Dwi 'sio clwad rŵan.'

Ochneidiais.

'Bwyd gynta, plîs Doris! Dwi'm 'di byta ers deuddydd.'

Tosturiodd.

'Olreit. Ond ti'n mynd i ddeud wrtha i wedyn. Pob manylyn. Te ta coffi efo hwnna?'

Wedi llenwi'r tanc efo saim a gwylio Cochise a Sun yn rhoi edrychiad hyll wrth adael, rhois fersiwn gwleidydd o'r sefyllfa i Doris. Wedi i mi orffen, ochneidiodd yn dawel.

'Dwn i'm be dduda Nora druan, na wn i wir . . . '

Na finna. Felly penderfynais fynd i ofyn iddi – ac i ryw lun o ymddiheuro i Glyn yr un pryd. Ond fel y cychwynnwn i fyny Allt Llo Cors am y fynwent, pwy welwn yn dod rownd y gornel, a'i phen yn ei phlu, ond y fach.

'Sunsur!' galwais arni gan aros amdani.

Arhosodd hithau, ac edrychodd arnaf â'r fath siom eithafol yn ei llygaid nes i mi daeru mod i'n dechrau gwywo. Safodd yno am hir, yna'n sydyn, trodd ar ei sawdl a'i hel hi o'na nerth traed.

'Sunsur!' gwaeddais eto, ond roedd hi wedi mynd.

Efallai fod y diffyg alcohol yn fy ngwneud i'n hunandosturiol ond roedd fy nheimlad o gael bai ar gam yn dal i gnoi wrth i mi gyrraedd y fynwent. Rhwng Sunsur a'i mam mi fasa rhywun yn meddwl mai fi laddodd Hanna Barbra.

Yn anffodus fedrwn i'm cael gwared â'r teimlad fod gen i fy nghyfraniad yn ei marwolaeth. Petaem heb ffraeo y bore hwnnw . . .

Petai Glyn heb gael ei saethu yn y lle cynta. Petai a phetasa. Waeth heb. Yma 'dan ni rŵan, ffordd bynnag gyrhaeddon ni. Mi fasa Glyn 'di dallt hynny. Dal ddim yn siŵr fasa fo'n cymeradwyo, ond mi fasa'n dallt. Dwi'n siŵr basa fo.

Felly be o'n i'n da yn sefyll dros 'i fedd o gwta dridia wedi'i gnebrwn? O'n i 'di gwneud 'y ngora i ffindio'i lofrudd o, 'do'n? Yn anffodus doedd 'y ngora fi'm yn digwydd bod yn ddigon da y tro yma. Ac felly, fel Lili, fyddwn i na neb arall yn dysgu byth pwy oedd eu llofruddion. Dyna fo. Mae'n digwydd. 'Di'r byd ddim yn lle taclus. Tasa'r byd yn lle taclus faswn i 'di cynnal perthynas gwbwl broffesiynol efo dy gyn-gariad di. Tasa'r byd yn lle taclus faswn i 'di dilyn trywydda'n hun pan oeddan nhw'n codi, yn lle annog Hanna Barbra i chwilio am wybodaeth nad oedd ganddi'r cysylltiadau i wneud hynny. Tasa'r byd yn lle taclus fasa Lili a fi ddim wedi gwahanu yn y lle cynta, faswn i'm yn yfad cymaint, faswn i'n dal yn newyddiadurwr addawol, fasa 'na neb wedi cael ei ladd, a fasa Huw ap Elian a finna'n fêts gora ac yn chwara golff efo'n gilydd am byth bythoedd amen. Tasa gen 'y modryb i geillia fasa hi'n ewyrth i mi.

O'n i ar fai, Glyn? Be fasat ti 'di neud yn yr un sefyllfa?

Ac yna dechreuais chwerthin. Be o'n i'n rwdlan? Oedd rhaid hyd yn oed gofyn be fasa fo 'di neud? Mi allwn ei glwad o rŵan.

'Be neith rhywun, 'de Jaci? Petha ma'n digwydd, dydyn? 'Di meddwi oeddach chi ma siŵr, ia? Y?'

Ia, 'di meddwi oeddan ni, siŵr dduw. Petha ma'n digwydd, dydyn. Gwneud petha dwl – difaru'n bora.

Er, doedd hi'm yn swnio fel ei bod hi'n difaru chwaith. *Cariad* . . . Ac erbyn meddwl, hi gychwynnodd bethau neithiwr hefyd. I be uffar o'n i'n teimlo'n euog? Nid fi 'di'r un ddylia deimlo'n euog, os dyla rywun deimlo'n euog o gwbwl.

Ddylia rhywun deimlo'n euog, Glyn?

Arglwydd goc – o'n i 'di anghofio pa mor feddal o'n i pan oedd gen i'm wisgi yn 'y mol. Codais fy ngolygon o fedd Glyn ac edrych draw ar yr ardal lle gorffwysai fy mam.

A – Nora. Naethon ni rioed ddallt 'yn gilydd, naddo? 'Ti 'run fath yn union â dy dad,' fydda hi bob gafael ond gan nad oedd hi byth yn fodlon siarad am 'y nhad be gythral oedd hynny i fod i feddwl?

Ges wbod ei fod o'n ddyn môr ynghanol rhyw ffrae ryw dro neu'i gilydd, ond ar wahân i hynny, dim llawar, ac yn rhyfeddol, doedd Doris Wyns a Chlagwyddi'r byd 'ma ddim callach chwaith. Ro'n i'n destun dipyn o chwilfrydedd i bawb, ac felly'r arhosodd hi hyd heddiw – ond bod yr ewyllys da wedi dirywio dros y blynyddoedd a'r chwilfrydedd yn prysur droi yn grechwen.

'Jaci Nora'n mynd yn breifat dic o'n i'n clwad!'

'Jyst be sy angan ar Gaerlloi.'

'Job dda genno fo'n papur 'na 'fyd.'

'Criadur. 'Dio'm 'run un ers – chi'n 'bod . . . '

'Ma nhw'n deud 'i fod o 'di mynd i yfad yn o arw . . . '

'Nora druan – fuo'n ddigon amdani beryg – oedd hi'n meddwl y byd o'r hogan fach 'na . . . '

A do'n i ddim debyg, nagon, y ffernols tafodrydd? Be wyddoch chi amdani? Amdanon ni? Pwy yn y tipyn tre 'ma driodd o ddifri i nallt i rioed? Ar wahân i Raquel, ella – a ma honno newydd drio'n saethu i.

Ond oeddan nhw'n iawn fod gan Nora feddwl y byd o Lili. 'Llais fel angal, Jaci bach . . . ' Wel dwi 'di ffindio rhywun arall efo llais fel angal rŵan, Nora. Hyd yn oed os ydi hi dipyn iau. A dwi'n meddwl y basa chi'n tynnu 'mlaen – tasa'm ond am y ffaith bod genni hi lais fel angal. Oedd 'na ddyfodol i ni? Mwy o ddyfodol nag oedd 'na i mi'n dre 'ma beth bynnag – doedd 'na'm llawar ar ôl i fi'n fama. O'n i 'di colli'n swyddfa, o'n i 'di colli 'nau bartnar, o'n i 'di colli 'ngwraig a rŵan roedd ei llofrudd hi 'di cael ei lofruddio'i hun. Diwadd pennod. Angan symud ymlaen. Cicio'r botal. Gwneud petha'n iawn, neu arhosai 'run Lois o nghwmpas i'n hir.

Dechrau newydd. Gadal y dre 'ma a chal cyfla i anadlu. Byw bywyd call yn lle rhyw freuddwyd llanc o fod yn dditectif preifat. Pwy o'n i'n ei dwyllo? Ditectif dwy a dima. Am bob cês o'n i'n ei ddatrys faint o'n i'n fethu?

Tasa pres Nora heb gynnal y busnas am y blynyddoedd cynta, faint fasa fo 'di para o gwbwl? Cym dy gyfla, Jaci bach. *Last chance saloon*.

Edrychais i lawr ar y dre. Roedd popeth i'w weld ychydig mwy llwyd, mwy siabi bob blwyddyn. Mi wnâi les i adal am gyfnod – am byth ella. Pwy wela 'ngholli fi beth bynnag? Sunsur? Dim yn ôl yr olwg yn ei llygaid hi gynnau. Dwi'm yn siŵr ai ei mam neu ei modryb o'n i fod wedi'u bradychu, ond doedd 'na'm dwy waith mod i'n bechadur. Raquel? Wel, Raquel oedd Raquel. Tasa 'na ryfal niwclear a 'mond hi ar ôl, mi fasa hi'n dal yn dygymod. Oedd, mi oedd hi oddi ar ei hechel ychydig rŵan – pwy fydda ddim – ond mi fyddai hi'n ôl yn y cyfrwy 'mhen dim, efo neu heb fy help i. Ar wahân i hynny, pwy arall oedd 'na? Fasa'r dre 'ma ddim callach mod i 'di mynd.

Gadal amdani. Cyn gyntad â phosib. Siarad efo Lois am y peth. Unwaith byddai'r gystadleuaeth drosodd. Teithio i'r machlud. Heno os oes raid. Na, dim heno. Aros nes bydd Hanna wedi'i chladdu – o ran parch.

Wrth feddwl am Hanna ceisiais gofio'i geiriau yn y swyddfa bora ddoe. Dim ond bora ddoe yn yr wythnos wallgof yma – pwy welai fai ar ddyn am fod eisiau gadael mor fuan â phosib? 'Swn i'n fodlon mentro mai meddwl am ddechrau yfad y byddai'r rhelyw o bobol, nid gorffen. Be ddudodd hi? Rwbath 'di'i tharo hi. Ond ddim am Huw ap Elian. Pwy ta?

'Dwi'm yn siŵr os t'isio clwad hyn, 'de . . . '

Pam? Ers pryd oedd Hanna Barbra yn poeni ynglŷn ag unrhyw beth o'n i'n ei glywad ganddi?

Ac yna'n sydyn edrychais at giât y fynwent a chofio'r edrychiad ar wyneb Hanna wrth iddi wylio Lois yn gadael ar frys.

Trio deud rwbath am Lois oedd hi?

'Ma'i'n symud yn od.'

Od? Be oedd o'i le ar y ffordd oedd hi'n symud? Oedd o'n edrych yn iawn i mi. Yn fwy na iawn. Ac eto yn sgil yr atgof hwn mi wyddwn yn reddfol mai am Lois roedd Hanna'n sôn. Callia, Jaci bach – o ddilyn y trywydd yma y canlyniad naturiol fyddai mai Lois laddodd Hanna! Y ferch ro'n i, gwta ddau funud yn ôl, yn diog gynllunio mynd i ffwrdd efo hi i ddechrau bywyd newydd!

Ond mygwyd fy chwerthin gan yr ystyriaeth ei bod hi, wedi'r cwbwl, yn brif syspect chwe diwrnod yn ôl. Ac yna cofiais eiriau Dennis gynnau ynglŷn â gadael i wyneb del a llais canu da feddalu 'mhen.

Roedd hyn yn chwerthinllyd. Ai'r diffyg alcohol oedd yn gyfrifol? Ai dyna i gyd o feddwl oedd gen i ohoni? Mod i'n fodlon ar chwythiad ei hamau o lofruddio er mwyn dyn – nid dwyn handbag – *llofruddio*!

Ond roedd y ditectif – gwael neu beidio – yn cymryd drosodd. A fasa Lois wedi gallu lladd Hanna? Basa. Gafodd hi'r cyfla? Do.

Ond o't ti efo hi neithiwr, Jaci.

Anghofio neithiwr am funud – un llofruddiaeth ar y tro.

Yr Archdderwydd: wel, gofyn am lefel o arbenigrwydd a fyddai'n ymylu ar ffantasi. Amhosib? Cystal â bod. Cwbwl amhosib? Na.

Arthur Hopkins: hawdd os ydi rhywun yn gwybod ei stwff – ond eto – faint mae dy soprano gyffredin yn wybod am wenwynau a'u gwahanol effeithiau?

Glyn: wel, wrth gwrs, os galli di roi gwn soffistigedig at ben dy gariad a'i saethu o'r cefn – dduw mawr – o'n i'n sâl i feddwl yn y fath fodd?

G'na dy waith, Jaci. Trefn ar yr anhrefn. Cael gwared â'r posibiliadau. Mi ddaw rhywbeth a'i gwnaiff hi'n amlwg nad hi 'di'r llofrudd. Un pwynt ar y tro.

Hanna: medrai.

Trefor: medrai. Duw â ŵyr pam 'sa hi isio.

Esteban: na fedrai! Roedd gan yr heddlu gofnod o'i symudiadau a doedd hi ddim wedi gadael y wlad!

Ond doedd hynny ddim yn ei chlirio parthed y lleill.

Am y tro cyntaf yn ystod yr wythnos sylweddolais fod fy ngwybodaeth o symudiadau Lois yn fregus iawn. Na – roedd y peth yn amhosib. Roeddwn i'n wirion, ond ddim mor wirion â hynny – fyddai hi erioed wedi llwyddo i'm dallu i'r fath raddau. Sut gwyddai hi i ba raddau y gallai fanteisio arnaf beth bynnag?

Ac eto, mi oedd hi wedi siarad llawer efo Glyn. A doedd hi ddim yn amhosib y byddai'n gallu adeiladu darlun go bendant o'r ychydig wybodaeth a gafodd amdana i.

A pham y daeth hi ata i yn ei dagrau y noson gynta 'na? Os mai act oedd honna, mi oedd hi'n haeddu Oscar. Ac eto . . . o edrych yn ôl mewn gwaed oer, faint o sail oedd i'w rheswm dros beidio â gadael i'r heddlu wneud eu gwaith? Fe wyddai o wybodaeth Glyn na wrthodwn ei chais.

Dechreuais gael teimlad o ysictod, ac fe wyddwn y tro yma nad diffyg wisgi oedd yn gyfrifol. Oedd y ditectif fydol-ddoeth honedig yma wedi cael ei wneud yn ffŵl bum gwaith drosodd? Meddyliais am yr wyneb yn fy nrych. Be oedd merch fel Lois yn ei gael o berthynas efo lysh sy 'di hen golli ei ieuenctid na all wneud ei job yn iawn?

Roedd paranoia'n teyrnasu'n llwyr rŵan. Sylwais fy mod wedi dechrau crynu. Diod 'sa'n dda . . . Na! Tyd – meddwl! Yn gall, gwrthrychol a diemosiwn. Gwynt dwfn. Reit.

Huw ap Elian.

Bingo. Hawdd doedd? Alibi – amhosib mai hi 'nath.

Yn 'doedd?

Doedd 'na'm pall ar y llif amheuon a ruthrai drwy fy

mhen bellach. Pam oedd gen i ffasiwn gur pen pan ddeffris i? A pham fy mod i prin yn medru cofio digwyddiadau neithiwr? Oedd 'na rwbath heblaw wisgi yn y botal 'na? A faint wnaeth hi yfad mewn gwirionadd – mi barodd y botal yn syndod o hir. A fedrai hi fod wedi ychwanegu rwbath y tro dwytha i mi adal y stafall?

Oedd Lois wedi bod efo fi drwy'r nos?

Teimlwn yn hollol benysgafn a'm byd yn troi â'i ben i waered. Roedd hyn fel rhyw fath o hunan-artaith – yr union fath o feddwl oedd yn esbonio pam y gadawodd Lili fi. Ond yn gymaint ag y ceisiwn wadu'r synnwyr mewn meddyliau o'r fath, roedd y chwilfrydedd o archwilio'r posibilrwydd hwnnw yn drech na'm synnwyr teyrngarwch, mae'n rhaid.

O dduw mawr, meddyliais, ydi hi'n bosib mod i 'di camfarnu Huw ap Elian? Be os nad isio 'mygwth i oedd o, ond isio'm rhybuddio? Nid am rywbeth oeddan ni wedi siarad amdano fo, ond rhywun roedd o wedi'i adnabod! Ai dyna pam nad oedd Lois eisiau edrych arno yn y Brython – nid atgasedd at ei rwysg, ond am ei bod yn ceisio cuddio'i hwyneb oddi wrtho?

Roedd 'na ormod o bethau'n ffitio'n rhy daclus, waeth pa mor wallgof y syniad, ac ar ôl pendroni am ychydig llwyddais i weld patrwm o bosibilrwydd. Glyn yn dychwelyd o Dde America gyda'r Ddraig Goch. Gwybod y byddai'n rhy beryg i sôn wrth neb amdani, hyd yn oed Lois. Lois yn trio pob ffordd i'w berswadio i ddeud wrthi. Glyn yn perswadio Arthur Hopkins i fynd â fo i'r Steddfod ac yn cuddio'r Ddraig yn y cledd heb yn wybod iddo. Lois yn colli amynedd ac yn saethu Glyn, gan wybod y byddai'n haws fy nefnyddio i. Steddfod yn y dre yn esgus iddi aros o gwmpas. Amau Arthur Hopkins – ceisio gwneud ffrind ohono ond yntau ddim yn siarad. Saethu'r Archdderwydd er mwyn ei ddychryn. Llwyddo – Arthur yn siarad efo fi. Fi'n gwneud y gweddill – o'n i'n da i hynny, o leia. Hanna Barbra'n ei hamau – trefnu i'w chyfarfod. Ei lladd. 'Nôl i'r gwesty i wylio'r seremoni. Tra bod pawb arall yn gwylio'r cleddyf yn yr awyr hi'n fy ngweld i'n pocedu'r Ddraig. Gweld Huw ap Elian yn deud ei fod o eisiau siarad – penderfynu cau ei geg. *Mickey Finn* i mi i neud i mi gysgu a rhyw efo fi i lacio 'nhafod. I'r swyddfa a threfnu i Huw ap Elian ddod yno i'w chyfarfod. Smalio trafod busnas am y Ddraig, a'i ladd. Cuddio'r Ddraig, a 'nôl ata i, gan adael i de Morris ddarganfod corff ei grôni ychydig cyn i mi gyrraedd yno'r bora 'ma. De Morris yn gwybod y byddai'n cael ei gysylltu â Huw ap Elian yn ogystal â'r tebygrwydd mai fo laddodd Esteban yn Nhrelew, ac felly'n 'i gleuo hi 'nôl am yr Ariannin cyn gynted â phosib efo dim ond ei basport yn ei boced.

Roedd hi'n theori gwbwl, gwbwl wallgof.

Ond roedd hi'n bosib.

Yr unig beth oedd ddim yn ffitio rhywsut oedd Trefor, ond gan fod yna o leia dri chriw gwahanol yn chwilio am y Ddraig, a'r rheiny i gyd yn bobol beryg, fe allai fod yna fwy. F'amheuaeth i oedd fod Trefor druan jyst yn y lle anghywir ar yr amsar anghywir. Falla 'i fod o 'di gwerthu teiars sâl i'r dyn yn y car du. Neu os oedd Lois yn gymaint o fwystfil ag oedd fy theori'n awgrymu, efallai ei bod hi jyst wedi penderfynu lladd rhywun rhywun er mwyn torri'r patrwm allai arwain ati hi.

Ond, wrth gwrs, doedd hi ddim. Allai hi ddim bod. Mi fyddai'n bosib i greu theorïau tebyg ar gyfer cant a mil o bobol yn wyneb y prinder gwybodaeth oedd ar gael. Ac os oedd Lois wedi llwyddo i gael yr hyn roedd hi wedi bod ar ei ôl drwy'r amser, be ddiawl oedd hi'n da yn aros i gystadlu ar y Rhuban Glas yn lle diflannu o'r ardal am byth?

Os oedd ganddi unrhyw fwriad cystadlu . . .

Yr oeddwn wedi dechrau rhedeg cyn i mi sylweddoli mod i'n gwneud. Baglais i lawr Allt Llo Cors ac ar hyd y stryd fawr i lawr at y Brython.

Edrychodd y ferch yn y dderbynfa'n hurt arnaf yn chwysu dros ei chowntar. Lwcus nad o'n i wedi smocio heddiw neu beryg 'swn i 'di gwneud mwy na chwysu.

'Lois Calon?' cyfarthais.

'I'm sorry. I'm not speaking Welsh.'

'Y?'

'I am Czech Republic.'

'O! Na na – *it's the name of a resident.'*

'What is your name, please?'

'No no – not my name. She's a girl. Lois Calon.'

'I am not understanding, please?'

'Reit. *Give me a piece of paper.'*

Roedd hi'n mynd i ofyn rhywbeth arall.

'Never mind.' Cythrais i'm poced uchaf a thynnu llyfr nodiadau blêr, rhwygo tudalen allan ac ysgrifennu 'Lois Calon' arno.

Darllenodd y ferch ifanc y nodyn. Yna edrychodd arnaf.

'What is this, please?'

'She's staying here!'

'Staying? She has room?'

'Yes . . . ' gwichiais, gan geisio 'ngorau glas i fygu'r ysfa i sgrechian.

'You are friend?'

'Yes . . . '

'One moment, please . . . '

Un ddudodd hi? Roedd 'na hannar bywyd wedi pasio'n

barod. Edrychodd am y wybodaeth ar y cyfrifiadur, ac ebychodd ei bodlonrwydd.

'Ah yes. Room —' Yr oedd ar fin deud y rhif pan edrychodd arnaf ac ailfeddwl. Roedd gen i'r math yna o wyneb, mae'n rhaid.

'What message, please?'

'No message. Has she checked out?'

'I'm sorry?'

'Has – she – checked – out? To-day?'

'Check out?'

'Yes . . . '

'Today?'

'YES!'

'Sir – you do not shout, please.'

'Sori . . . '

'No check out.'

'No?'

'No check out.'

'Sure?'

Edrychodd yn hurt arnaf – oeddwn i'n cyhuddo cyfrifiadur o fod yn anghywir? Amneidiodd at y sgrin.

'For sure. Is here. No check out. I help you with anything else?'

Arglwydd – un bywyd oedd gen i.

'No thanks.'

'Ok – have nice day!'

Chwifiais at y tacsi gwag cyntaf a welais. Dyna ni felly. Pwy o'n i'n ceisio'i dwyllo? Y fi a'n theoris gwirion – tra oedd Lois yn paratoi'i hun yn ddiniwed tuag at freuddwyd fawr ei bywyd, ro'n i wrth fy ngwaith yn llunio theorïau hollol annheilwng ohoni.

'Ti'n dal yn rhydd, felly?'

'Ia, reit dda, Rog . . . '

Tipyn o wag oedd Roger. Ond mi fasa 'di bod yn gallach i beidio galw'i fusnas yn 'Tacsis Rog'. Ddim yng Nghaerlloi. O fewn noson roedd 'na do bach wedi ymddangos ar ben pob 'o' ac fel 'Tacsis Rôg' oedd pawb yn ei adnabod ers hynny.

'Be uffar sy'n mynd ymlaen yn lle 'ma ta, Jaci?'

'Cha i'm deud, 'sti.'

'Dos o'ma.'

'Ar 'y marw – fiw 'mi.'

'Pam ta?'

'Cha i'm deud hynny chwaith, na cha?'

'Be wn i? Pam ta?'

'Beryg 'di?'

'Wel Iesu, dwi'n gwbod hynny dydw, siŵr dduw – 'does 'na bobol yn marw lefft rait an' sentar rownd lle 'ma!'

'Wel ia – ond os dwi'n deud be dwi'n wbod wrthat ti, ma hynny'n dy roi di mewn peryg wedyn, dydi?'

'Cachu mot! O'n i'm 'di meddwl am hynny.'

Ges lonydd am weddill y siwrna wedyn.

Bu bron i mi deimlo brath o siom wrth giwio yn y rhes arferol a gweld nad y Don oedd y tu ôl i'r ffenest docynnau. Ond doedd 'na'm rhaid i mi fod wedi poeni.

'Mr Lewis? Dowch ffordd hyn.'

Amneidiodd i mi fynd ati a'i dilyn. Ufuddheais innau fel oen. Rhoddodd docyn pafiliwn a rhaglen yn fy llaw.

'Dyna chi. Pob lwc.'

Be oedd hi'n feddwl? Be oedd hi'n wybod? Paranoia eto.

'Pwy ydach chi?'

Gwenodd yn famol arnaf.

'Eich *fairy godmother* chi, Mr Lewis.'

'Ia, ha ha – naci, o ddifri 'ŵan.'

Ond gwyddwn na chawn ateb – roedd hi eisoes wedi

troi'n ôl at ei chyd-stiwardiaid ac ailgydio mewn sgwrs am antics rhyw ddynes briod ar y maes carafannau neithiwr.

'Diolch,' meddwn.

Trodd i edrych arnaf gyda gwên gymeradwyol.

'Dyna fo. Chydig o *fanners* yn brifo neb, nacdi. Pob lwc.'

Eto. Pob lwc be?

Pocedais fy nhocyn a chamu i'r maes. Roedd criw o ddawnswyr gwerin wrthi'n perfformio'n anffurfiol – yn wir, mor anffurfiol nes bod yna fardd caeth neu ddau yn eu plith yn hopian yn drwsgl a hanner meddw. Gwelais y dawnsiwr boliog unsill yn eu canol a'i holl osgo'n hollol gyferbyniol i'r dydd o'r blaen, fel petai pwysau'r byd wedi ei godi oddi ar ei ysgwyddau. Roedd ei lygaid yn pefrio. Galwais arno.

'Be sy'n mynd ymlaen?'

'Dawns.'

Ond doedd ei steil o ddim wedi newid. Achubwyd fi gan ddawnsiwr ifanc.

'Hen ddawns draddodiadol i ddiolch am farwolaeth yr Archdderwydd.'

'Arclwy. Wyddwn i ddim fod 'na ffasiwn beth . . . '

Rhoddodd y dawnsiwr ifanc winc fach.

'Wel, i ddeud y gwir, rhyw neud hi i fyny fel 'dan ni'n mynd ymlaen ydan ni – peidiwch â deud wrth neb.'

Roedd y dawnsiwr boliog wedi gadael y grŵp a cherdded ataf. Chwifiodd docyn pafiliwn dan fy nhrwyn.

'Tocyn.'

'I mi?'

'Ia.'

'Pam?'

Doedd o'm isio trafod pam.

'Tocyn.'

'Wel, diolch yn fawr, ond mae gen i un 'chi . . . '

'Cymwch.' Gwthiodd o i'm llaw.

'Dwi'm yn mynd i fod angan hwn 'chi . . . '

'Dawnsio.' Ac ailymunodd yn y ddawns fyr-fyfyr.

Chwarae teg iddo fo. Penderfynais beidio â gwneud sioe. Ddylia bod 'na ddigon o bobol angan tocyn i mi fedru cael ei wared. Cychwynnais am y pafiliwn, ond prin o'n i wedi teithio hannar canllath cyn i mi glywed llais Bygsun yn galw arnaf.

'Hei, cwd!'

'Iesu, callia nei di, Bygsun – ma 'na amsar a lle. Dim rŵan 'di'r amsar a dim fama 'di'r lle.'

Roedd 'na olwg fonllyd ar ei wyneb yn syth, yna cofiodd ei genadwri, a sbriwsiodd ychydig.

'Gen i rwbath i chdi.'

''Di'n ben-blwydd arna i neu rwbath?'

Chwifiodd docyn pafiliwn dan fy nhrwyn. Gwylltiais.

'Ti'n cymyd y mic?'

Roedd yn amlwg oddi wrth ei wyneb nad oedd.

'Yli, diolch 'ti 'run fath, ond dwi'm angan tocyn pafiliwn – arall.'

'Dwi'm i fod i gymryd "na" fel atab.'

'Medda pwy?'

Ystyriodd Bygsun.

'Dwi'm yn deud.'

'Medda pwy?!'

'Eliot Beics a Meirwen.'

Be gythral oedd yn mynd ymlaen?

'Be gythral sy'n mynd ymlaen, Bygsun?'

'Dwi'm yn gwbod. 'Mond gneud be ma nhw'n ddeud 'tha i dwi.'

Ro'n i flys â mynd draw i babell y *Clarion* i weld be

oedd y sgôr. Ond do'n i'm digon hyderus o fedru dod o hyd iddi mewn llai na deuddydd.

'Cadwa fo, Bygsun. Dwi'm angan un arall.'

'O Jaci, plîs paid â gneud i mi fynd â fo'n ôl! 'Nes i addo! Plîs, Jaci!'

'Arglwydd – olreit, olreit! Tyd â fo yma, ta.'

Gwenodd Bygsun fel giât gan arddangos ei ddannedd canol i'w llawn ogoniant.

'Hwyl.'

'Ia, hwyl . . . '

' . . . cwd . . . '

A rhuthrodd Bygsun yn ôl i ddiogelwch yr hyn dybiwn oedd cyfeiriad pabell y *Clarion*.

Mi fedrwn wneud heb hyn. Roedd y demtasiwn i dalu ymweliad â'r babell gwrw yn cynyddu. Brwydrais yn ei erbyn, ac ailgychwyn i gyfeiriad y pafiliwn. Cerddais hanner canllath arall cyn cael fy atal gan y cyflwynydd teledu ifanc oedd mor awyddus i'm hosgoi echdoe. Rywsut ro'n i'n ama beth fyddai ei genadwri.

'Llongyfarchiadau, syr! Chi yw'r canfed person i mi ei gyfweld yr wythnos yma!'

''Dan ni 'di siarad o'r blaen —'

'A'r wobr ydi – tocyn pafiliwn!'

''Dan ni 'di siarad o'r blaen —'

'Mwynhewch – pleser eich cyfarfod!'

''Dan ni 'di siarad o'r blaen —'

Ond roedd o wedi mynd, a'r tocyn yn fy llaw.

Reit. 'Na fo. Y babell gwrw amdani.

Cyrhaeddais y bar wedi ildio'n llwyr, ond ni chefais gyfle i archebu.

'Duw – sbïwch pwy sy 'ma!'

Ochneidiais.

'Sma'i Dei . . . ' Roeddan ni'n fêts gora eto, mae'n amlwg.

'Arna i beint i ti.'

'Twt, anghofia amdano fo . . . '

'Ond sgin i'm pres.'

''Dio'm ots.'

'Ddeud 'that ti be 'na i . . . '

''Dio'm ots, Dei . . . '

'Cym hwn yn lle, 'li . . . '

Ro'n i'n gwbod be oedd o cyn edrych. Gafaelais ynddo'n dawel a'i roi o efo'r lleill.

'Diolch, Dei.'

'Iawn siŵr. Da i'm byd i fi 'sti – dwi'm yn mynd i nunlla heblaw fama. Sgen ti'm . . . y . . . pres peint digwydd bod, nagoes?'

Rhodais ddecpunt iddo a gadael y babell cyn gynted â phosib.

'Aros am dy newid!'

Pum tocyn pafiliwn. A mwy i ddod o bosib. Ro'n i isio gair efo'r bonheddwr welingtons.

'Be gythral sy'n mynd ymlaen?'

'Mae'n ddrwg gen i gyfaill?'

Dangosais y tocynnau iddo.

'Pum tocyn!'

Cyfrodd hwy.

'Wel, ie – mae'n ymddangos fod yna bump yna . . . '

'Peidiwch ag actio'n ddiniwed – ma hyn yn amlwg rwbath i neud efo chi.'

'Fi, syr? Rhad arnoch chi! Pam y byddai'n unrhyw beth i'w wneud efo mi?'

'Am ych bod chi'n wîrdo. A dach chi'm yn dryst.'

'Chlywais i'r fath beth! Dydw i ddim yn dod i faes y Genedlaethol i gael fy enllibio yn y fath fodd!'

Sobrais.

'Olreit – sori. Hwdwch – cymwch bedwar ac mi anghofiwn ni am y peth.'

'A beth ydw i'n mynd i'w wneud â phedwar tocyn?'

''U gwerthu nhw.'

'Eu gwerthu nhw? I bwy?'

'I rywun. Dyna ma towt yn neud, 'de?'

'Ydach chi'n fy nghyhuddo o fod yn dowt, syr?'

'O – peidiwch â dechra hyn eto, plîs!'

'Y ffasiwn beth!'

Ro'n i 'di cal digon.

'Reit – ffwcio hyn . . . '

Anelais am y bin sbwriel agosaf a thaflu pedwar o'r tocynnau iddo. Ychydig yn anniolchgar efallai, ond roedd hi wedi bod yn wythnos hir.

'Nid dyna'r ffordd i drin tocynnau pafiliwn yr Eisteddfod Genedlaethol, syr,' meddai.

'Ti'n blydi sgitso, mêt,' medda finna a mynd am y pafiliwn. Rhyngddo fo a nhw . . .

Hyd y gwelwn mi fyddai yna fwy o siawns gan rywun i atal bygythiad Al-Qaeda nag i roi stop ar weithgareddau'r jygyrnot a elwid yn Eisteddfod Genedlaethol. Dau Archdderwydd ac un Ceidwad y Cledd yn llai, roedd y sioe'n dal i chwyrnellu'n ei blaen, hyd yn oed os oedd yna ddiwygio rhyw damaid yma ac acw bob hyn a hyn. Roedd cystadleuaeth y Rhuban Glas yn enghraifft berffaith o hyn – wedi cael ei symud o'i slot draddodiadol nos Sadwrn i nos Wener rai blynyddoedd yn ôl, ond bellach wedi ei symud yn ôl i ddydd Sadwrn. Nid nos Sadwrn chwaith; y dyddiau yma roedd y slot hwnnw'n perthyn i'r Wa-wi Ffactor – cystadlaethau rapio, canu pop mewn grwpiau o bump (merched neu fechgyn), ysgwyd pen-ôl gydag agwedd, a phinacl y noson – yr unawd *grace notes* – pwy allai roi'r mwyaf o nodau ychwanegol dibwrpas yn yr un gân. Noddwyd y Wa-wi Ffactor gan gwmni byrgyrs nid anenwog ac roedd yr Eisteddfod yn dra diolchgar am eu cefnogaeth ariannol. Dyna oedd o'n ddeud yn y rhaglen ges i gan fy llys-dylwythen-deg-fam, beth bynnag.

Dewisais sedd wrth ymyl llwybr yn y bloc canol, yn gymharol agos i'r llwyfan. Gyda'r Ddraig wedi gadael Caerlloi doedd yna fawr o beryg bellach i Archdderwydd na dyn. Roedd yr heddlu o'r un farn ma raid; roedd eu presenoldeb yn go denau heddiw o'i gymharu efo'r dyddiau dwytha. Gwelais gip ar Charles ac Eira Calon yn eistedd yn ddisgwylgar nid nepell oddi wrthyf. Roedd eu gweld yn ysgogiad pellach imi fanteisio ar yr amser cyn i gystadleuaeth y Rhuban Glas ddechrau i feddwl am y cant ac un o resymau pam na fedrai cantores glasurol fod yn llofrudd digydwybod. Cant ag un? Miliwn ac un yn fwy tebyg. Ac eto, er mor bitw oedd, roedd 'na gnoad o amheuaeth yn mynnu aros.

Roedd un peth yn sicr. Mi oedd hi'n mynd i orfod canu'n dda. Wedi dau unawdydd yr oedd hi eisoes yn gystadleuaeth o safon, ac unwaith eto, ar fy ngwaethaf, yr oedd y pafiliwn o'm cwmpas yn dechrau toddi i'r cefndir a'r ffin rhwng heddiw a degawd yn ôl yn mynd yn fwy niwlog. Bellach, a'm holl sylw wedi'i hoelio ar y llwyfan, dim ond y rhai agosaf o'm cwmpas oeddwn i'n ymwybodol ohonynt, a gallwn deimlo eu cyffro hwythau fel trydan o'm hamgylch – roeddynt yn amlwg, fel finnau, yn synhwyro fod hon yn mynd i fod yn gystadleuaeth tra arbennig.

Erbyn i'r pumed cystadleuydd ganu, medrwn daeru

mai disgwyl am Lili, ac nid Lois yr oeddwn, ac nad oedd y deng mlynedd diwethaf wedi digwydd o gwbwl. Roedd y safon wedi codi gyda phob cantor bron (ac eithrio'r *mezzo* efallai – a ddylai hithau ddim teimlo dim cywilydd ynghylch ei pherfformiad chwaith. Rhyfedd – roedd Lili wastad yn deud nad oedd *mezzos* byth yn ennill y Rhuban Glas am ryw reswm), ond rhwng y bariton a'r contralto oedd hi yn fy nhyb i, a dim i'w ddewis rhyngddynt.

Ac yna llifodd Lois i'r llwyfan mewn ffrog goch hir. Eisteddodd y rhan fwyaf o'r dynion yn y gynulleidfa ychydig yn sythach yn eu seti, a phenderfynodd y rhan fwyaf o'r merched yn reddfol nad hon ddylai ennill. Ond wrth i nodau cyntaf 'Gweddi Pechadur' dreiddio'n gynnes drwy'r pafiliwn fe wyddai'r rhan fwyaf o'r gwrandawyr fod penllanw'r gystadleuaeth eto heb ei gyrraedd. Yr oedd yn brofiad poenus o hardd i wrando arni, ac ar yr un pryd yn corddi cymaint o atgofion, amheuon ac emosiynau nes bod y profiad bron yn rhy lethol i'w oddef. Teimlwn fel dihiryn am fedru amau y fath ymgorfforiad o burdeb â'r fath anfadwaith, a phe cyfeiriai ei gweddi'n uniongyrchol ata i, byddwn wedi maddau iddi'n syth.

Yna, wrth iddi droi ychydig ar ei chorff i wynebu rhan arall o'r gynulleidfa digwyddodd dau beth. Yn gyntaf, sylwais ar ddeunydd tenau ei ffrog yn bachu am eiliad ar rywbeth o gwmpas ardal ei chlun. Fel yr oeddwn yn y broses o sylweddoli beth oedd arwyddocâd hyn, roedd fy llygaid wedi gwneud y daith at ei hwyneb a oedd, yn sydyn, yn bradychu'r sioc o adnabod rhywun yn y gynulleidfa y byddai'n well ganddi beidio â bod wedi'i weld. Am rai eiliadau roedd yna naws afreal yn y babell, gyda Lois yn methu â thynnu ei llygaid oddi ar destun ei hofn, ac eto'n dal i ganu. Ond roedd y gynulleidfa'n

dechrau sylweddoli fod rhywbeth o'i le, ac roedd yr hud wedi'i dorri. Arafodd y canu, a sychodd yn ddim. Safodd Lois yno'n dawel am sbel. Yna cododd dyn mewn siwt ar ei draed yn y gynulleidfa a dechrau gwneud ei ffordd yn araf, bwrpasol at y llwyfan.

Roedd Lois fel cwningen yn y golau ond, yn sydyn, edrychodd o'i chwmpas am ddihangfa. Dechreuodd wardio i ochr chwith y llwyfan yn araf. Yna, trodd ei phen yn sydyn i edrych ar draws y llwyfan i'r ochr dde o'r lle y cerddai dyn arall mewn siwt i'w chyfeiriad.

'Jaci!' cwynfanodd ac arswyd pur yn ei llais. Doedd dim angen deud ddwywaith. Ro'n i ar fy nhraed ac yn rhedeg at y llwyfan mewn eiliad. Yn sydyn, digwyddodd pob peth fel fflach. Dechreuodd yr ail ddyn estyn rhywbeth o'i boced, ond achubodd Lois y blaen arno. Fel mellten, chwipiodd ei sgert i'r ochr, rhwygo'r gwn dapiwyd i'w chlun yn rhydd a'i saethu ddwywaith. Yna ciciodd ei sodlau oddi ar ei thraed a'i heglu hi oddi ar y llwyfan.

Am y bedwaredd waith mewn wythnos, roedd hi'n bedlam yn y pafiliwn. Cael a chael wnes i i gyrraedd y llwyfan cyn i'r llif o banic dynol fy moddi. Yr oedd dihiryn 'A' eisoes ar y llwyfan yn ceisio gwneud ei ffordd ar ôl Lois ac wedi tynnu ei wn yntau. Taflais fy hun ar draws y llwyfan a gafael yn y gwn a ollyngodd yr ail ddihiryn, gan sylwi ar amrantiad fod Lois wedi ei saethu unwaith drwy ei galon ac unwaith drwy ei ben. Ond nid rŵan oedd yr amser i ddadansoddi arwyddocâd hynny. Roedd y cyfaill yn y siwt wedi diflannu i gefn y llwyfan. Rhuthrais ar ei ôl gan ddiolch ar adegau fel hyn fod cael gwn yn eich llaw gyfystyr ag agor y môr coch, gyda phobol yn mynd allan o'u ffordd i fynd allan o'r ffordd.

Roedd Lois yn gyflym, mi ro i hynny iddi. Fe'i gwelwn yn y pellter yn gwibio am y fynedfa. A sylweddolais yr hyn roedd Hanna'n ei olygu ynglŷn â'r ffordd yr oedd hi'n symud. Doedd hi bellach ddim yn poeni am yr act o symud yn osgeiddig fonheddig. Roedd hi'n symud fel cath. Fel llofrudd.

Ond roedd y dihiryn yn gyflymach. Ac roedd yn mynd i'w dal cyn iddi gyrraedd y fynedfa. A doedd o'm yn edrych mewn hwyliau i siarad. Gwaeddais arno.

'Stop!'

Trodd heb stopio rhedeg a thanio ergyd i'm cyfeiriad. Clywn sgrechfeydd o'm cwmpas fel y clywn wynt y fwled yn pasio rhywle'n gyfagos.

Yna taniodd at Lois, ond dydi saethu'n syth tra'n rhedeg ddim mor hawdd ag mae'n edrych yn ffilmiau Hanna Barbra. Ffromais. Doedd 'run dihiryn ag unrhyw hunanbarch yn ceisio saethu dynes yn ei chefn ar unrhyw adeg.

'Hoi!' gwaeddais.

Anwybyddodd fi a thanio at Lois eto. Rhoddodd sgrech fel y neidiodd ei braich dde o'i blaen yn ddireolaeth a hedfanodd y gwn o'i llaw. Ond ni stopiodd redeg, er bod cochni'r gwaed o'i braich yn dechrau cymysgu gyda'i ffrog. Serch hynny, mi fyddai ei darpar asasin mor agos mewn munud fel na fyddai'n gallu methu â'i ergyd nesaf. Taniais ergyd a disgyn ar un ben-glin. Fel y disgwyliwn, trodd eto i danio ergyd ond aeth honno'n ddiogel ddiniwed dros fy mhen. Aeth f'un innau yn syth i'w fol. Disgynnodd gan riddfan. Oedais ennyd uwch ei ben. Dwi'm yn siŵr a oedd hi'n ergyd angheuol ond fe wnâi'r tro am rŵan – fe gâi rhywun arall ddelio ag o.

Rhedais allan drwy'r fynedfa ac edrych yn wyllt o'm cwmpas. O'm blaen roedd y traciau metal yn arwain yn syth i lawr i'r maes parcio. I'r dde roedd y maes carafannau. I'r chwith, gwelais fflach o goch yn diflannu rownd cornel coedlan gyfagos. Call iawn, Lois. Prynu amser drwy groesi'r caeau. Yna daeth y smotyn coch i'r golwg eto gan anelu'n siarp i'r chwith y tro yma. Rhedais i'r cyfeiriad, ac yna gwelais yr hyn achosodd iddi newid ei meddwl. O'r dde, yn dod i'r golwg o'r tu ôl i'r goedlan, gwelwn ffurf tywyll bygythiol yn brasgamu ar ei hôl.

Genghis Puw.

Fedrwn i'm dal Genghis. Roedd blynyddoedd o smocio ac yfed wedi gwneud yn siŵr o hynny. Ond roedd Lois yn ennill ar y ddau ohonon ni. Croesodd ddau gae, ffordd, cae arall, afon a dau gae eto heb arwydd o flino. Yn rhyfedd iawn, doedd Genghis ddim fel petai'n malio. Sylweddolais gyda braw nad ceisio'i dal hi oedd o, ond ceisio'i chorlannu – ambell waith gwyrai ychydig i'r dde neu i'r chwith er mwyn dylanwadu ar ei chyfeiriad. Ac fel y croesem drosodd i dir Esgair Wen, dechreuais ama mod i'n gwybod lle'r oedd pen y daith i fod. Yn y coed rhyw filltir uwch Esgair Wen roedd yna hen feudy nad oedd wedi cael ei ddefnyddio ers cyn cof, a dim ond trac bach brwnt yn arwain ato. Byddai'r rhai mwy mentrus ohonom yn arfer mentro yno ar ein beiciau pan oeddem yn blant – mi fentra i fod Genghis yntau wedi gwneud yn ei dro. Lle delfrydol i guddio – neu i ddibenion mwy sinistr.

Roedd Lois yn dechrau dringo'i ffordd i'r coed, a Genghis, o ganlyniad, yn nesu ati, ond yn dal yn ddigon hapus i'w hannog i'r cyfeiriad cywir. Sylweddolodd Lois o'r diwedd beth yr oedd yn ceisio'i wneud a throdd yn siarp i'r chwith. Ond, gyda sydynrwydd anghyffredin, roedd Genghis wedi ymateb i'w chynllun a chylchu o'i chwmpas fel nad oedd ganddi ddewis ond dianc i'r union gyfeiriad ag y dymunai. Edrychodd Lois yn wyllt o'i chwmpas am achubiaeth, a sylwi am y tro cyntaf arna i. Sgrechiodd.

'Jaci! Help!'

Grêt – diolch, Lois. Cyn i mi gael cyfle i ymateb daeth

ergyd o gyfeiriad Genghis, a gwaeddais wrth hedbytio'r llawr. Do'n i'm yn cofio deud wrtha i'n hun am daflu fy hun i'r llawr. Yna teimlais y gwres ingol a sylweddoli ei fod wedi fy saethu yn fy nghoes.

Codais fy mhen, ond doedd 'na'm golwg o'r un o'r ddau. Ceisiais godi a saethodd poen arteithiol drwy fy nghoes wrth i mi roi fy mhwysau arni. Teimlais o'i chwmpas. Dim llanast – dim llawer o waedu hyd yn oed. Roedd y fwled yn dal i mewn felly. Dyna'r lle gorau iddi am rŵan. Gwyddwn mai ychydig gannoedd o lathenni oedd yna cyn cyrraedd y beudy. Ewyllysiais fy hun i hercian i'r cyfeiriad, a deng munud a galwyn o chwys yn ddiweddarach, cyrhaeddais yr agoriad yn y coed lle safai'r beudy.

Roedd hi'n annaturiol o dawel yno – dim sŵn adar hyd yn oed. Dim ond fy anadlu emffysemaidd i.

Ceisiais sleifio at yr adeilad ond dydy sleifio efo bwled mewn coes mo'r peth hawsaf a rhois ambell wich dawel wrth groesi'r buarth agored. Ond doedd dim arwydd fod yno neb o gwmpas i'm clywed. Cerddais hyd ochor y beudy gan ddiawlio i'm hun nad oedd yno ffenestri i weld i mewn drwyddynt. Hyd y cofiwn o'r adeg pan oeddem yn blant, roedd y beudy'n ddwy ran – y darn blaen wedi'i rannu'n gorau a'r cefn yn rhyw fath o dŷ gwair ar ddwy lefel, gydag ambell ddistyn pren fel rhyw ffens derfyn rhwng y ddwy adran ar y lefel uchaf. Cyrhaeddais gornel y talcen blaen a gwelwn gerbyd gyriant pedair olwyn drudfawr wedi ei barcio yn ymyl. Roedd o yma felly. Symudais yn bwyllog at y drws ffrynt, aros, yna edrych rownd yn sydyn o'r tu ôl i'r gwn. Cachu hwch. Roedd hi'n dywyll bitsh. Oedd 'na ffordd gall o wneud hyn?

Nag oedd.

Cyrcydais y tu allan – syniad uffernol o wael yn ôl fy nghoes, ond anwybyddais hi – ac ar ôl cyfri i dri, taflais fy hun i mewn ar fy hyd a rhowlio i un o'r corau. Dim ergyd. Dim smic.

Arhosais i gael fy ngwynt ataf ac i'm llygaid gynefino efo'r tywyllwch. Medrwn weld fod yna wyth côr cyn cyrraedd y drws drwodd i'r tŷ gwair. Roedd y ddau ar fy nghyfer i'n wag. Fedrwn i'm gweld i mewn i'r lleill. Ond o leiaf rŵan mi fedrwn rhyw lun o weld. Gweithiais fy ffordd yn araf a phoenus ar hyd yr adeilad nes bodloni fy hun nad oedd neb yno, yna symudais yn araf drwy'r drws agored.

O'm blaen, wrth y wal bellaf safai Lois, yn edrych arnaf gyda mwy o arswyd na'r hyn a ddangosodd ar y llwyfan gynnau fach. Yna tywyllodd y golau o'r tu cefn i mi.

'Jaci!' gwaeddodd Lois ar dop ei llais.

Y peth nesaf wyddwn oedd fy mod ar fy hyd ar lawr eto ac wedi gollwng fy ngwn.

Clywais lais cyfoethog ag iddo acen dramor i'r chwith o'r drws yr hedfanais i mewn drwyddo.

'A! Mr Lewis – hen bryd . . . Doedd dim rhaid ei saethu, Genghis . . . '

Edrychais drwy niwl o boen i gyfeiriad y llais. Yno, â gwn yn ei law, yn eistedd yn gyfforddus ar gadair gadach cyfarwyddwr, roedd gŵr anferthol mewn siwt a edrychai bron mor ddrud â'r peiriant a safai y tu allan.

'Saul Ferino,' ebychais.

'Ia,' meddai'n syml fel petai wedi hen arfer â chael ei adnabod. Gwenodd. Yna gwgodd.

'Doedd dim rhaid i chi ddod, rydych chi'n gwybod. Mater preifat yw hwn.'

'Dach chi'n siarad Cymraeg?'

'Rwy'n siarad deuddeg o ieithoedd. Chwech ohonynt yn lleiafrifol. Genghis . . . '

Cododd Genghis y gwn a gadael yr ystafell i gadw

llygad ar y lle. Gwenodd Ferino'n dadol arno wrth iddo adael.

'Genghis yw fy rhif un,' meddai. Edrychodd yn arwyddocaol ar Lois. 'Fe gafodd ddyrchafiad.'

'Plîs, Saul,' crefodd Lois.

'Peth trist yw cael eich bradychu, Mr Lewis,' meddai Ferino'n bruddglwyfus. Eisteddodd mewn tawelwch am ychydig, yn myfyrio.

'Dros ddeng mlynedd o gefnogaeth, hyfforddiant – wel, o fod yn dad cystal â bod – a beth yw fy ngwobr?'

'Plîs . . . '

'Lle mae'r Ddraig Goch, Lois?' gofynnodd Ferino'n ddiniwed.

Edrychodd Lois arno trwy ddagrau.

'Ddim yn gwybod?'

Ysgydwodd ei phen yn araf a'i llygaid yn pledio.

'Ac rwy'n deall fod Hans a Vincent wedi'n – gadael. Trist iawn. Mae colli lot o staff mewn un diwrnod yn ddrwg i fusnes . . . ' Syllodd Ferino arni am ychydig yn ddwys, cyn dod ato'i hun a sionci.

'Na phoener.' Trodd ataf fi, gan amneidio gyda'r gwn tuag ati.

'Ydi hi'n deud y gwir, Mr Lewis?'

Roeddwn wedi treulio wythnos yn meddwl ei bod hi'n deud y gwir. Ond hyd yn oed yn ei chyflwr truenus presennol, doeddwn i wir ddim yn gwybod be i'w gredu bellach. Ceisiais godi ar fy eistedd, ond sylweddolais mwyaf sydyn nad oedd gen i'r nerth.

'O, twt twt – faswn i ddim yn gwneud hynna. Rydach chi'n colli gwaed ar raddfa bur ddifrifol, wyddoch chi – lle'r oedden ni? O ie – Lois. Ddim yn siŵr? Na fi . . . '

Cododd ei wn a'i saethu hi yn ei phen-glin. Sgrechiodd Lois mewn poen a suddo i'r llawr. Gwaeddais innau mewn braw. Bu tawelwch eto, ar wahân i'w griddfan tawel rhwng dagrau. Toc dyma Ferino yn mentro i'r dwfn eto, a gofyn iddi'n iasol o dyner:

'Lle mae'r Ddraig, Lois?'

Ni chafodd ateb. Gwgodd i'w hun, yna gwenu arnaf a chodi o'i gadair.

'Dyma'r pris mae rhywun yn ei dalu am hyfforddi person yn rhy dda, Mr Lewis. Maent yn wych am gadw cyfrinach.'

Ystyriodd.

'Yr hyn hoffwn i ei wbod ydi pam, Lois? Pam? Yr holl gyfraniadau ariannol wnaeth dy gynnal di drwy'r coleg, yr holl oriau o hyfforddiant gan fy ngweithwyr yn rhad ac am ddim i ddatblygu dy dalent i'r eithaf, a'r cwbwl yr oeddwn yn ei ofyn oedd ambell i – ffafr. Dim ond ambell un. Ac fe wnest ti ddefnyddio'r adnoddau rois i i ti i'th ddibenion dy hun. Pam, Lois fach? – deud wrtha i pam, cariad . . . '

Roedd o'n swnio'n glwyfedig – am eiliad ro'n i bron â theimlo biti drosto fo. Yna atgoffais fy hun ei fod mwy na thebyg yn mynd i ladd y ddau ohonom ni oni bai'n bod ni'n gwaedu i farwolaeth gyntaf.

'Am . . . mai . . . cantores . . . dwi . . . ' Prin y medrwn glywed ateb Lois gan mor isel y sibrydai.

'Cantores!' Chwarddodd Saul Ferino lond yr ystafell. 'O diar – mi dalais yn ddrud am hybu dy ffantasi di, yn do? Cantores, ie. Wel, mi wyt ti wedi gwella mae'n rhaid deud, ond fel Eidalwr mi wn i rywbeth am ganu, ac fel merch ddeallus, fe wyddost tithau lle mae dy wir dalent di, yn gwyddost?'

' . . . cantores . . . '

Edrychodd Ferino arni fel pe bai'n ei gweld o'r newydd.

'Obsesiwn, Mr Lewis! Peth peryglus iawn. Angheuol mewn rhai amgylchiadau. Rwy'n deall rŵan pam iddi fynnu aros i gystadlu â'r Ddraig eisoes yn ei meddiant. Gweithred hollol wallgof. Ceisio dwyn y Ddraig y tu cefn i mi er mwyn annibyniaeth ariannol a gyrfa o ganu. Gweithred hollol wallgof.'

Aeth yn nes ati a dechreuodd fytheirio fel gwallgofddyn. Roedd yn olygfa arswydus.

'OEDDET TI O DDIFRI YN MEDDWL NA FYDDWN YN DOD O HYD I TI? WYT TI WEDI ANGHOFIO FAINT O GYSYLLTIADAU SYDD GEN I? WYT TI WEDI ANGHOFIO SUT DDOIS I O HYD I TI YN Y LLE CYNTAF?'

Trodd yn sydyn ataf fi, fel petai newydd feddwl am rywbeth hynod adloniadol.

'Hoffech chi wbod sut y dois i o hyd iddi gyntaf, Mr Lewis?'

Cododd Lois ei phen mewn braw.

'Na!'

'Lle mae'r Ddraig, Lois?'

Tawelwch.

'Reit. Fel hyn oedd hi. Fe ddaeth i'm sylw i, Mr Lewis, fod yna farwolaeth anarferol wedi digwydd yn y dre yma. Roedd yr heddlu, wrth gwrs, mor aneffeithiol ag arfer ond fe wnaeth fy nghyswllt i ei waith cartref yn drylwyr a sylweddoli mai neb llai na merch fach ddiniwed yr olwg oedd yn gyfrifol, cofiwch!'

'Na – plîs . . . '

'A wyddoch chi pam? Na?'

'Saul . . . '

'Am ei bod wedi deud wrthi nad oedd pwrpas iddi roi rhagor o wersi iddi am na fedrai ganu.'

Mae'n rhaid mod i wedi colli gormod o waed – roedd fy mhen yn dechrau nofio.

'Ymateb chydig bach yn seicopathic, fe allech ddadlau, ond ar fy ngwir mi roedd hi'n llofruddiaeth mor giwt fel y gwelodd Yncl Saul y potensial yn y ferch fach, a dyna pryd y dechreuodd anfon y cyfraniadau dienw heb ofyn am ddim yn ôl. Am rai blynyddoedd beth bynnag – ond awn ni ddim ar y trywydd hwnnw rŵan. Dach chi'n gweld, Mr Lewis, diolch i mi, mae Lois ym mhob agwedd yr hyn ydi hi. Mae hi bellach yn gantores dderbyniol, mae'n gwybod sut i gael dynion i wneud yn union beth mae hi eisiau ac mae'n llofrudd cystal, os nad gwell, nag unrhyw un sydd wedi gweithio i mi erioed.'

Safodd yno ar goll yn ei feddyliau am ychydig.

'Piti . . . ' meddai wrtho'i hun. Yna bywiogodd eto.

'Atgoffa fi, Lois,' meddai, 'be oedd enw'r athrawes ganu yna eto?'

'Plîs, Saul,' erfyniodd Lois. Saethodd Ferino hi'n ei phen-glin arall.

'LILI!' sgrechiodd. 'Lili! Lili . . . ' Criodd yn ddiymgeledd.

'A – ie! Lili. Lili Leddf. Cofio rŵan. Wyddoch chi beth, Mr Lewis? Un peth na wyddwn hyd yn gymharol ddiweddar oedd eich bod yn gyn-ŵr i Ms Leddf. Rwy'n synnu a chithau'n dditectif o fri na fyddech chi o bawb wedi cael hyd i'w llofrudd.'

Roeddwn i bron yn rhy ddiffrwyth i ateb. Syllais ar Lois, oedd bellach yn fwndel o goch wrth y wal.

'O'n i'n chwilio'n y lle rong . . . ' mwmiais.

'On'd oeddech!' meddai'n hapus. 'Mr ap Elian druan! Fe geisiodd eich helpu hyd yn oed, yn ôl yr hyn glywais i. Y ferch fach arferai ddod am wersi canu i'w dŷ wedi tyfu'n ddynes hardd – ond fe'i hadwaenodd hi!'

Tristaodd ei lais.

'Ac o ganlyniad, mae pawb yn gorfod marw. Hen dro. Ond roeddwn i'n awyddus i chi glywed hynna gyntaf. I wneud y cylch yn gyflawn, fel petai. Mynd â Lois yn ôl i'r dechrau er mwyn ei hatgoffa am ei dyled i mi . . . '

Roedd ei lais fel petai'n pellhau, a'r stafell yn dechrau tywyllu.

'Lois?'

Cymerodd ei amser.

'Lle mae'r Ddraig?'

Roedd Lois wedi bod yn hanner cwynfan, hanner crio yn ei gwaed drwy gydol y munudau diwethaf, ond yn sydyn roedd fel petai rhywbeth ynddi wedi ei gracio.

'OLREIT Y BASTARD!' sgrechiodd. 'Olreit! Mi dduda i lle mae hi!'

'Wel wrth gwrs y gwnei di,' meddai Ferino'n felys. 'Yn dy amser dy hun.'

Ond ni chafodd Lois gyfle i ateb oherwydd daeth llais o'r ffenest uwchlaw:

'Yncl Jaci!'

O blydi hel – fel petai hi ddim yn ddiwedd y byd yn barod roedd hon yn mynd i gael ei hun i drybini rŵan!

'Sunsur – dos o'ma! Rhed!' gwaeddais, ond roedd hi'n waedd go ddienaid. Clywais sŵn sgrialu uwch ein pennau. Lle'r oedd Genghis?

Saethodd Ferino ergyd i'r nenfwd, ond roedd y pren yn rhy drwchus. O glywed yr ergyd, rhedodd Genghis i mewn. Amneidiodd Ferino arno i fynd o gwmpas y beudy ac i mewn drwy'r ffenest uwchlaw. Llithrodd Genghis allan fel cysgod, yn awyddus i wneud i fyny am fethu Sunsur yn y lle cyntaf.

'Sunsur – watsia!' ceisiais weiddi, ond roedd fy llais megis sibrwd bellach. Hanner gobeithwn am gael marw cyn gorfod clywed unrhyw beth yn digwydd iddi.

Ond clywais sŵn traed trymion ar y llawr uwchben. Gwaeddodd Ferino.

'Be wyt ti'n wneud? Saetha hi!'

''Di'm yma!'

'Mae'n rhaid ei bod hi!'

''Sa neb yma!' Clywn draed Genghis yn croesi'r llawr uwchben ac yna'i sŵn yn neidio allan. Diolch i'r nefoedd. Sunsur fach, gobeithio dy fod yn bell i ffwrdd erbyn hyn.

Ond torrodd Ferino ar draws fy ngobaith fel pe bai'n gallu darllen fy meddwl.

'Wedi mynd. Na phoener. Wnaiff hi ddim dianc oddi wrth Genghis. Reit – ynglŷn â'r Ddraig Goch, Lois . . . '

Ond ni chafodd fynd ymhellach. Caewyd y drws canol yn glep.

O'r arswyd. Roedd Sunsur, yn lle dianc pan oedd y cyfle ganddi, wedi neidio i lawr rhwng y distiau o'r nenfwd i'r côr. Suddodd fy nghalon ychydig yn is nag a feddyliais erioed yn bosib. Ac yn union fel yr hunllef waethaf a gefais erioed clywais ei sgrech, yna ergyd ac yna – dim.

Diflannodd unrhyw densiwn fu ar wyneb Ferino a chroesodd at y drws.

'Da iawn, Genghis,' meddai'n dadol. Trodd yn ei ôl i'n hatgoffa. 'Fy rhif un, wyddoch chi.'

Agorodd y drws i longyfarch ei rif un, a'i weld yn gelain wrth y drws pellaf. Yna teimlodd faril gwn yn cyffwrdd â thop ei ben wrth i ferch ddeg oed hongian ei hun gerfydd ei thraed o ddistiau'r nenfwd.

'Y gwn neu dy frêns, ffatso . . . '

Wedyn aeth pob peth yn dywyll.

EPILOG

'Gest ti ddŵad odd' ar y mashîn, ta?'

'Do . . . '

Saib.

'Ond dwi'm yn mynd i gerddad am sbelan go lew, meddan nhw.'

'O . . . '

Saib.

'Fuast ti'n lwcus . . . '

Saib.

'Do . . . '

Saib.

'Gwranda, ma'n ddrwg gen i fethu bod yna i Hanna.'

'Wel, do't ti'm yn union mewn stâd i —'

'Naci . . . ddim jyst y cnebrwn . . . wst ti . . . '

Saib hir.

'Wel . . . dwi'n siŵr y basa hi'n madda i ti. Oedd hi'n dda fel'ny.'

'Dach chi'ch dwy yn dda fel'ny.'

Saib hir.

'Ti'n meddwl?'

Saib.

'Dwi 'di bod yn ffŵl yn do, Raquel.'

Saib.

'So, pryd ma nhw'n deud cei di ddŵad allan, ta?'

'Na – gwranda. Dwi'm yn gwbod lle ma mhen i 'di bod

y blynyddoedd dwytha 'ma, ond tasa 'na rwbath 'di digwydd i'r hogan fach 'na – ag i titha —'

'Digon hawdd deud hynna rŵan dydi – o't ti'm yn siarad fel'na wsnos yn ôl, nagot?'

Saib.

'Paid â phoeni – mi gei di nyrs am ddim tan fyddi di ar dy draed eto.'

'Diolch . . . '

'Be nei di, ta?'

'Dwn i'm. Tyfu i fyny 'm'bach – cael job ar un o'r papura ella . . . '

'Dim awydd codi dy bac?'

'Wastad. Ond wna i byth. Mwy na nei ditha.'

'Dim awydd gwario dy bres?'

'Dim 'y mhres i 'dio. Oni bai am Sunsur 'sa'r Ddraig 'di hen ddiflannu. I ti oedd y blydi gwn 'na i fod, gyda llaw . . . '

'Be wyddwn i bod hi 'di mynd â fo?'

Saib hir.

'Pam 'sat ti 'di deud rwbath, Raquel?'

Saib.

'Be ma lysh sy'n mynnu byw'n y gorffennol yn da i'n hogan bach i, Jaci? Yn da i mi?'

'Dwi'm yn lysh. Dwi 'di rhoi gora iddi.'

'Ti'm 'di cal llawar o jans ar dy gefn fama, naddo Pero?'

'Na – dwi'n mynd i stopio. 'Dio'm yn broblam.'

'*Forget it pal.*'

'Ti'm yn 'y nghoelio fi?'

'Ti' di deud clwydda wrtha i ormod o weithia o blaen, Jaci – ond ti'n dewis peidio cofio hynny, ma siŵr.'

'Dwi'n gaddo.'

'Nagwyt. Ti'n gaddo dim 'li. Ti'n mynd at y bobol iawn a ti'n deud bod gen ti broblem.'

Saib.

'Wedyn gawn ni weld.'
'Gawn ni weld be?'
Saib hir.
'Wel . . . 'dio'm yn iawn i hogan ddeg oed fod heb dad am byth, nacdi?'
Saib.
'Wel o leia mi neith chênj o "yncl" gneith?'
Saib.
'Pam ti'n sbio arna i fel'na, Raquel?'
Saib hir.
'Ti'm yn gallu gneud syms, y prat?'
Saib.
'Be . . . '
Saib.
'Mai'n aros tu allan. Angan i chi'ch dau gal sgwrs dwi'n meddwl . . . '
Saib.
'Fi?'
'Chdi.'
'Ond . . . ond . . . '
'Wela i di fory, Jaci . . . '
Saib.
'Na – aros . . . Be dwi'n mynd i ddeud wrthi? Aros!'